Hebenstreit, V

Der Fremde in Wien

Hebenstreit, Wilhelm

Der Fremde in Wien

Inktank publishing, 2018

www.inktank-publishing.com

ISBN/EAN: 9783750101128

Der Fremde in Wien

und

Der Wiener in der Heimath.

Möglich vollständiges

Auskunftsbuch

für den

Reisenden nach Wien und während seines Aufenthalts in der Residenz; auch genaue Anzeige alles dessen, was für Fremde und Einheimische in Wien sehenswerth und merkwürdig ist.

Von

Dr. Wilh. Hebenstreit.

Mit einem Plane der innern Stadt.

Dritte, vermehrte und durchaus verbesserte Auflage.

Wien:

In Karl Armbruster's Verlagsbuchhandlung.

1836.

Vorwort.

Beim Erscheinen dieser neuen Auflage habe ich nur wenige Bemerkungen zu machen.

Der Hauptzweck des Buchs: »dem Fremden die Mittel anzuzeigen, seinen Aufenthalt in Wien nützlich und angenehm zu machen, und den Einheimischen von der Beschaffenheit bestehender und neu entstandener Anstalten in Kenntniß zu setzen« ist, wie die nach meiner Einsicht zum bequemen Überblick nicht unzweckmäßig geordnete Reihefolge der bemerkenswerthen Gegenstände, unverändert geblieben. Der in dieser Hinsicht von mir festgehaltene durchaus praktische Gesichtspunkt erlaubte weder ausführ-

liche Schilderungen im Einzelnen, noch
einen des steten Farbenwechsels wegen im
Erfolge ohnehin zweifelhaften Versuch,
solche Schilderungen zu einem Gemälde
zu vereinigen, in welchem das Gesammtgebiet
des Wissens- und Sehenswerthen mit allen
Eigenthümlichkeiten und Schattirungen ausgeführt erscheinen könnte. Darum und weil
die Andeutung von dem, was gleichsam stehend vorhanden, in vorgefallenen Verän-
derungen leicht wieder zu erkennen, oder
ganz neu entstanden ist, mir hinreichend
schien, beschränkte ich mich auf eine einfache,
doch möglich genaue Skizze, es einem
Jeden überlassend, sie auf eigene Weise
auszuschmücken. Wer Neigung und Beruf
fühlt, einzelne Zweige oder die besonderen
Eigenthümlichkeiten der Anstalten näher
kennen zu lernen, wird an Ort und Stelle
befriedigende Auskunft zu erlangen wohl im
Stande seyn.

Auf eine Berichtigung schiefer und
falscher Urtheile, die über Wien verbreitet

sind und gern verbreitet zu werden pflegen,
trug ich Bedenken mich einzulassen. Unter
den vielen Reisenden, die jährlich Wien be=
suchen, haben nur Wenige Zeit und Gele=
genheit, Manche nicht einmal guten Willen
oder Fähigkeit,den eigentlichen Stand hiesiger
Verhältnisse genauer kennen zu lernen, und
wem es gar um eine Sammlung von Noti=
zen für irgend einen Verleger zu thun ist,
führt ohnehin seine eigene Brille mit sich.

In dieser Erscheinung liegt übrigens
nichts Auffallendes; sie wiederhohlt sich
mehr oder minder bei jeder Hauptstadt.

Einen bedeutenden Theil meines Büch=
leins habe ich, wo es der ausgesprochene
Hauptzweck und die Anordnung gestatteten,
gänzlich umgearbeitet, den Überrest nach
Umständen gekürzt, oder ergänzt und ver=
bessert. Sachkenner werden bemerken, daß
nicht nur neue Quellen, sondern selbst über=
all zerstreute Aufsätze, Berichte und son=
stige Mittheilungen benutzt und gewürdigt
sind. Ich glaubte dadurch eine Pflicht

gegen das Publikum zu erfüllen, dessen lebhafte Theilnahme es allein möglich ge= macht hat, im Verlaufe weniger Jahre die dritte Auflage zu liefern.

Dem geehrten Verfasser des Werks »Wien wie es ist, »ein Gemälde der Kaiserstadt und ihrer nächsten Umgebungen, von A. Schmidl (Wien, Gerold, 1833, eigentlich 1832) danke ich für das, wenn gleich nur beiläufige, Geständniß (Vorrede S. XI in der Note), daß er manche Be= richtigung mir verdanke. Bei genauerer Durchsicht meines Büchleins würde er noch mehr zu berichtigen gefunden und mir die Mühe erspart haben, jetzt darauf hinzu= weisen, damit man nicht meine von den seinigen abweichenden Angaben für unge= nau halte. Ein gedrucktes Werk steht Je= dem zur Benutzung offen, und ich habe mit Vergnügen bemerkt, daß die Nothwendig= keit, auch die physischen Bedürfnisse des Reisenden zu berücksichtigen, wie zuerst in diesem Büchlein von S. 95 bis S. 114

geschehen ist, jetzt im Auslande ebenfalls er=
kannt und das gegebene Beispiel nachgeahmt
worden ist; Alles, was der Verfasser wün=
schen und verlangen kann, ist doch nur: daß
sein Werk selbst nicht mutato titulo von
einem Anderen wieder auf den Markt ge=
bracht werde.

Das Meiste von dem in meinem
Buche Erwähnten habe ich mit eigenen
Augen gesehen, in manchen Fällen aber
mich auch fremder Hülfe bedienen müs=
sen. Sollte daher irgendwo die Ziffer 3 mit
5 oder umgekehrt verwechselt, oder auch
statt eines *ff* und *ſſ* ein einfaches *f* und
ſ erscheinen, so bitte ich Diejenigen, die
darin einen Kapitalfehler erkannt haben und
vielleicht noch erkennen, gefälligst zu beden=
ken, daß Jenes bei dem heutigen Stande
unserer Druckereien überall vorkommt, und
von Diesem weder Leib und Leben, noch
Gut und Ehre abhängig sind, und bei=
spielweise der Antiquar Herr Franz Gräf=
fer in der Rauhensteingasse Nr. 948 und

Wallishausser's Buchhandlung auf dem hohen Markt Nr. 541 eben so gewiß zu finden seyn dürfte, als wäre der Name Gräfer und der letzteren Wallishauser geschrieben gewesen. Einiger Berichtigungen wegen verweise ich übrigens auf das Register und führe hier noch an, daß die Zeitschrift »Feierstunden« vom 1. October d. J. unter dem Titel: Der österreichische Zuschauer erscheint, und Herr Johann Gruner, dessen Rasirmesser ungemein gesucht sind, jetzt in der Leopoldstadt, Jägerzeile Nr. 503, neben dem Theater wohnhaft ist.

Wien, im October 1835.

W. H.

Inhalts=Anzeige.

Erster Abschnitt.

Allgemeine Bemerkungen für Reisende nach Wien.

Zweiter Abschnitt.

Anweisung für den Fremden bei seiner Ankunft und weiteren Anwesenheit in Wien.

XIV. Hülfs= und Beförderungsmittel der
wissenschaftlichen und allgemeinen Bil=

XXIII

23

Dritter Abſchnitt.

Die Umgebungen von Wien.

Vierter Abschnitt.

Erinnerungen und Schlußbemerkungen, die Abreise von Wien betreffend.

25

Eintrittstage

zu den

Hauptanstalten und Sammlungen

für

Kunst und Wissenschaft.

Täglich: Der botanische Garten der k. k. Universität
(S. 132); die k. k. Hof= u. die Universitäts=
Bibliothek (S. 169—72); die k. k. Stern=
warte (auch) Abends nach vorgängiger Mel=
dung in der Kanzlei, (S. 161); das k. k. Thier=
arznei=Institut (nach geschehener Mel=
dung beim Aufseher, S. 161). In gleicher
Weise die Gemäldesammlungen des
Fürsten Liechtenstein und jene des Grafen
von Czernin (S. 217—18).

Sonntag: Das Thierarznei=Institut für Jedermann.

Montag und Donnerstag: Bibliothek des Erz=
herzogs Karl (S. 173); Kupferstichsamm=
lung und Handzeichnungen Desselben
(S. 215); k. k. Zeughaus (S. 206).

Montag und Freitag: k. k. Münz= und Antiken=
kabinet (nach vorgängiger Meldung, S. 200).

Dinstag und Donnerstag: die Gemäldesamm=
lung des Fürsten Esterhazy (S. 216).

Dinstag und Freitag: k. k. Ambraser=Samm=
lung und die ethnographische Samm=
lung für Jedermann (S. 805); für Fremde,

27

Gelehrte und Künstler auch an anderen Tagen;
— die k. k. Gemäldegallerie im Belve=
dere (S. 210).

Donnerstag: das Blinden = Institut (S. 222);
k. k. Mineralien=Kabinet (S. 176); zo o=
logisch=botanisches Kabinet (S. 177);
das bürgerlich= Zeughaus, (S. 207). Siehe
auch Montag und Dinstag.

Freitag: die Katakomben im Volksgarten (S. 128);
die k. k. Schatzkammer. Die Meldung ge=
schieht am vorhergehenden Montag (S. 200);
die Einlaßkarten werden Donnerstag verab=
folgt. — Siehe auch: Dinstag.

Sonnabend: das brasilianische Museum und das
ägyptische Kabinet (S. 177. u. 203); die
Lambergsche Gemäldesammlung (nach ge=
schehener Anmeldung am Freitage, (S. 218);
die Natural=Instrumenten= und Prä=
paraten=Sammlungen der k. k. Josephs=Aka=
demie (nach erfolgter Meldung am Donnersta=
ge (S. 179); das anatomisch = patholo=
gische Museum im allgem. Krankenhause ver=
mittelst Ansuchens, (S. 180); die Sammlun=
gen des k. k. polytechnischen Instituts
(S. 164 u. 181), und das Taubstummen=
Institut (S. 228.)

Erster Abschnitt.

Allgemeine Bemerkungen für Reisende nach Wien.

I.

Entfernung von einigen der vorzüglicheren Haupt= und Handelsstädten in Europa.

Wien, die Haupt= und Residenzstadt des Österreichischen Kaiserthums, ist nach der gewöhnlichen Reiseroute entfernt von

Achen	125 deutsche Meilen.	
Amsterdam	152 »	»
Anspach	74 »	»
Antwerpen	160 »	»
Augsburg	69 »	»
Bamberg	76 »	»
Basel (über München) . .	103 »	»
Berlin (über Prag) . . .	82 »	»
Bern	119 »	»

Der Fremde in Wien. 3. Aufl.   1

Von Breslau	**56 deutsche Meilen.**	
Brody (über Lemberg) .	118 »	»
Brüssel	116 »	»
C siehe K.		
Danzig	125 »	»
Darmstadt	98 »	»
Dresden	61 »	»
Düsseldorf	130 »	»
Eger (über Prag) . . .	65 »	»
Erfurt	77 »	»
Erlangen	70 »	»
Fiume (über Laibach) .	74 »	»
Florenz	135 »	»
Frankfurt am Main . .	96 »	»
Frankfurt an der Oder .	62 »	»
Freiburg (im Breisgau) .	96 »	»
Genf	132 »	»
Genua	168 »	»
Giessen	103 »	»
Glatz	44 »	»
Gotha	80 »	»
Göttingen	97 »	»
Grätz	28 »	»
Haag (Holland)	146 »	»
Hamburg	112 »	»
Hannover	101 »	»
Hermannstadt	114 »	»
Innsbruck	70 »	»
Karlsbad	59 »	»
Karlsruhe	100 »	»
Kassel	107 »	»

Von Koblenz	150 deutsche Meilen.	
Krakau	60 »	»
Leipzig	70 »	»
Linz	27 »	»
London	204 »	»
Mailand	126 »	»
München	61 »	»
Neapel	264 ».	»
Paris	172 »	»
Pesth (Ofen)	37 »	»
Petersburg	300 »	»
Prag	43 »	»
Riga	223 »	»
Rom	196 »	»
Salzburg	45 »	»
Straßburg	102 »	»
Stuttgart	92 »	»
Triest	72 »	»
Ulm	79 »	»
Venedig	84 »	»
Verona	109 »	»
Warschau (über Krakau)	101 »	»
Würzburg	38 »	»
Zürch (über München) .	94 »	»

Zwei deutsche Meilen gehen auf eine Post.
Station heißt der Ort, wo die Pferde gewechselt
werden und enthält öfter mehr, als Eine Post.
Die sogenannte poste royale besteht darin, daß bei
der Abreise mit Postpferden aus gewissen Hauptstäd-
ten für die erste Post oder Station die Hälfte des
gesetzlich bestimmten Trinkgeldes mehr bezahlt wird.

*

4

II.

Erfoderniſſe zur Reiſe.

A. Der Paß. Die Grenze des öſterr. Kaiſer-
ſtaats kann von keinem Reiſenden überſchritten werden, der nicht mit einem regelmäßigen und zugleich
von dem in ſeinem Vaterlande befindlichen k. k. Ge-
ſandten, Geſchäftsträger oder Konſul unterzeichne-
ten Paſſe ſeiner Ortsobrigkeit verſehen iſt.

B. Geldmittel. Die beſte Münzſorte für den
Reiſenden in Öſterreich iſt Silbergeld nach dem
Konventionsfuße, von welchem drei Zwanzigkreuzer-
ſtücke einen Gulden ausmachen. Dieſem Gelde ganz
gleich ſind die öſterr. Banknoten, die in allen
Zahlungen angenommen werden und den Vortheil
gewähren, daß der Reiſende ſich nicht mit großen
Summen in Barem befaßen darf. Die näheren Ver-
hältniſſe des Geldweſens ſind aber folgende:

1) Im Durchſchnitt wird nach dem Zwanzig-
gulden - Konventionsfuß gerechnet; denn der
Reichs- oder 24 fl. Fuß iſt nur noch gebräuchlich in
einigen Theilen Tyrol's, im Salzburgſchen und abwärts in Oberöſterreich bis Lambach. Von Lambach
an zahlt man in Öſterreich, in Steiermark und
Kärnten, in Böhmen, Mähren und Schleſien allgemein in Konventionsgulden zu 60 Kreuzern, oder
zu 20 Groſchen á 3 kr. entweder in Silbermünze,
oder in Banknoten, oder auch in der vorläufig noch
vorhandenen Wienerwährung. Letztere begreift

die Einlösungs = und die Anticipations=
scheine, und hat zum Silbergelde einen festen
Kurs, nämlich den von 250 zu 100, so daß Ein
Gulden Wienerwährung 24 kr. K. M. gilt. Diese
Rechnung findet jedoch nur im Privatverkehr statt;
wogegen Post = und Mauthgebühren überall in Kon=
ventionsmünze berichtigt werden.

2) Von den Münzsorten selbst haben gesetz=
lichen Kurs:

a) Goldstücke, in der Regel mit Agio:

Kaiserliche und Kremnitzer Dukaten à 4 fl. 30 kr.;
dergl. doppelte à 9 fl.; Niederländische ganze Sou=
verainb'ors à 18 fl. 20 kr.; halbe à 6 fl. 40 kr.; und
Holländer Dukaten, alte geränderte, à 4 fl. 30 kr.

Sind diese Goldstücke nicht vollwichtig, so wer=
den sie in öffentlichen Kassen gar nicht, in Münz=
und Einlösungsämtern aber, oder von Privaten,
als Material angenommen und behandelt.

b) Silbermünzen:

K. k. Niederländische ganze Kronenthaler à 2 fl.
12 kr.; halbe à 1 fl. 6 kr., Viertelkrone à 33 kr.;
Speciesthaler, österr. und andere nach dem Kon=
ventionsfuß geprägte à 2 fl.; dergl. halbe oder Gul=
denstücke à 1 fl.; Viertelthaler oder halbe Gulden
à 30 kr.; Zwanziger oder Kopfstücke à 20 kr.; alte
Siebenzehner à 15 kr.; halbe Kopfstücke oder Zeh=
ner à 10 kr.; alte Siebener à 6 kr.; Fünfkreuzer=
und Groschenstücke.

Durchlöcherte Silbermünzen sind seit 1819 au=
ßer Umlauf gesetzt und werden als Material be=
handelt.

c) Kupfermünzen:

Dreißigkreuzerstücke, alte, jetzt 6 kr. Wienerwährung; Fünfzehnkreuzerstücke, jetzt 3kr.; Sechs-
kreuzer 3 kr.; Groschen 3 kr.; Kreuzer; halbe Kreuzer und Konventionskreuzer à 2 ½ kr. Wienerwährung.

3) Im Lombardisch-Venetianischen
Königreich wurde seit dem 1. November 1823 ebenfalls der österr. Konventionsfuß zur Grundlage der
Ausprägung und Werthbestimmung der Münzen an-
geordnet. Von diesen kommen im Verkehr vor:

    a) An Goldmünzen, die Sovrana oder das
    40 Lirestück à 13 fl. 20 kr.; die Mezza-Sovrana
    oder das 20 Lirestück à 6 fl. 40 kr.

    b) An Silbermünzen, Scudo oder 6 Lirestück
    2 fl.; halber Scudo oder 3 Lire 1 fl.; ganze Lire
    à 20 kr.; halbe Lire à 10 kr.; Viertellire à 5 kr.

4) Von ausländischen Münzen gelten in
Österreich:

Französische 20 Frankenstücke à 7 fl. 35 kr. K. M.
Italienische » » » à 7 fl. 35 kr. —
Venetianische Zechinen » à 4 fl. 32 kr. —
Baierische ganze Kronenthaler à 3 fl. 12 kr. —
Spanische Matten oder Säu-
    lenthaler à 2 fl. 3 kr. —
Mailänder ganze Scudi à 1 fl. 48¼ kr.—

Beschnittene oder beschädigte Münzen vorstehen-
der Art werden behandelt, als wären sie nicht ge-
wichtig. (Vergl. 2.)

5) Der Werth des auswärtigen Geldes
im österr. Konventionsfuß berechnet, stellt sich also, daß

K. M.

Ein Baierischer Gulden gleich ist	—		50	kr.
» Dänischer Thaler Courant	—	1 fl.	45	kr.
» — Reichsthaler Species	—	2 fl.	10	kr.
» Französischer Frank	—	—	23	kr.
» Hamburger Mark Banco	—	—	43³/₁₀	kr.
» Hannöverischer Thaler	—	1 fl.	39	kr.
» Holländischer Gulden	—	—	49⁴/₁₀	kr.
» Lübecksche Mark Courant	—	—	35	kr.
» Neapolitaner Dukaten	—	1 fl.	37	kr.
» Preußischer Thaler	—	1 fl.	25	kr.
» Sächsischer Thaler	—	1 fl.	30	kr.
» Schwedischer Thaler	—	2 fl.	12	kr.
» Schweizer Frank	—	—	34²/₃	kr.
» Pfund Sterling	—	9 fl.	22³/₁₀	kr.
» Türkischer Piaster	—	—	32⁹/₁₀	kr.
» Westphälischer Thaler	—	1 fl.	15	kr.

6) Endlich reducirt der **Reichsfuß** oder **Vierundzwanziggguldenfuß** sich im Konventionsfuße wie folgt:

	6 kr. sind gleich —	5 kr. K. M.	
	12 » —	— 10 »	—
	24 » —	— 20 »	—
1 fl.	» —	— 50 »	—
2 fl.	» —	1 fl. 40 »	—
6 fl.	» —	5 fl. u. s. w., und umgekehrt.	

Zum Aus= und Einwechseln der unter Nr. 3 und 4 erwähnten Münzen ist in Wien vielfältige Gelegenheit vorhanden und dieserhalb, wie zum Kauf und Verkauf von Staatspapieren, insbesondere

zu empfehlen die Wechselstube des Herrn Aug. We=
del, am Peter Nr. 160, im 1. Stock links.

C. Empfehlungsbriefe. Jeder Reisende,
dem es darum zu thun ist, Wien und die Einwoh=
ner möglich schnell kennen zu lernen, bestrebe sich,
Empfehlungen an Personen verschiedener Stän=
de zu erhalten. Er wird alsdann sehr leicht die Über=
zeugung gewinnen, daß die Wiener noch immer ih=
ren alten Ruf der Gefälligkeit, Biederkeit und Gast=
freiheit zu behaupten wissen.

III.

Gegenstände, deren Einfuhr den Reisenden frei steht.

1. Zeuge und Stoffe aller Art werden
ohne Mauth (Zoll) eingeführt, in so fern sie zu
Kleider verarbeitet und bereits getragen sind. Dage=
gen zahlen unverarbeitete Zeuge und Stoffe nach
Bestimmung des Mauthtariffs die Einfuhrgebühren.

2. Altes und neues Hausgeräth, Wä=
sche und Bettzeug, selbst neue Kleidungsstücke,
welche Reisende zum eigenen, ihrem Stande ange=
messenen, Gebrauch mit sich führen, sind zollfrei
in der Ein= und Ausfuhr, doch müssen sie bei dem
betreffenden Zollamte erklärt und mit den Freibol=
leten belegt werden.

3. Gold, Ringe, Uhren und Klein=
odien müssen gleichfalls bei der Einbruchsmauth

angezeigt werden. Der Reisende erhält über diese Gegenstände, in so weit sie nämlich seinem Range und Bedürfnisse angemessen sind, ein Freibollet, und mit diesem versehen kann er auch wieder Alles zollfrei ins Ausland zurücknehmen.

4. Rücksichtlich des fremden Tabaks ist, einer neuen Verordnung zufolge, dem Reisenden die Einfuhr von fünf Pfund gegen Erlegung des Zolles und der Monopoltaxe gestattet. Hiernach wird entrichtet:

a) von Einem Pfunde ausländischer Tabaksblätter an Zoll 9 kr., an Taxe 2 fl. K. M.; und von Einem Pfunde Tabaksfabrikat (Rauch= oder Schnupftabak) an Zoll 24 kr., an Taxe 3 fl. K. M.

b) Von Einem Pfunde ungarischer Tabaksblätter an Zoll ¼ kr., an Taxe 1 fl.; und von Einem Pfunde Tabaksfabrikat (Rauch= oder Schnupftabak) an Zoll ½ kr., an Taxe 2 fl. K. M. — Die Anzeige, daß der Reisende Tabak mit sich führt, und die Zahlung des Zolls und der Taxe geschieht bei der Einbruchsstation an der Grenze. Die darüber empfangenen Bollete sind sorgfältig aufzubewahren. Übrigens sind ziemlich gute Sorten Rauch = und Schnupftabak in jeder bedeutenden Provinzialstadt und in Wien auch ausländische Sorten zu haben.

5. Bücher sind ohne Unterschied der Quantität zollbar; auch werden sie obsignirt und von dem k. k. Central=Bücher=Revisionsamte in Wien, Stadt Nr. 152 durchgesehen. Die erlaubten Bücher

werden dem Eigenthümer zurückgegeben, die verbo=
tenen aber dort bis zur Rückreise oder doch so lange
aufbewahrt, bis der Eigenthümer die Verabfolgung
derselben von der obersten k. k. Censurbehörde er=
wirkt hat.

6. Hebräische, im Auslande gedruckte, Ge=
bet= und Religionsbücher sind einzuführen
gänzlich verboten und die Einfuhr illyrischer
und wallachischer Bücher, die in Österreich
nicht erzeugt sind, wird nur gegen eigene Pässe
gestattet.

IV.
Art und Weise der Herreise.

Zur Reise nach Wien bedient man sich der Land=
kutschen, des Postwagens, der Eil= und der Extra=
post, wie dies auch im Lande selbst und bei der Rück=
reise geschieht. Aus Würtemberg, Baiern und Ober=
österreich kann die Herreise noch auf der Donau ge=
macht werden.

1. Das mit einem Landkutscher zu treffende
Übereinkommen wird als bekannt vorausgesetzt, und
wegen der Rückreise von Wien dieserhalb auf den
letzten Abschnitt des Werks verwiesen.

2. Wer aber im österr. Kaiserstaat mit dem
aerarischen Postwagen, wo derselbe nämlich
im Gebrauch ist, reisen will, hat dieserhalb sich bei
der ihm zunächst gelegenen Postwagen=Expedition zu

11

melden und den Vormerkschein nachzusuchen,
in welchem zugleich das mit Adresse und Angabe des
Bestimmungsortes versehene Gepäck des Reisenden
verzeichnet wird. Letzteres empfängt der Reisende nach
beendigter Fahrt nur gegen Rückgabe des Scheines
zurück.

Die Postgebühren werden von Zeit zu Zeit nach
Maßgabe der Fütterungspreise festgesetzt und sind
nach den verschiedenen Provinzen, in welchen man
reiset, verschieden. An Gepäck kann die Person 30
bis 50 Pfund mitführen. Von dem Inhalte und dem
Werthe desselben nimmt die Postwagen-Expedition
weder Kenntniß, noch haftet sie dafür. Doch darf
es nicht in Waaren, Geld oder Prätiosen bestehen.
Für Gegenstände solcher Art wird aber, wenn sie
besonders gepackt und bezeichnet sind, gegen Entrichtung der gesetzlichen Gebühren Gewähr geleistet.

Über die Strecken, welche vom aerarischen
Postwagen noch befahren werden, und über die Bedingungen, erhält man in Wien bei der k. k. Post-
wagen-Direktion, Stadt Nr. 666, Auskunft.

3. Die Eilfahrt besteht im österr. Staate
seit 1823. Sie ist eine für Reisende ohne Familie
sehr erwünschte Anstalt und fast über alle Straßen-
züge ausgedehnt. Die Wagen sind bedeckt, gehen zu
bestimmten Stunden ab und sind verpflichtet, in
gleicher Weise am Bestimmungsort einzutreffen. Ge-
nauere Auskunft darüber und über die Fahrtaxe, die
nach Umständen wechselt, wird in der Expedition
der Eilposten, Dominikanerplatz Nr. 666, ertheilt.
Im Durchschnitt aber hat der Reisende für jede Post

von zwei deutschen Meilen etwa 48 kr. K. M. zu entrichten. Die Meldung zur Reise mit der Eil=fahrt muß einige Tage früher im erwähnten Lokale geschehen, und das ganze für die Reise be=stimmte Passagierporto, gegen einen jedoch nur für die darin bezeichnete Fahrt gültigen Vormerk=schein, entrichtet werden. Jeder Reisende kann 20 Pf. Gepäck frei mit sich nehmen; außerdem wer=den ihm 30 Pf. oder alle 50 Pf. mit dem Post= oder Brankardwagen portofrei voraus= oder nachgeschickt. Das Gepäck darf jedoch nur in Mantelsäcken oder in kleinen, leicht unterzubringenden Packeten beste=hen und auch keine Waaren enthalten. Es muß an den bestimmten Tagen zur Haupt=Expedition gebracht werden, jedes einzelne Stück gesiegelt, mit der Adresse des Reisenden und Bemerkung des Abgabeorts versehen seyn. Jeder Reisende hat ferner Behufs der Vormerkung einen Passirschein von der k. k. Po=lizei=Oberdirektion, oder, wenn er Militair ist, von dem k. k. Militair = Platzkommando mitzubringen. Hunde dürfen in Eilwägen nicht mitgenommen werden und das Tabakrauchen aus geschlosse=nen Pfeifen ist nur mit allgemeinem Einverständniß gestattet.

Zur Bequemlichkeit der Reisenden ist noch eine andere Einrichtung getroffen, die nämlich, daß, wenn die gewöhnlichen Eilwägen keinen Platz mehr darbieten, oder einige Personen, wenigstens vier, an Tagen, wo jene nicht abgehen, ohne Begleitung eines Kondukteurs nach irgend einem Hauptort rei=sen wollen, Beikaleschen bereit stehen, oder

auch die Reiseluftigen mittelft einer Separat=
fahrt und mit Beigebung eigener Stundenpäffe in
leichten und bequemen Wagen und in dem feftgeſetz=
ten Zeitmaße weiter befördert werden. Wie bei der
Eilpoft hat man bei ſolchen Separatfahrten den
Vortheil, daß Frühftück, Mittag= und Abendmahl
im Voraus beſtellt und dafür eine billige Preis=
beſtimmung geſichert iſt. Außerdem iſt es den Rei=
ſenden überlaffen, nicht allein den Tag und die
Stunde der Abfahrt feſtzuſetzen, ſondern auch auf
·Poſtſtationen zu verweilen und zu übernachten; je=
doch muß die Beſtellung dieſer Separatfahrt wenig=
ftens Einen Tag vor der Abreiſe geſchehen und die
Poſtſtation, wo der Aufenthalt ſtatt findet oder über=
nachtet wird, nahmhaft gemacht werden. Im Durch=
ſchnitt beträgt hier die Fahrtaxe für jede Poſt
56 kr. K. M. Eine Reiſe= und Influenzkarte der
Eilpoſt=Diligence (aerar. Poſtwagen) und Packwagen=
Courſe von mehr als 150 Städten in dem Kaiſer=
thum Öſterreich und in Mitteleuropa hat Franz
Raffelsperger herausgegeben. Die dritte Auf=
lage erſchien 1833 in Wien beim Kunſthändler J.
Bermann, am Graben Nr. 619. Preis 1 fl. 36 kr.
K. M. — Auch gibt der Poſtbericht des k. k. Hof=
poſtamtes zu Wien für das Jahr 1835, bearbeitet
von Aug. Bierthaler (Wien, Mausberger) über
Courſe und Poſtgebühren die vollſtändigſte Auskunft.

4. Die fahrende Extrapoſt. Auch hier be=
ſtimmen die Fütterungspreiſe das Rittgeld, nach
welchem das Kaleſchegeld bemeſſen wird. Dieſes
beträgt für eine gedeckte Kaleſche die Hälfte, und

2

für eine offene Kalesche ein Viertel des jedesmaligen
Rittgeldes für Ein Pferd und eine einfache Post.
Ein eigener Wagen ist aber, zur Vermeidung des
Umpackens auf jeder Station, bei Weitem vorzuziehen. Die Rittgebühren übersteigen selten für
Ein Pferd und eine einfache Post den Betrag Eines
Guldens. So viel pflegt der Reisende auch dem Postillon Trinkgeld zu geben, wenn solches gesetzlich
auch um die Hälfte erniedrigt ist. Diese Postgebühren sind nach den verschiedenen Provinzen verschieden und es muß daher im vorkommenden Reise-
fall in der Expedition der Posten selbst Nachfrage
gehalten werden.

Übersteigt die Zahl der Reisenden drei Personen, oder ist das Gepäck von zwei Personen außerordentlich schwer, so sind sie gehalten, drei Pferde
zu nehmen. Mehr als vier Pferde aber dürfen nicht
eingespannt werden. Der Regel nach ist der Wagen
mit der nämlichen Pferdezahl, wie er zur Station
kommt, weiter zu befördern; eine Ausnahme machen
jedoch jene Poststrecken, für welche wegen Bergen
oder anderer Örtlichkeiten eine Vorspanngeb-
bühr gesetzlich besteht, und außerordentliche Na-
turereignisse, tiefer Schnee u. dergl., besonders
wenn der Reisende in einem ungewöhnlich schweren
Wagen fährt. Jene Vorspanngebühr ist auf die
Hälfte des jedesmaligen Ritt- und Postillontrinkgel-
des für Ein Pferd festgesetzt. Wird der Vorspann
für die ganze Poststation verwendet, so tritt das
normalmäßige Ritt- und Trinkgeld ein.

Der Reisende darf so wenig, wie seine Diener

15

die Pferde antreiben oder den Postillon mißhandeln.
Dagegen liegt dem Postmeister ob, ohne Zeitver=
lust die Pferde wechseln und den angekommenen
Fremden durch nüchterne und tüchtige Postillone, in
der Regel im gestreckten Trabe, weiter befördern zu
lassen. Sind die Pferde durch einen Laufzettel
(im k. k. Hofpoststallamt, Dominikanerplatz Nr. 663)
vorausbestellt und trifft der Reisende auffallend spä=
ter (ein, zwei oder mehrere Tage) ein, so sind die
Postmeister berechtigt, für jedes der bestellten Pferde
und für jeden Verspätungstag die Hälfte der beste=
henden Rittgeldtaxe als Wartegeld anzusprechen.

5. Fremde, welche die Reise nach Wien auf
der Donau machen können und wollen, sind rück=
sichtlich der Pässe und Einfuhrartikel den nämlichen
Polizei = und Mauthvorschriften unterworfen, wie
die zu Lande Reisenden. Da sie in Schiffen von Ulm,
Lauingen, Stadtamhof und Regensburg zu kommen
pflegen, so ist für sie Engelhardzell die k. k.
Grenzmauth, wo ihnen gegen einen Empfangschein
in deutscher, französischer und englischer Sprache
der Paß abgenommen wird, den sie in Linz ange=
kommen von der dortigen k. k. Polizeidirektion zu=
rückerhalten.

Die Untersuchung des Reisegepäcks geschieht in
Engelhardzell, nach Umständen aber, und nicht sel=
ten, folgt noch eine Zollvisitation in Linz. Im All=
gemeinen ist dem Reisenden anzurathen, an der er=
wähnten Grenzmauth seinen Koffer nur visitiren,
nicht plombiren zu lassen, in so fern darin bloß ge=
brauchte Effekten enthalten sind, und er bei der Wei=

terreife an keinem Orte mehr verweilen will. Er darf
alsdann für die Erhaltung der Siegel nicht beforgt
feyn, kann auch die Koffer, wenn fie noch einmal
in Nußdorf, eine Stunde vor Wien, oder beim Zoll=
amt am Donaukanal in Wien befchaut find, fogleich
nach feinem Abfteigequartier bringen laffen, woge=
gen jeder plombirte Koffer ohne Ausnahme auf die
Hauptmauth zu ftellen ift.

In Linz ift zur Donaufahrt nach Wien faft
täglich Gelegenheit zu haben. Theils nehmen die Ul=
mer= und Regensburger=Schiffe die Paffagiere auf,
theils gehen Fahrzeuge unmittelbar von Linz ab. In
der Hütte zahlt die Perfon 3—4 fl. K. M., und
die Reife wird in zwei Tagen vollendet.

Bei heiterem Wetter ift diefe Fahrt ungemein
reizend, wenn gleich die mehr auf Beförderung der
Waaren als der Perfonen berechneten Reifegelegen=
heiten Manches zu wünfchen übrig laffen. Ausführli=
ches darüber findet man in J. A. Schultes Do=
naufahrten (Bd. 1. Wien 1819, Bd. 2. Stuttgart
1827), und in dem Reifetafchenbuche von A. J. Groß,
(Wien 1830, 16.) welches zugleich eine von C. C.
Frühwirth lithographirte Stromkarte und 5 Anfich=
ten enthält. Auch verdient rühmliche Erwähnung die
malerifche Donaureife nach der Natur aufgenommen
und in Stein gezeichnet von C. Alt, (Wien, bei
Mannsfeld). Neu angekündigt find von F. Locher,
Graveur aus Zürch, malerifche Anfichten der Donau
von ihrem Urfprunge bis zu ihrem Verfchwinden,
unter dem Titel: »die Donaureife,« in 4 verfchiede=
nen Ausgaben, worauf Artaria und Comp. und die

17

Buchhändler Schaumburg und Gerold in Wien Be=
stellungen annehmen.

V.

Der beste Zeitpunkt zu einer Reise nach Wien.

Unstreitig erscheint Wien im Frühling am Glän=
zendsten. Die fast unzählbaren geschmackvollen und
reichen Equipagen, die nach alter Sitte, besonders
vom Ostermontag an bis gegen Ende Mai's, ihren
Zug aus der Stadt in den Prater nehmen, gewäh=
ren einen überraschenden Anblick, und die herrlichen
Umgebungen Wiens, deren in gleicher Zahl kaum
eine andere Hauptstadt sich erfreut, sind dann in
Frische und Blüte am Anziehendsten. Später begibt
der Adel sich auf seine Güter; der wohlhabende Mit=
telstand bezieht Landhäuser; Andere wandern nach
dem nahen Mödling oder Baden, wenn sie nicht
entferntere Bäder besuchen, und die Residenz ver=
liert zwar nicht an Merkwürdigkeit, doch aber an
regem Leben. In welcher Jahreszeit der Fremde aber
auch Wien besuchen mag, immer wird ihm genü=
gender Stoff verbleiben zum Vergnügen, zur Be=
lehrung und zur heiteren Rückerinnerung.

Zweiter Abschnitt.

Anweisung für den Fremden bei seiner Ankunft und weiteren Anwesenheit in Wien.

I.

Die Postabnahme an der Linie (Barriere.)

Jedem in Wien ankommenden Reisenden wird an der Stadtlinie von dem dort aufgestellten Polizei=posten der Paß abgenommen und ihm darüber ein Empfangschein in deutscher, französischer und italie=nischer Sprache eingehändigt, worin die Anweisung enthalten ist, sich innerhalb 24 Stunden bei der k. k. Polizei=Ober=Direktion zu melden. Die zu gleicher Zeit an den Fremden gestellte Frage, wo er einkeh=ren oder wohnen wird, mag er in Ermangelung ei=ner Privatwohnung aus dem unter Nro. III. folgen=den Verzeichnisse der Gasthöfe beantworten.

II.

Die Mouthrevision.

———

Der Paßabgabe folgt die Mauthrevision, da in Beziehung auf den Reisenden die Linien Wiens wie eine Einbruchsstation behandelt werden. Kommt derselbe mit dem acrarischen Postwagen oder mit der Eilpost an, so wird sein Gepäck auf die Hauptpostwagen-Direktion geführt und dort von einem Beamten der Hauptmauth revidirt. Hat der Reisende aber sich einer Landkutsche, eigener Gelegenheit oder der Extrapost bedient, dann kann er sein Gepäck entweder sogleich an der Linie untersuchen lassen, oder verlangen, auf die Hauptmauth begleitet zu werden. Letzteres wird vorzüglich für den Fall empfohlen, wenn das Gepäck groß oder viele Koffer vorhanden sind. Bei der Ankunft auf der Hauptmauth melde er sogleich sich beim O b e r a m t e, um seine Abfertigung zu beschleunigen. Gegen diese Revision schützen zwar die Grenzbollete nicht, doch erfordert die Klugheit, solche vorzuweisen, um der g e n a u e n Visitation überhoben zu seyn. Was einer Verzollung unterliegt, darf auch nicht verschwiegen werden. W a a r e n aber und v e r s i e g e l t e dem Zoll unterliegende Packete werden n i e m a l s an der Linie, sondern allemal von der Hauptmauth untersucht. Rücksichtlich der auf der Donau Ankommenden ist das Nöthige bereits S. 15 bemerkt.

———

III.

Vorzügliche Gasthöfe in der Stadt und in den Vorstädten.

———

Die bekanntesten und vorzüglichsten Gasthöfe, ehemals Einkehrwirthshäuser genannt, sind

a) in der Stadt folgende:

Der Gasthof zum römischen Kaiser, Freiung Nr. 138.

Zur Kaiserin von Österreich, Weihburggasse Nr. 906.

Zur Stadt London, der Hauptmauth gegen= über. Nr. 684.

Zum Schwan, Neuer Markt Nr. 1044.

Zum Erzherzog Karl, Kärntnerstraße Nr. 968.

Zum wilden Manne, daselbst Nr. 942.

Zum Ungarischen König, große Schulenstraße Nr. 852.

Zum goldenen Ochsen, Sailergasse Nr. 1086.

Der Matschakerhof, eben daselbst Nr. 1091.

Zur Ungarischen Krone, Himmelpfortgasse Nr. 961.

Zum weißen Wolf, alter Fleischmarkt Nr. 691.

Will der Reisende Zeit ersparen, so wähle er vorläufig einen dieser Gasthöfe, der Unterschied in Eleganz, Bedienung und im Preise ist denn doch nicht gar zu auffallend gegen jene

b) in den Vorstädten, nämlich

Gasthof zum schwarzen Adler, Leopoldstadt, Hauptstraße Nr. 316.

Zum weißen Roß, Leopoldstadt, Hauptstraße
Nr. 321.

Zum goldenen Lamm, Praterstraße Nr. 581.

Diese Gasthöfe liegen auch den Reisenden bequem, die über Prag und Brünn kommen. Für Jene aber, die aus Steiermark oder Kärnten eintreffen, wären zu empfehlen, der Nähe der Stadt wegen:

Der Gasthof zum goldenen Kreuz auf der Wieden, Hauptstraße Nr. 11, und

Der zum goldenen Lamm, daselbst Nr. 24.

Die Italiener pflegen fast ausschließlich im Gasthofe zu den drei Kronen, daselbst Nr. 21 einzukehren.

Hat der Fremde einen Gasthof von den genannten gewählt, oder ist ihm ein anderer besonders empfohlen, so beharre er darauf, daß er in solchen geführt werde, damit er nicht der Laune oder dem Interesse der Fuhrleute unterliege.

IV.

Der Aufenthaltschein.

Der an der Linie erhaltenen Anweisung gemäß, meldet der Reisende sich in der festgesetzten Zeit bei der k. k. Polizei-Oberdirektion und zwar im Paß-Konskriptions- und Anzeigamte, Stadt, Spänglergasse Nr. 564. Ist er ein Ausländer, so wird er an die Fremdenkommission daselbst

gewiesen, um seinen Reisezweck, die Dauer des
Aufenthalts, und um die nöthigen Subsistenzmittel
befragt, über welche er sich mit Wechsel = oder Kre=
ditbriefen u. dgl. auszuweisen hat. Der hierauf er=
theilte Aufenthaltschein lautet auf eine bestimmte
Zeit, nach deren Ablauf eine dem Bedürfnisse ange=
messene Verlängerung nachzusuchen ist. Der Paß
wird in der Regel bei der k. k. Polizei=Oberdirek=
tion aufbewahrt und nur die Geschäftszahl dem
Aufenthaltscheine beigefügt. Reisende aus den Pro=
vinzen des österr. Kaiserstaats pflegen den Paß
selbst zu ihrer Legitimation zurück zu erhalten.

V.

Einige besondere Andeutungen für Fremde.

Die innere Stadt ist überall und der größere
Theil der Hauptstraßen in den Vorstädten mit einem
Trottoir versehen. Dies gereicht dem Fußgeher
zur großen Bequemlichkeit, hauptsächlich weil in
Wien viele Wägen in Bewegung sind. Es geschieht
zwar selten ein Unglück, doch ist Vorsicht besonders
an Stellen nöthig, wo Seitenstraßen in die Haupt=
straße auslaufen oder sie durchschneiden.

Der Verkehr zwischen der Stadt und den Vor=
städten ist sehr lebhaft und der Hauptwechsel in der
Mittags= und Abendstunde. Um ein unangenehmes
Zusammenstoßen zu vermeiden, verfolge der

Fremde ruhig seinen Weg, ohne Gegenstände zu be=
trachten, die zur Seite liegen.

Im Ausweichen besteht in Wien keine eigentli=
che Regel. Man verfährt darin nach Umständen. In=
deß bemerkt man doch, daß öfter l i n k s ausgewi=
chen wird, wovon der Grund wohl darin liegt, daß
vieles Militair mit Ober= und Untergewehr auf der
Straße ist, die Dienstboten ihre Körbe am linken
Arm tragen u. s. w. Der Fremde mag sich also ein
Ausweichen zur linken Seite zur Regel nehmen.
Übrigens werden über ein zufälliges, selbst unsanftes
Zusammentreffen vom Wiener durchaus keine Worte
gewechselt.

Das T a b a k r a u c h e n ist im Innern der
Stadt, auf den Brücken, in der Nähe einer Schild=
wache, auf der Bastei und starkbesuchten Prome=
naden nicht gestattet. Gewöhnlich findet man dieser=
halb an den letztgenannten Orten eine Erinnerungs=
tafel.

Die Stelle einer solcher Tafel vertritt bei Aus=
besserung der Dächer, der Gesimse u. dgl. ein mit
dem Namen des Meisters bezeichnetes tief herabhän=
gendes K r e u z oder eine der Mauer angelehnte
S t a n g e. Um eine Beschädigung zu vermeiden.
weicht man diesen Stellen gehörig aus.

Ausgestellte K a v a l l e r i e p o s t e n an den
Hauptzugängen der k. k. Burg zeigen an, daß eine
H o f f e i e r l i c h k e i t statt findet; an anderen Stra=
ßenecken, daß die Passage gesperrt ist.

W e i n h a n d l u n g e n und W e i n h ä u s e r
pflegen außer ihrem Schilde und der Inschrift noch

Tannenreiſer auszuſtellen, oder ſie in Blech zierlich nachbilden und gruppiren zu laſſen. Bier= häuſer bezeichnen ſich mit einem Büſchel Hobel= ſpäne, zwar nicht mehr in natura, ſondern ge= malt oder nachgebildet, wie jene Tannenreiſer. So= gar die Weinkeller ſchmücken nicht ſelten ihren oft ſchmutzigen Eingang mit ſolchen Reiſern.

Im Umgange wird jeder gebildete oder wohl= habende Mann Herr von genannt, die Gattin Frau von, etwas höher hinauf Gnädige Frau, und noch höher Ew. Gnaden. Die Tochter des Hauſes heißt Fräulein und gnädiges Fräu= lein. Dieſe ſehr bequeme Sitte iſt den Fremden zur Nachahmung zu empfehlen.

Was es mit dem erwähnten Adelsprädikat für eine Bewandtniß hat, weiß man recht gut; doch dürfte mit der Anrede Herr, Madame, Mademoi= ſelle und Demoiſelle gar oft bedenklich ange= ſtoßen werden. Von Mamſell und Jungfer will Niemand mehr etwas hören.

Hohe Staatsbeamte werden, wie der höhere Adel, ihrem Stande gemäß prädizirt.

Reiſende, die viele Länder und Menſchen geſe= hen haben, bedürfen ihres Verhaltens wegen keiner weiteren Erinnerung. Für Andere möge die Bemer= kung genügen, daß jeder Staat ſeine eigenthümliche Organiſation hat, und zum Auffaſſen und Beurthei= len derſelben mehr gehört, als ein oberflächlicher Hinblick und ein Zeitraum von wenigen Tagen oder Wochen!

VI.

Die Mittel, in Wien schnell orientirt zu seyn.

Es gibt verschiedene Mittel, in kurzer Zeit mit der inneren Stadt und den Vorstädten bekannt zu werden.

Am ersten oder nachfolgenden Tage seiner Anwesenheit kann der Fremde einen Lohnbedienten zum Begleiter nehmen. Der Inhaber des Gasthofes, in welchem er abgestiegen ist, weiset derlei Leute zu und der Fremde zahlt 1 fl. 30, bis 1 fl. 48 kr. täglich. Es wird jedoch gut seyn, wenn er sich bereits mit dem diesem Buche beygefügten Plane der inneren Stadt bekannt gemacht, die Namen der vorzüglichsten Straßen gemerkt und den Thurm und die Kirche zu St. Stephan gleichsam als Stütze und Mittelpunkt der beginnenden Wanderung angenommen hat.

Um die Stadt im Ganzen und in ihren Theilen vergleichungsweise mit dem Plane derselben aufzufassen, zugleich auch einen vorläufigen Überblick der Vorstädte zu gewinnen, besteige dann der Reisende den Stephansthurm bis zur Gallerie, wozu im Sommer die Abendstunde besonders geeignet ist. Die Erlaubniß dazu ertheilt das Kirchenmeisteramt zu St. Stephan im erzbischöfl. Gebäude Nr. 874.

Auf diese Weise lernt man die Verbindung der

3

Straßen und Plätze leicht kennen und wird dadurch fähig, mit einiger Sicherheit nach verschiedenen Richtungen sich bewegen zu können. Nöthigen Falls wird bei einer Nachfrage die Antwort von Jedermann gleich bereitwillig und genügend seyn.

Die Lage der Vorstädte aber wird dem Fremden sehr bald bekannt werden, wenn er die innere Stadt auf der Bastei und dem Glacis umschreitet. Der beigegebene Plan zeigt auf diesem Gange die Thore an, die aus der Stadt über das Glacis in die Vorstädte führen. Von der Bastei übersieht er die Lage der Vorstädte aus einem erhöhten Standpunkt, auf dem Glacis befindet er sich mit ihnen in gleicher Linie. Diese zweifache Ansicht erleichtert und befördert ungemein die Bekanntschaft mit den Örtlichkeiten und wenige Fragen werden hinreichen, solche zu vollenden.

Letztere richte der Fremde auf hervorragende Gebäude und Kirchen, insbesondere auf Anstalten in den Vorstädten, die er zu sehen wünscht. Mehrere Gebäude, worin dergleichen sich befinden, und andere Baumerkwürdigkeiten liegen in der Nähe der inneren Stadt und sind von der Bastei theils mit freiem Auge zu erkennen, theils ihrer Lage nach genau zu bezeichnen. Nimmt man die Rückseite der Hauptmauth zum Anfangspunkt seiner Wanderung und setzt diese in der Richtung nach Westen fort, so erblickt man von der Bastei folgende: das Invalidenhaus, die Kanonenbohrerei, das Thierarznei-Institut, den fürstl. Schwarzenbergischen Sommerpallast und Garten, das Belvedere, die Karlskirche, das

polytechnische Institut, das Freihaus und Theater
an der Wien, den k. k. Marstall, die Ingenieur-
Akademie, den fürstl. Auerspergischen Pallast, das
Gebäude der Ungarischen Garde, das neue Krimi-
nalgefängniß, die Alserkaserne und das allgemeine
Krankenhaus, das rothe Haus, die k. k. Gewehrfa-
brik und im Hintergrunde die Josephinische Akademie, die Sommerpalläste der Fürsten Dietrichstein
und Liechtenstein; ferner die Badhäuser am Schanzl,
am scharfen Eck und das Dianenbad, nebst den unweit davon entfernten Kaffeehäusern an der Ferdinandsbrücke, die in die Leopoldstadt und den Prater
führt.

Um die sehr entfernten Anstalten zu besuchen,
wird der Fremde zur Zeitersparung sich wohl eines
Fiakers bedienen, da ihm aber die Lage der meisten
in erwähnter Weise schon bekannt geworden ist, kann
er um so leichter seine Auswahl treffen und das Gewählte zweckmäßig verbinden. Aus diesem Gesichts-
punkte schien die Beigabe eines Plans der Vorstädte ganz entbehrlich; wer jedoch einen solchen
zu besitzen wünscht, erhält ihn in Artaria's Kunsthandlung, Kohlmarkt Nr. 1150; beim Antiquar-
Kunsthändler Weber, das. Eck der Naglergasse Nr.
282, und beim Verleger dieses Büchleins, Armbruster, Singerstraße Nr. 878.

VII.

Vermischte Nachrichten über die Stadt, und ihre innere Beschaffenheit und Einrichtung.

Wien, die Hauptstadt des Erzherzogthums Österreich unter der Enns und des Kaiserthums Österreich überhaupt, ist seit Maximilian I., gest. 12. Jänner 1519, auch die beständige Residenz der Herrscher. Mit dem Namen Wien bezeichnet man jedoch sowohl die innere Stadt, als auch die Vor=städte.

1. Die Lage Wiens auf einer Anhöhe am süd=lichen Donauufer ist im 34 Grad, 2 Minuten, 16 Sekunden östlicher Länge, und im 48°, 12' und 32″ nördlicher Breite.

Die Höhe des mittleren Standes der Donau unter der Franzensbrücke ist 79,95; die der Ter=rasse der Universitäts=Sternwarte 103,85, und die des Fußes des St. Stephansthurmes 87,000, ge=nauer 87 $\frac{78}{100}$ Wienerklafter über dem Spiegel des Adriatischen Meerbusens.

Von den Vorstädten umgeben ist der Mit=telpunkt der inneren Stadt die Peterskirche, und ihr Flächeninhalt innerhalb der Bastei möchte etwa 412,000 Quadratklafter betragen. Der Um=kreis der Stadt und sämmtlicher Vorstädte ist

bisher auf 13,800 Wienerklafter, oder etwa 3½ deut=
sche Meilen angenommen, beträgt aber, da das
Stadtgebiet an mehren Stellen weit über den
Liniengraben hinausreicht, nach genauer Abmessung
23,270 Wr. Kl., oder 5 ¾ österr. Postmeilen, d. i.
5.95 geograph. Meilen; die ganze Länge von der
St. Marxer= bis zur Nußdorfer=Linie ist auf 8250
Klafter, und die gesammte Breite von der Gum=
pendorfer=Linie bis zum Ende der Jägerzeil, auf 2650
Klafter berechnet. Dieses Ausmaß stützt sich auf den
Katastralplan und ist aus Blumenbach's höchst
anziehendem Gemälde der österr. Monarchie (Bd.
1. S. 242) und aus seinem trefflichen Werke: Neue=
ste Landeskunde von Österreich unter der Ens. (Bd.
II. S. 234 u. f.) entnommen.

Die Häuserzahl in der Stadt und in den Vor=
städten übersteigt 8200 (wovon 1214 in der innern
Stadt), die Kirchen, Magazine und sämmtliche
Nebengebäude nicht mitgerechnet. Alle Häuser sind
numerirt, in der inneren Stadt mit rother, in den
Vorstädten mit schwarzer Farbe, dort 3—5, hier
2—3 Stockwerke hoch, die Treppen von Stein, die
Dächer fast durchgängig mit Ziegeln, Schiefer oder
Kupfer gedeckt und mit Wasserrinnen versehen.
Die gesammte Häusermiethe beträgt mehr als 10
Millionen Gulden Konv. Mze., wovon die größere
Hälfte den Vorstädten zufällt.

Die innere Stadt ist von der Bastei einge=
schlossen, welche mit Bäumen bepflanzt, mit einfa=
chen Gartenanlagen und Ruhesitzen versehen, inner=
halb Einer Stunde im mäßigen Schritte umgangen

werden kann. Nach ihren verschiedenen Bezirken und andern Ursachen hat sie auch verschiedene auf dem Plane verzeichnete Namen.

Zwischen der Stadt und den Vorstädten befindet sich das G l a c i s (Esplanade), ein etwa 600 Schritte breiter Wiesengrund, mit Kastanien, Pappeln, Platanen, Linden, Akazien und Nußbäumen bepflanzt, nach allen Richtungen von Fahr= und Fußwegen durch= schnitten, und des Abends durch Laternen beleuchtet.

2. Der günstigste S t a n d p u n k t, die innere Stadt zu übersehen, ist der Balkon eines Gemälde= saals im k. k. Belvedere auf dem Rennwege. Von der unteren Gartenterrasse daselbst ist der Anblick durch die hohen westlich stehenden Bäume bereits be= schränkt. Zum Überblicken der Stadt und ihrer na= hen Umgebung ist aber der W i e n e r b e r g und zwar der Punkt am Geeignetsten, wo die sogenannte S p i n n e r i n am K r e u z e steht. Die Säule, wel= che diesen Namen führt, hat den heil. C r i s p i n zur Hauptfigur, und so mag wohl, wie auch Dr. C. Morvell bemerkt hat, aus C r i s p i n e r k r e u z ab= gekürzt S p i n e r k r e u z = und S p i n n e r k r e u z entstanden seyn und daran die Erzählung einer S p i n n e r i n sich knüpfen, die an dieser Stelle der Rückkehr ihres Geliebten harrte. Die Spitze der Säule ist übrigens im Niveau jener des Stephans= thurms keineswegs gleich, vielmehr liegt nach M. L. K r a i a t z's dreimaliger Nivellirung dieselbe 30 Klafter 1 F. 4 2/3 Zoll, d. i. 181.466 F. u n t e r der Spitze des Stephansthurms, also 779.806 F.

über dem Meere. (S. Blumenbach's neueste Lan=
deskunde, Bd. 1. S. 172.)

3. Die Gegenden um Wien sind fruchtbar
und reich an Naturschönheit. Dagegen unterliegt das
Klima großer Veränderung und der öftere und
schnelle Temperaturwechsel ist höchst empfindlich. Der
Fremde in Wien meide daher selbst im Sommer eine
zu leichte Kleidung. Die Luft ist im Durchschnitt
mehr trocken als feucht und fast täglich erhebt sich
gegen Mittag ein Wind, der im Grunde unange=
nehm ist, indeß doch wohlthätig auf die Reinigung
des Dunstkreises einwirkt. Nach zwanzigjährigem
Durchschnitt beträgt die mittlere Temperatur des
Jahres in Wien 80. 56 Reaumur; die größte Som=
merwärme ist in der Regel 25—27°, die größte
Kälte nicht über 19°.

4. Das Trinkwasser ist in den niedrigen
Stadttheilen, besonders in der Leopoldstadt, nicht
vorzüglich; besser in den höher liegenden Bezirken.
Der Fremde trinke es anfänglich mäßig oder mit
Wein gemischt.

5. Die aus Würtemberg und Baiern herab=
strömende Donau theilt sich eine Stunde von
Wien bei dem Orte Nußdorf in zwei Arme, die un=
terhalb der Stadt sich wieder vereinigen. Einer der
selben, der 1598—1700 erbaute Donaukanal,
scheidet die übrige Stadt von der Leopoldstadt und
diesen müssen alle Wien ab= und aufwärts vorbeige=
henden Schiffe befahren.

Die Hauptbrücke über die Donau zur Verbin=
dung der Stadt und der Leopoldstadt ist die 1819

erbaute Ferdinandsbrücke mit einem Mittelpfeiler aus gehauenen Quadersteinen in einem Senk-
kasten errichtet. Die ihr stromabwärts zunächst gelegene, die Leopoldstadt mit den sogenannten Weißgärbern verbindende, 1803 erbaute Brücke ebenfalls
mit einem Mittelpfeiler ist die Franzensbrücke,
deren 81 Centner schwerer Grundstein der größte in
Deutschlands Brückenbau seyn dürfte. Außerdem
führt noch eine hölzerne Brücke hinter dem sogenannten Schanzl- oder Kaiserbade über die Donau
durch die Augartengasse in die Leopoldstadt.

Für Fußgeher bestehen zwei nach der Erfindung
des Ferdinand Edlen v. Mitis über die Donau erbaute Kettenbrücken, die Karls- und So-
phienbrücke. Jene zwischen der erwähnten höl-
zernen und der Ferdinandsbrücke hat auf jeder Seite
Eine Spannkette, diese hinter der Franzensbrücke
ist mit zwei Spannketten versehen und verbindet die
Vorstadt Erdberg mit dem Prater. Beide sind durch
eine Aktiengesellschaft entstanden und gewähren
auch angenehme Ansichten. Die Übergangsgebühr
beträgt vorläufig noch für die Person 1 kr. K.Mze.

6. Einige Vorstädte durchfließt von Westen
nach Norden ein im Wienerwalde entspringender,
gewöhnlich sehr unbedeutender, bei starken Regen-
wasser aber reißender Bach, die Wien oder der
Wienfluß genannt, welcher unter den Weißgärbern in die Donau fällt. Seine Ausdünstungen bei
niedrigem Wasserstande sind ungemein lästig und werden es bleiben, bis auch an seiner linken Seite
wie bereits auf der rechten geschehen, ein Abzugska-

nal zur Aufnahme des einströmenden Unraths ge=
graben und dem Bache der noch Statt findende
Seitenabfluß genommen seyn wird.

Die Verbindung der Vorstädte mit der Stadt
und der Vorstädte unter sich über den Wienfluß, be=
fördern zwei steinerne und einige andere Brücken und
Stege. Unter letzteren sind zu erwähnen die bei Gum=
pendorf von Anton B e h f e l erbaute hübsche B o h=
l e n b r ü c k e; dann eine K e t t e n b r ü c k e zwischen
der Wieden und Laimgrube, die erste in Wien, wel=
che mit Wagen befahren wird, erbaut von Ant. K o=
b a u f ch, und ein, fast zu schwerfälliger, K e t t e n=
st e g von Joseph J ä c k e l in der Nähe des Thea=
ters an der Wien, wo 1 kr. W. W. Übergangs=
gebühr gezahlt wird. Dem Wienfluß sehr ähnlich ist
auf einer andern Seite der Stadt der A l f e r b a ch.
Er hat seinen Ursprung im Gebirge hinter Dornbach
und ergießt sich in den Donaukanal.

7. Der N e u st ä d t e r k a n a l, dessen Bau im
Jahre 1797 unternommen wurde, befördert die Zu=
fuhr von Steinkohlen, Holz und Mauerziegeln nach
Wien. Er ist von der ungarischen Grenze bei Pöt=
sching über Wiener = Neustadt (daher sein Name)
nach Wien gezogen, hat auf der Oberfläche eine
B r e i t e von 28, auf dem Grunde von 16 Fuß, und in
der Tiefe 4 Fuß, überhaupt auch 32 Schleusen. Seine
Länge beträgt etwas mehr als 8 $1/3$ geographische
Meilen. Ein Schiff auf demselben von Einem Pferde
in Bewegung gesetzt trägt 500 Centner. Er endet
in einem Bassin beim Invalidenhause und hat einen
Abfluß in den Donaukanal.

8. Die Bevölkerung Wiens betrug nach
der Zählung von 1833:—319,873 Einheimische und
Fremde, ohne Militair. Die Zahl der Einheimischen
war 223,603, die der Fremden 96,270. Letztere sind
in zwei Klassen getheilt, in Fremde aus den k. k.
Erbstaaten 82,379, und in Ausländer 13,891. Die
weibliche Bevölkerung ist um 31,440 Individuen grö=
ßer als die männliche, doch zählen weibliche
Fremde und Ausländer in Wien 2,414 we=
niger als männliche Fremde und Auslän=
der. Von jener Gesammtzahl enthält die innere
Stadt 54,927 und in den Vorstädten befinden sich
264,546. Unter der männlichen einheimischen Bevöl=
kerung waren begriffen: Geistliche 733, Adelige
3,821, Beamte und Honoratioren 4,655, Bürger,
Gewerbsleute und Künstler 9,094, und Personen,
die in keine dieser Kathegorien gehörten 85,623.
(Weitere Details finden sich in Pietznigg's Mit=
theilungen aus Wien, Jahrgang 1833. Heft 1. S.
142; eine Zeitschrift, die beiläufig gesagt, Anerken=
nung und Empfehlung verdient und gefunden hat.)

Nach der Konskription von 1834 aber betrug
nach W. Blumenbach's Nachweisung die Gesammt=
zahl der Einwohner in der Stadt 5,423, in den Vor=
städten 272,022, zusammen 326,233, wovon 153,176
männliche und 173,077 weibliche Individuen, ohne
Militair und reisende Fremde (S. Blumenbach's
neueste Landeskunde rc. Bd. 2. S. 237.)

Der Ursprung des Wiener Bürger=Mili=
tair wird in die Zeit der türkischen Belagerung von
1529 zurückgeführt. Im Jahr 1637 entstand schon

ein ordentliches Bürgercorps, das in allen Perioden treffliche Dienste leistete. Bestimmtere Organisationen erfolgten später, besonders seit 1805, und jetzt möchte dieses Militär wohl 6,000 Mann stark seyn.

Die Zahl der männlichen und weiblichen Dienstbothen in Wien schätzt man auf 30,000.

9. Innerhalb der Linien Wiens befinden sich über 6,000 Pferde, ausschließlich der des k. k. Hofes, der Garden u. dergl,, und gegen 1,500 Kühe. Die Zahl der Hunde beträgt etwa 20,000.

10. Die Sterblichkeit ist in Wien, wie in allen großen Luxusstädten, bedeutend und das Verhältniß wie 1 zu 24.

11. Die Konsumption ist allerdings groß und im Durchschnitt jährlich zu rechnen an

Bier	350,000 Eimer.
Brennholz, hartes und weiches und in Bürdeln .	100,000 Klafter.
Kohlen, Holz = und Steinkohlen	130,000 Centner.
Eier.	41,500,000 Stück.
Gänse, Enten, Kapaunen	280,000 —
Hühner und Tauben. .	3,000,000 —
Milch, außer jener von den in Wien befindlichen Küchen, ...	8,200,000 Maß.
Schlachtvieh, Ochsen, Kühe	80,000 Stück.
Kälber bis 1 Jahr . .	100,000 —
Lämmer, Spanferkel, Schafe, Widder, Ziegen	100,000 —

Schweine und Frischlinge,
    groß und klein .   .   120,000 Stück.
Frisches und geräuchertes
    Fleisch   .   .   .   8,000 Centner.
Wein und Weinmost .   .   400,000 Eimer.
    u. f. w.

Die Wiener essen nun freilich viel Fleisch und Geflügel, und trinken nicht wenig Wein und Bier; indeß kennt Derjenige die ersten Grundsätze der Nationalökonomie noch nicht, der die Wiener dieses großen Verbrauchs wegen tadelt, oder von der anderen Seite gegen den Tadel in Schutz nimmt. Die größere Konsumtion überhaupt und die des Fleisches insbesondere ist ein zuverläßiger Maßstab der Fruchtbarkeit des Landes, des billigen Preises der Lebensmittel, des leichten Erwerbes, der bestehenden Wohlhabenheit. Wo diese Ursachen nicht vorhanden sind, wird auch die Wirkung nicht erscheinen. Der Pariser Bürger begnügt sich nicht freiwillig aus Mäßigkeit mit einer armseligen Rindfleischportion von 3 1/2 Loth, sondern weil er eine ausgiebigere nicht bezahlen kann. Möchte der Wiener doch nie in diese Lage kommen. Weitere Diskussionen über diesen Gegenstand müssen jedem klar sehenden Manne höchst widerlich seyn.

In den Vorstädten Wiens bestehen 7 Brauhäuser, in der Nachbarschaft mehrere. Das Bier hat verschiedene Namen: Bairisches, Märzen- und Kaiserbier, ist jedoch weder wohlfeil, noch von vorzüglicher Güte.

Die Österreicher Weine theilt man in Gebirgs-

und in Land= oder Donauweine. Ihren befon=
dern Namen erhalten fie von dem Orte ihrer Er=
zeugung. Die beften Sorten unter jenen find: Weid=
linger, Klofterneuburger, Grinzinger, Sieveringer,
Nußberger, Gumpoldskirchner, alter Maurer, Brun=
ner u. dergl. Die am linken Donauufer gebauten
Weine find zwar wohlfeiler und minder beliebt, zur
Mifchung aber, wie der Markersdorfer und Rezer,
mit älteren Weinen trefflich zu verwenden.

Die aus Ungarn eingeführten Weine find
feurig, felten mit Waffer zu mifchen und behutfam
zu trinken. Die edelfte Sorte derfelben, der To=
kayer, ift nicht leicht echt zu erhalten, wie denn
auch die fogenannten Ausbrüche größtentheils Fa=
brikate find. Seit einigen Jahren wird in Ungarn
auch viel Champagner gemacht und nach Öfter=
reich, fogar nach dem Auslande verfendet. Farbe
und Gefchmack kommen dem franzöfifchen ziemlich
nahe, allein die nächfte Wirkung ift gar fehr ver=
fchieden.

Wien hat noch immer nicht eine Weinhalle
d. i. einen Vereinigungsort für öfterreichifche und
ungarifche Weine, um das Inland und Ausland
damit zu verforgen. Die verfchiedenen Sorten müf=
fen an Ort und Stelle, oder von Weinwirthen be=
zogen werden und Beides hat bekanntlich feine gro=
ßen Schwierigkeiten und Unbequemlichkeiten.

12. In Wien werden zwei Hauptjahr=
märkte gehalten; der eine vom Montage nach Ju=
bilate, der andere vom Tage nach Allerheiligen. Je=
der dauert vier Wochen, ohne darum bedeutend zu

ſeyn. Doch können die Fabriken alsdann auch im Kleinen verkaufen und aus den Provinzen werden noch mancherlei Waaren eingebracht, wie Gläſer und Leinwand aus Böhmen und Schleſien, Eiſenwaaren aus Oberöſterreich und Steiermark u. ſ. w.

Außerdem hat die Vorſtadt Leopoldſtadt jährlich im Monat Julius einen 14tägigen Markt, und die Roſſau in dem nämlichen Monat einen großen Markt von Töpferwaaren, und im September einen Markt von Holzgeräthſchaften. Endlich hat Wien zu beſtimmten Zeiten und Tagen einen Pferde=, Körner=, Hafer=, Heu= und Strohmarkt. — Tägliche Märkte in der Stadt und in den Vorſtädten ſind: der Gemüſe=, Obſt= (am Schanzl und am Hof in der Stadt), Mehl=, Hülſefrüchte=, Butter=, Eier=, Geflügel= und Wildpretmarkt.

13. Die herrſchende Sprache in Wien iſt die deutſche. Neben derſelben wird franzöſiſch, italieniſch und böhmiſch gleich ſtark, weniger ungariſch, polniſch, engliſch u. ſ. w. geſprochen.

14. Die Staatsreligion in den k. k. öſterr. Staaten iſt die römiſch=katholiſche. Der Fürſterzbiſchof und das Metropolitankapitel haben ihren Sitz in Wien. In geiſtlichen und Disziplinar=Angelegenheiten iſt das Konſiſtorium die erſte, jedoch der Landesregierung untergeordnete, Inſtanz.

Die Regular=Geiſtlichkeit in Wien beſteht aus dem Stifte Schotten, aus 12 männlichen und 4 weiblichen Klöſtern, unter welchen das der Redemtoriſtinnen (Kloſterfrauen des heiligſten Erlöſers) ſeit dem 11. November 1830 konſtituirt iſt.

In Beziehung auf diese wird bemerkt, daß die Non=
nen der Kongregation des heiligsten Heilandes
ihr erstes Kloster in der Stadt Scala im König=
reich Neapel hatten, dann daß der heil. Alphonsus
Maria de Liguori ein zweites 1766 zu St. Agatha
der Gothen stiftete und die Mitglieder desselben
Klosterfrauen des heiligsten Erlösers nann=
te, und in Wien nunmehr das dritte errichtet ist.
Am 25. Jänner 1831 wurde das geweihte Haus
(Landstraße, Ungergasse Nr. 390) mit den gewöhn=
lichen kirchlichen Feierlichkeiten verschloßen und die
kanonische, strenge Clausur eingeführt. Die Nonnen
verbinden sich zu einfachen Gelübden und haben
vermöge ihrer vom Pabst Benedikt XIV. bestätig=
ten Regel den Hauptzweck: die ursprüngliche heilige
Strenge des ersten klösterlichen (innerlichen oder be=
schaulichen) Lebens in der christlichen Welt zu befol=
gen, wobei jedoch die Beschäftigung mit anständi=
ger Handarbeit nicht ausgeschloßen ist. (Näheres
darüber in der »Neuen theolog. Zeitschrift, Wien,
Jahrg. IV. Heft 1 S. 168 u. f.) Die männlichen
Klöster zählen etwa 400, die weiblichen gegen 160
Individuen. Die Curatgeistlichkeit mag aus
170 Priestern bestehen. Diesen sind die 29 Pfarren
in der Stadt und den Vorstädten, nebst 19 Bene=
fizien und Nebenkirchen, zur Obsorge anvertraut.

Die einzige hochfeierliche Kirchenprozession in
Wien ist die am zweiten Donnerstage nach Pfing=
sten stattfindende Frohnleichnamprozession.
Die regelmäßige Begleitung derselben vom Monar=
chen oder seinem Stellvertreter begann 1622 unter

*

Ferdinand II. Außerdem finden bei Hofe alljährig noch zwei andere Feierlichkeiten statt, nämlich: die öffentliche Fußwaschung, welche JJ. MM. selbst oder durch Stellvertreter an 12 armen alten Männern und 12 solchen Frauen am Gründonnerstage verrichten, und die Feier der Auferstehung Christi in der k. k. Burgkapelle mit der Prozession in Begleitung des a. h. Hofes auf dem innern Burgplatz am Charsamstage.

Die Zahl der Protestanten (gegen 10,000) und der Griechen in Wien wird sich ziemlich gleich seyn. Erstere haben ihr eigenes Konsistorium. Weniger zahlreich sind die Juden (etwa 1600), und die Muhammedaner kommen fast gar nicht in Betracht.

15. Den Hofstaat Sr. M. des Kaisers bilden die 4 oberste Hofämter, 8 Hofdienste, 3 Leibgarden, sämmtliche Orden- und Civil-Ehrenkreuze, die geheimen Räthe und wirklichen Kämmerer, die Truchsesse und die Edelknaben.

Die Obersthofämter sind dem Range nach: der Obersthofmeister, Oberstkämmerer, Obersthofmarschall und der Oberststallmeister. Die Geschäftsabtheilungen, über welche ein jedes dieser Hofämter (Hofstäbe) zu verfügen hat, weiset der Hof- und Staatsschematismus nach.

Die Hofdienste sind: der Oberstküchenmeister, Oberststabelmeister, Oberstjägermeister, General-Hofbaudirektor, Hofbibliothekpräfekt, Hofmusikgraf und der Oberceremonienmeister.

Die Leibgarden sind: die deutsche adelige (Arcieren=) die älteste, seit 1760, und im Range die erste; durchaus gediente, ausgezeichnete Offizie= re; die ungarische adelige, seit 1764, und die Trabanten=Leibgarde, seit 1767. Diese Leibgarden haben ein eigenes Dienstreglement und lei= sten insbesondere Sr. M. den Eid der Treue. Ihre Anstellung ist sehr ehrenvoll, doch nicht ganz füg= lich einem Versorgungsinstitute zu vergleichen. Die ungarische adelige Leibgarde wird vielmehr wie eine Bildungsanstalt betrachtet und ihre Mitglieder ge= nießen nach 15jähriger Dienstzeit, wie die aus der deutschen adeligen Garde in den Pensionsstand tretenden, besondere Vorzüge.

Die deutsche und ungarische Leibgarde bezieht täglich die Wache in dem Vorzimmer des Kaisers; die Trabantengarde besetzt die äußeren Posten der Burg. — Chef und Oberster sämmtlicher Garden ist der jedesmalige Obersthofmeister Sr. M. des Kaisers.

Seit dem Jahre 1802 ist noch eine k. k. Hof= burgwache vorhanden mit der Bestimmung, in den inneren Gängen der Burg Sicherheit, Ordnung und Anstand zu erhalten. Zu gleichem Zweck wird sie auch im Augarten und in den k. k. Lustschlössern Schönbrunn und Laxenburg verwendet.

An Ritterorden zählt der österr. Kaiser= staat

1) den Orden des goldenen Vliesses, gestiftet 1430 von Philipp dem Guten;

2) den militärischen Maria Theresien=Orden, seit 1757, mit jährlichen Pensionen von 160 — 600 fl. K. M.;

3) den St. Stephansorden für Civilbeamte und Geistliche, 1764 von Maria Theresia gestiftet;

4) den Leopoldsorden, seit 1808 für Verdienste um den Staat und das Haus Österreich;

5) den Ritterorden der eisernen Krone, seit 1816 zum Hausorden erklärt, mit gleicher Bestimmung.

6) Elisabeth-Theresianische Militairstiftung, gestiftet 1750, erneuert 1771 für alle langgediente Offiziere, die keine Gelegenheit zur Auszeichnung im Felde hatten, und

7) Civil-Ehrenkreuz von Gold und Silber zur Belohnung ausgezeichneter Verdienste für den direkten Zweck des Krieges 1813—14.

Abgesehen von diesen Orden, doch einigermaßen mit denselben verwandt, sind hier noch einige Medaillen zu erwähnen, und zwar

a) die Militär-Tapferkeitsmedaille von Silber und Gold für Gemeine und Unteroffiziere, gestiftet 1788 vom Kaiser Joseph II. Der Besitz jener gewährt während der Dienstzeit die Hälfte des gewöhnlichen Soldes als Zulage, mit dem der zweiten ist der doppelte Sold verbunden.

b) Die Civil-Ehrenmedaille von Gold in verschiedener Größe, gestiftet von Kaiser Franz I. zur Belohnung in Fällen, wo kein Orden ertheilt werden kann.

c) Die bereits selten gewordene Ehrendenkmünze der Wiener Freiwilligen aus dem Jahre 1797, und

d) das k. k. Armeekreuz, aus dem Metall

eroberter französischer Kanonen geprägt, zur Erinnerung an die Siege im J. 1814.

Geheime Räthe waren im J. 1835: 224.

Wirkliche Kämmerer 1668.

k. k. Truchsesse 9. k. ungarische 22.

Wirkliche Edelknaben 6; unbesoldete 4; und supplirende 3 (2 unbesetzt).

16. Die Rechts = und Gerichtsangelegenheiten werden von den verschiedenen Gerichtsstellen in drei Instanzen besorgt. Dann befinden (1835) in Wien sich 9 k. k. Hofagenten; 4 k. k. Hofkriegsagenten; 2 berechtigte öffentliche Agenten; 11 Hofagenten bei der k. ungar. Hofkanzlei; 2 Hofagenten bei der k. siebenb. Hofkanzlei (2 unbesetzt); 68 Hof = und Gerichtsadvokaten, und 12 Hofkriegsadvokaten.

17. Der im Jahr 1199 errichtete Magistrat der Stadt Wien besteht gegenwärtig aus 1 Bürgermeister, 2 Vizebürgermeister, 76 Räthen, mehreren Sekretairen u. a. Beamten. Er hält seine Sitzungen in der Wipplingerstraße Nr. 385 und hat das Verleihungsrecht einer Medaille an Bürger und andere um die Stadt Wien vorzüglich verdiente Personen. Es ist dieß die s. g. Skt. Salvator=Denkmünze von Gold.

Der äußere Stadtrath zählt etwa 250 Mitglieder, von welchen die meisten Gerichtsbeisitzer und Armenväter sind, oder in den Vorstädten das Richteramt ausüben.

Der Magistrat theilt sich in drei Senate, in den politischen, Civiljustiz = und Kriminalsenat.

In den Vorstädten hält derselbe acht G e r i ch t s = v e r w a l t u n g e n, neben welchen noch verschiedene G r u n d h e r r f ch a f t e n und O r t s o b r i g k e i t e n bestehen.

Das dem Magistrat untergeordnete O b e r = k a m m e r a m t besorgt die Einkünfte und Ausgaben der Stadt Wien und des Magistrats; das U n = t e r k a m m e r a m t trifft Vorsorge für die gute Erhaltung des Straßenpflasters, für die Reinigung und Beleuchtung der Stadt und für die Feuerlösch = anstalten.

Das S t r a ß e n p f l a s t e r, ein schwarzgrauer im Viereck behauener Granitstein, ist vortrefflich und damit die ganze innere Stadt, die Fahrwege über das Glacis und ein großer Theil der Vorstädte versehen. Da Wien den Vorzug hat, von unterirdischen Kanälen durchschnitten zu seyn, welche in die Donau auslaufen, so werden in diese nicht nur die Unreinigkeiten aus den Häusern durch Seitenkanäle eingeleitet, sondern sie erleichtern auch die Straßenreinigung selbst. Denn der, insbesondere durch anhaltenden Regen verursachte, Schmutz wird von einigen hundert Tagelöhnern in die Mitte der Straßen zusammengekehrt und in die dort angebrachten, mit beweglichen eisernen Gittern versehenen Kanalöffnungen eingeschwemmt, oder bei trockener Witterung auf zweirräderigen Karren weggeführt. Eine solche Reinigung erfolgt mit außerordentlicher Schnelligkeit.

Zur Abwendung der schädlichen Folgen des hier sehr häufigen Staubes für die Gesundheit werden in den Sommermonaten die Trottoirs der Stadt, die

Hauptstraßen in den Vorstädten, die stark befahre=
ne Jägerzeil und die Hauptallee des Praters täglich
einigemal mit Waſſer beſpritzt. Das ſchon in
den letzten Tagen Friedrichs IV. in Gebrauch ge=
kommene Auffpritzen in der Stadt ſelbſt wurde durch
eine Verordnung K. Joſeph II. 1782 förmlich ein=
geführt. — Im Winter aber wird das Eis in den
Straßen ſorgſam aufgehackt, mit dem Schnee zu=
ſammengeſchaufelt und ohne Verzug auf Wägen aus
der Stadt geſchafft.

Für die Beleuchtung beſteht eine beſondere
Anſtalt unter Aufſicht des Magiſtrats. Sie erſtreckt
ſich auf die innere Stadt und auf die Baſtei, wie
auf Fußwege und Fahrſtraßen auf dem Glacis. Oh=
ne alle Ausnahme werden täglich gegen 4000 Later=
nen angezündet, die bis 2 Uhr früh und länger bren=
nen. Eine Verbeſſerung derſelben iſt durch die Ein=
führung der ſ. g. Rautſchek'ſchen Laternen vorbe=
reitet, die ein weit glänzenderes Licht verbreiten und
deren etwa 200 bereits in den gangbarſten Gaſſen
der Stadt angebracht ſind. — Die Vorſtädte be=
leuchten auf eigene Koſten und eine hier beſtehende
Geſellſchaft zur Beleuchtung mit Gas hat ihre Nie=
derlage in der Vorſtadt Roſſau, Schmiedgaſſe Nr.
153, und aus derſelben bereits Röhren zum laufen=
den Gaſe bis in die Mitte der Stadt gelegt. Als
erſtes Reſultat wurde am 12. Februar 1835 das Ge=
bäude der Nationalbank prachtvoll mit laufendem
Gaſe beleuchtet.

Mit ordentlichen Laternen wurde die Stadt
Wien und auch die kaiſerl. Burg zum erſten Mal

46

im J. 1683 beleuchtet. Früher hatte man sich zur Beleuchtung der Burg des Kiens bedient, wozu eine Summe von 24 fl. jährlich bestimmt war.

Die Trefflichkeit der hiesigen Feuerlöschanstalten ist allbekannt. Jedes Stadt- und Vorstadthaus ist verpflichtet, die genau vorgeschriebenen Löschgeräthschaften zu haben. Eine gewisse Anzahl von Feuerknechten, Rauchfangkehrern, von Pferden zur Bespannung der Spritzen, Wasserwagen u. dgl. ist immer in Bereitschaft. Jede entstandene Feuersbrunst wird mit Glockenschlägen vom Stephansthurm angezeigt, und am Tage mit der Feuerfahne, des Nachts aber mit einer Laterne die Richtung bezeichnet, wo der Brand stattfindet. Die zum Löschen aufgewendeten Kosten entrichtet binnen drei Tagen das Unterkammeramt und zieht den Betrag innerhalb vier Wochen vom Eigenthümer des durch den Brand beschädigten Hauses ein, dem dann der Anspruch an die schuldtragende Partei verbleibt.

18. In Wien bestehen zwei Brandschadenversicherungsanstalten; nämlich die Erste österreichische, Dorotheergasse Nr. 1116, und die k. k. privilegirte wechselseitige, obere Bäckerstraße Nr. 757. Außerdem haben die Triester Versicherungsanstalt gegen Feuer- und Elementarbeschädigungen, und die Mailänder Versicherungsanstalt gegen Hagelschlag jede eine Hauptagentschaft hier in Wien, Dorotheergasse Nr. 1107. Die Wiener Generalagentschaft der k. k. priv. Assicurazioni generali Austro-Italiche (in Triest) besorgt Versicherungen auf das Leben des Menschen und für

die Leibrenten, Schulgasse Nr. 750 im Konviktge-
bäube.

19. Wien hat drei Gefängnisse, das Po-
lizeihaus für Polizeiübertreter, böse Schuldner
und Bankerotmacher; das Civil = Kriminal=
gefängniß, und das Militair=Stabsstock-
haus. Ersteres in der Sterngasse Nr. 453; das
zweite (auch Schranne genannt) am hohen Markt
Nr. 545 und künftig in der Alservorstadt, am Glacis, woselbst ein Theil des ungeheuren Bauwerks
bereits ausgeführt ist; das dritte bei dem neuen
Thor auf der Elendbastei Nr. 199.

In Verbindung mit der Polizei = und Civil-
Kriminaleinrichtung steht

a) das Zwangsarbeitshaus, Laimgrube
Nr. 17, errichtet 1804, zur Beschäftigung müssiger
und bettelnder Leute auf so lange, bis sie als nütz-
liche Glieder in das bürgerliche Leben zurücktreten
können. Verbrecher werden hier durchaus nicht aufgenommen. Verbunden mit diesem Arbeitshause ist
eine Besserungsanstalt für junge Leute beiderlei Geschlechts, um sie durch zweckmäßige Mittel,
jedoch unter Beobachtung vorgeschriebener Förmlich-
keit, von betretenen Abwegen zurückzuführen.

b) Das Provinzial=Strafhaus (Zucht-
haus), Leopoldstadt Nr. 231 (errichtet 1671) eine
Arbeitsanstalt für Personen beiderlei Geschlechts,
die wegen Vergehen oder Verbrechen abgeurtheilt
sind, musterhaft eingerichtet und täglich, Sonn-
und Feiertage ausgenommen, zu besichtigen. Die
Eintrittskarten werden auf Ersuchen von dem

k. k. Regierungsrathe Freiherrn von Sala ertheilt.

20. Wien besitzt Fabriken und Werkstät-
ten aller Art, die in landesprivilegirte Fabriken, einfache Fabriksbefugnisse und
in noch zünftige Meisterrechte unterschieden
werden. Die außerdem bestehenden sehr zahlreichen
ausschließenden Privilegien gelten für eben
so viele Fabriksbefugnisse.

Nach den Steueramtslisten üben hier über 6500
Bürger und gegen 5000 zur Arbeit auf eigene Rechnung Befugte ihre Gewerbe aus. Darunter befinden
sich Bäcker 175; Buchbinder 88; Drechsler 112;
Gold- und Silberarbeiter 210; Gärtner 280; Putz-
macherinnen 130; Schneider 1550; Schuster 1775;
Seidenzeugmacher 560; Tischler 915; Weber 920;
u. s. w.

21. Wien ist auch der Haupthandelsplatz
der österreichischen Monarchie, dessen Wechselge-
schäfte sich über ganz Europa ausbreiten. Der hiesige zahlreiche Handelsstand betreibt entweder Groß-
handlungen oder Klein (Detail)-Handlun-
gen. Beide theilen sich wieder in verschiedene Klassen. Mehrere Großhändler sind zugleich Wechsler.

Die Zahl der Handlungen aller Art, mit Inbegriff der vermischten Waarenhandlungen in
Wien und den Vorstädten, beträgt etwa 830, die
der eigentlichen Krämereien 150, der bürgerlichen Handlungsrechte auf einzelne Artikel über 1200 und der darauf befugten mehr
als 8000. Unter den beiden letzten Klassen befinden

sich Fleischhauer 100; Fleischselcher 70; Milchmeier 450; Viktualienhändler über 900; Wirthe 885 u. s. w.

Noch haben etwa 100 Fabriken aus den Pro= vinzen ihre Niederlagen in Wien, und endlich sind einige hundert Hausirer, zu welchen man die Käse = und Salami=Männer, die mit Pomeran= zen und Zitronen herumwandernden Gotschéer, die Bandel = und Zwirnmänner, die Leinwandmänner aus Slavonien, die Zwiebel oder Kinderspielzeug feilbietenden Weiber von dort zählen kann, und ei= ne große Zahl (über 600) von S t ä n d c h e n b e f u g = n i s s e n, wohin die ehemals mehr als jetzt berüch= tigten F r a t s c h l e r i n n e n gehören, zu erwähnen.

22. Die im Jahr 1771 errichtete k. k. B ö r s e, Weihburggasse Nr. 939 hat zwar auf den Handels= stand die nächste Beziehung; indeß steht der Eintritt Jedem frei, der nicht ein' Minderjähriger, ein Kridarius oder erklärter Verschwender ist. Sonn= und Feiertage, dann den Faschingsdienstag und den Gründonnerstag, ausgenommen, ist sie täglich von 11 — 1 Uhr Mittags geöffnet, und hier werden dann Geldgeschäfte aller Art, wobei es auf Kauf, Ver= kauf und Austausch der Staatspapiere und förmli= cher Wechselbriefe ankommt, geschlossen. Der völli= gen Sicherheit wegen hat man sich an einen der be= stellten Börsesensale zu wenden. Den täglichen K u r s der Staatseffekten macht der K u r s z e t t e l bekannt, der an jedem Nachmittag im Börsegebäude ausge= geben und am nächstfolgenden Tage in der k. k. Wienerzeitung, im österr. Beobachter, selbst im Wan= derer abgedruckt wird. Die von Geldnegozianten

5

aller Art gebildete Vor= oder Nachbörse wird jetzt in dem Kaffeehause Nr. 834 in der Grünanger= gasse abgehalten und ist, des charakteristischen Trei= bens wegen, der Beachtung eines jeden Fremden zu empfehlen.

23. Die privilegirte österreichische Natio= nalbank, Herrengasse Nr. 34, besteht seit dem Jahre 1816, hat vier Abtheilungen: die Zettelbank, Eskomptbank, Hypothekenbank und die Verwaltung des Tilgungsfonds, und ist als Privatinstitut das vollständige Eigenthum der Aktionaire, die durch ihre Einlagen (Aktien) sie begründet haben. Sie be= sorgt die Einlösung und Vertilgung des noch vor= handenen Papiergeldes (Wienerwährung) und die der verzinslichen Staatsschuld. Ihre Zahlungsanwei= sungen heißen Banknoten zu 5, 10, 25, 50, 100, 500 und 1000 fl. K. M., die im Verkehr überall als baares Geld angenommen und von der Bank zu jeder Zeit nach dem vollen Betrage in Metallmünze ausgewechselt werden. Der ursprüngliche Werth ei= ner Aktie war 1000 fl. Papiergeld und 100 fl. K. M. Ihren jetzigen hohen Stand ersieht man aus dem Kurszettel. Die halbjährige Dividende einer Aktie beträgt 30—36 fl., und der Kreis der gesammten Wirksamkeit der Bank wird am Schlusse eines jeden Jahres ämtlich bekannt gemacht.

24. Die Garnison in Wien besteht aus etwa 15,000 Mann; doch ist im Ganzen ihre Zahl von Umständen abhängig. Zeitweise wird sie auch von anderen Truppen aus den Provinzen abgelöst. Das zweite Feldartillerie=Regiment und das Bombadir=

korps, dieses etwa 1000 Mann stark und die wahre
Pflanzschule der Artillerie-Offiziere, bleiben mit einigen Nebenabtheilungen immer in Wien.

Die innere Stadt ist frei von jeder Militair-
Einquartirung und von Durchmärschen. In
Beziehung auf letztere macht das Regiment Ignaz
Graf Hardegg (einst Dampiere) allein eine Ausnahme wegen der bekannten Befreiung Ferdinands II.
aus der von Aufrührern bestürmten Burg. Es hat
sogar das Recht, im Fall des Durchmarsches, auf
dem Burgplatze selbst Werbungen zu halten.
Die Befreiung der Stadt aber ist eine Folge des
Aufbaus zweier Kasernen auf ihre Kosten. Die Vorstädte dagegen genießen bei eintretenden Truppen-
märschen diese Freiheit nicht.

Die geräumigsten Kasernen sind: die große In-
fanteriekaserne, Alservorstadt Nr. 196, mit drei
Stockwerken und sieben Höfen, über 6000 Mann
fassend; die des Bombardierkorps und des zweiten
Artillerie-Regiments auf dem Rennwege (Landstraße
an der Skt. Marxer Linie), mit sehr großen Höfen
und vielen Unterrichtssälen; die Kavalleriekaserne in
der Josephstadt, Kaiserstraße Nr. 168, und jene in
der Leopoldstadt Nr. 149.

25. Die k. k. Polizei Ober-Direktion
besorgt alle gewöhnlichen Lokal-Polizeiangelegenhei-
ten. Im Gebäude derselben, Stadt Nr. 564, befinden sich auch jene vier Polizei-Oberkommissäre, die
den vier Polizei-Bezirken, in welche die innere Stadt
eingetheilt ist, vorstehen. Die Vorstädte dagegen sind
in acht Bezirke geschieden, deren jeder einen Polizei-

Bezirks-Direktor hat, der städtischen Polizei-Ober-Direktion eben so untergeordnet, wie letztere der k. k. Obersten Polizei-Hofstelle.

Die für Erhaltung der öffentlichen Ruhe und Sicherheit sehr thätige Polizei unterhält eine eigene militärische Wache von etwa 600 Mann zu Fuß und 50 Mann zu Pferde. Jene sind zur Bewahrung der Ordnung auf verschiedenen besonders volkreichen Plätzen und in Gassen, auch überall aufgestellt, wo öffentliche Schauspiele, Feierlichkeiten u. dgl. statt-finden. Die berittene Polizei dient zu gleichem Zweck und zu nächtlichen Patrouillen. Ihre Uniform ist von hechtgrauer Farbe mit grünen Aufschlägen und die Patrontasche mit einer Nummer bezeichnet. Ein Helm dient zur Kopfbedeckung. Die Polizei-Bezirks-Direk-tionen in den Vorstädten haben noch eine Civil-Polizeiwache auf ähnliche Art gekleidet, doch ohne Helm und Patrontasche.

26. Zur Besorgung des Lokal-Polizeiwe-sens und zur Verwaltung des Gemeindever-mögens sind in den Vorstädten die Grundge-richte vorhanden. Die Grundrichter, die Beisitzer und die Gemeindeausschüße werden von den Haus-eigenthümern gewählt, der besoldete Gerichtsschreiber aber, und die ebenfalls uniformirten Grundwächter, die über ihre Diensttauglichkeit von der Polizei-Ober-Direktion ein Zeugniß beizubringen haben, von der Polizei-Behörde in Pflicht genommen.

53

VIII.

Baumerkwürdigkeiten im Innern der Stadt.

---

1. Thore. Die Stadt Wien hat 12 Thore.
Neun derselben sind für die Wagenfahrt, und drei,
das Karolinen-, Schanzl- und Josephstädter-Thor,
für Fußgeher bestimmt.

Das neue **Burgthor** ist das vorzüglichste;
ein schönes Bauwerk dorischer Ordnung, mit 3 Durch-
fahrten und zwei Bogen für Fußgeher. Die Länge
des Mittelgebäudes beträgt 14 Klafter, 4 Schuh; die
Höhe des Gesimses 9, die Attika 7. Den Plan entwarf der k. k. Hofbaurath Peter **Nobile.** Diesem
Thore zunächst liegen die Vorstädte Mariahilf,
Spittelberg und Josephstadt, und der Weg aus demselben führt nach Oberösterreich, Baiern und dem
westlichen Deutschland.

Vor dem **Kärntnerthor** und dem nebenan
befindlichen neuen **Kärntnerthor** liegen die
Vorstädte Laimgrube und Wieden. Durch diese führt
der Weg nach Steiermark, Kärnten und Italien.

Das **Stubenthor** führt zur Vorstadt Landstraße und nach Ungarn; das **Rothenthurmthor**
über die Ferdinandsbrücke und durch die Leopoldstadt
nach Böhmen, Mähren, Schlesien u. s. w.; das sogenannte **Mauththor** dient bis jetzt nur zur Ein-
fahrt in die Hauptmauth über das Glacis; das **Neu-
thor** und das **Fischerthor** zur Verbindung mit
einigen Vorstädten, und aus dem **Schottenthor**

gelangt man zunächst in die Alservorstadt und in die Roßau. Sämmtliche Thore sind auf dem beigefügten Plane verzeichnet.

Zwischen dem Burg= und Karolinenthor bemerkt man außer dem Volks= und k. k. Hofgarten noch einige Gartenanlagen auf der Bastei, und im Stadtgraben, jene dem Erzherzog Karl, diese zur Verlassenschaft des verstorbenen Erzherzog Anton gehörig.

2. S t r a ß e n und G a s s e n. Diese Benennung ist willkührlich angenommen und bezeichnet keinen wesentlichen Unterschied. Die Zahl der Straßen und Gassen in der Stadt ist 127. Ihre Namen sieht man an den Eingangsecken geschrieben. Die längsten sind die Kärntnerst r a ß e und die Herreng a s s e, jedoch wie alle anderen in keiner geraden Linie fortlaufend, und in der Breite beschränkt, worauf ursprünglich die Befestigungswerke der Stadt großen Einfluß gehabt haben.

3. Ö f f e n t l i c h e g r o ß e P l ä t z e in Wien sind 9, k l e i n e r e 10. Der größte und regelmäßigste Platz ist der P a r a d e = oder äußere B u r g p l a t z (nicht der Hof) vor dem alten Burgthor, 164 Wiener=Klafter lang und 110 dergleichen breit, mit doppelten Baumreihen versehen und Abends durch 150 Laternen beleuchtet. Sein Flächenraum beträgt 18,040 Quadratklafter.

Der i n n e r e B u r g l a t z, zwischen der Burg und der ehemaligen Reichskanzlei, ist ein längliches Viereck, 59 Klafter lang und 35 breit.

Der H o f, wo Heinrich Jasomirgott die erste

Burg erbaute, hat eine Länge von 71 Klafter und eine Breite von 30—52; in der Mitte eine metallene Säule der heil. Maria, mit den Figuren 205 Centner schwer, von Balthasar Herold (1667) gegossen. Die in einiger Entfernung davon befindlichen Brunnen, eine Arbeit Mathielly's, sind mit Statuen aus weichem Metall geziert, die Prof. Fischer gegossen hat (1812.)

Der hohe Markt, ein längliches Viereck, 68 Klafter lang, 18—24 breit, zeigt ein marmornes Denkmal, die Vermählung des heil. Joseph mit Maria im Tempel, gestiftet von Kaiser Karl VI. (1752.) Den Tempel verfertigte der berühmte Architekt Fischer von Erlach, die Figuren Anton Coradini von Venedig; zwei Springbrunnen liefern ein gutes, von dem Dorfe Ottakring hergeleitetes Wasser.

Der Graben zwischen dem Stephansplaz und Kohlmarkt, eigentlich eine etwa 90 Klafter lange und 16 Klafter breite Straße, ist mit einer Dreifaltigkeitssäule aus weißem Salzburger Marmor, und 66 Schuh hoch, geziert, die Kaiser Leopold I. zur Erinnerung an die in Wien (1679) geherrschte Pest errichten ließ (1693). Die Zeichnung besorgte Octavian Burnacini, die Ausführung, Fischer von Erlach; die Gruppen am Fußgestell verfertigten die Bildhauer Strudel, Frühwirth und Rauchmüller. Nach einer Bemerkung aber, die in der österreichischen Zeitschrift für Geschichts- und Staatskunde (1835 Nr. 5) enthalten ist, haben die Brüder Paul und Dominik Strudel die heil. Dreifaltigkeitssäule ausgeführt.

56

Die Statuen des heil. Joseph und des heil. Leopold, zur Seite des Denkmals auf den beiden Brunnen, sind aus Bleikomposition und ein Werk des Prof. Fischer (1804).

Der im Jahre 16 $^{30}/_{31}$ errichtete Springbrunnen auf dem Neuen Markt, auch Mehlmarkt genannt, 85 Klafter lang, 14 — 31 breit, wurde am 4. November 1739 mit einem geräumigen Bassin von Stein versehen, in dessen Mitte die sinnbildliche Figur der Vorsehung steht, umgeben von vier Kindern des Danubius. Die auf dem Rande befindlichen Figuren stellen die vier österreichischen Flüsse vor, die Ens, Yps, March und die Traun, sämmtlich aus Bleikomposition von Rafael Donner, gest. 16. Febr. 1741, schön gearbeitet.

Auf dem Josephsplatz, 43 Klafter lang, 32—45 breit, erblickt man die Statue Kaisers Joseph II. zu Pferde, die der verewigte Kaiser Franz I., dem Andenken seines Oheims, qui saluti publicae vixit non diu sed totus, widmete (1807). Statue und Pferd sind in größter Vollkommenheit gegossen von Franz von Zauner, Professor der Bildhauerkunst, jene im Jahre 1800, dieses 1803. Die Höhe des Pferdes vom vorderen Standfuße bis über die Mähne des Kopfs ist 2 Klafter, 1'2''; die Länge 2 Klafter 2'3''; die Figur des Kaisers aber würde stehend 13½ Schuh hoch seyn. Das aus schwarzgrauem Granit gearbeitete Fußgestell ist geziert mit Inschriften an der vorderen und hinteren Seite, und an den beiden anderen Seiten mit zwei großen aus Metall gegossenen Basreliefs, den Ackerbau und den Handel darstellend.

Die vier Pilaſter an den vier Ecken zeigen 16 klei=
nere Basreliefs, in der Form von Medaillons nach
wirklichen Münzen gearbeitet, welche auf die denk=
würdigſten Ereigniſſe unter Kaiſer Joſephs II. Regie=
rung geprägt ſind. Die geſammte Höhe des Monu=
ments iſt 5 Klafter, 3′ 8″.

Der St. Stephansplatz, in älterer Zeit
ein Kirchhof (Stephansfreidhof genannt) umgibt die
Stephanskirche, welche am Beſten zu überblicken iſt,
wenn man ſich dem Haupt= oder Rieſenthor gegen=
über an's Eck der Goldſchmiedgaſſe ſtellt und wech=
ſelnd an der zur Seite befindlichen Häuſerreihen ſich
fortbewegt. Der Thurm aber erſcheint in der Abendbe=
leuchtung am Großartigſten.

Mit dem Stephansplatz in Verbindung ſteht der
Stock im Eiſenplatz, ſo genannt von einem
ſieben Schuh hohen, mittelmäßig ſtarken Baum=
ſtamme, der vermöge eines der Sage nach von ei=
nen Schloſſerlehrling mit Hülfe des Teufels gearbei=
teten eiſernen Bandes und nicht aufſperrbaren Schloſ=
ſes an das Haus Nr. 1079 befeſtigt, und von wan=
dernden Schloſſergeſellen durchaus mit eingeſchlage=
nen Nägeln bedeckt iſt. Nebſt dem Stephansthurm
iſt dieſer Stock im Eiſen das wichtigſte Wahr=
zeichen von Wien, zu welchen letzteren auch noch
der große Schlußſtein des Neuthors am Salzgries
gezählt zu werden pflegt.

Einer anderen Meinung zufolge ſoll der er=
wähnte Baumſtamm andeuten, daß in früher Zeit
bis hieher der Wienerwald ſich erſtreckt habe.

Alle übrigen Plätze ſind unbedeutend, doch iſt

der Brunnen (1793) auf dem Franziskaner=
platz mit einer schönen Statue des Moses aus wei=
chem Metall vom Prof. Fischer versehen.

4. Palläste und ausgezeichnete Gebäu=
de sind in Menge vorhanden, insbesondere aber fol=
gende zu bemerken: die k. k. Hofburg, von der
kaiserlichen Familie bewohnt. Der östliche Theil ist
der älteste und schon im 13. Jahrhundert erbaute.
In seiner Mitte liegt der Schweizerhof, so be=
nannt von der ehemals hier befindlich gewesenen
Schweizerwache. Die schön und kühn gebaute Both=
schafter= und die fliegende Stiege nach Ja=
bot's Zeichnung, daselbst sind der Beachtung werth.—
Das südlich gelegene Mittelgebäude enthält die gro=
ßen Säle zu den Hoffeierlichkeiten und den gegen
die Bastei ausspringenden 1805 erbauten prachtvol=
len Ritterfaal. Neben dem zur Durchfahrt die=
nenden kleinen Thor ist die k. k. Burgwache.
Der westliche Theil der Burg heißt der Amalien=
hof, von der Kaiserin Amalie, Josephs I. Witwe.
Sehenswerth ist die innere, von Franz von Sicking=
en in seiner Schilderung der Residenzstadt Wien aus=
führlich beschriebene, kostbare Einrichtung der Burg.

Der Burg gegenüber steht eines der schönsten
Gebäude in Deutschland, die ehemalige Reichs=
kanzlei, erbaut von Fischer von Erlach (1728).
In einem ihrer Säle sieht man drei enkaustische
Gemälde von Peter Kraft, Direktor der Bilder=
gallerie in Belvedere, Szenen aus dem Leben des ver=
ewigten Kaisers Franz I. darstellend. Das bei der
Ausführung dieser Gemälde beobachtete Verfahren

ist in Franz Pletznigg's Mittheilungen aus Wien, 1882, Heft 1. bekannt gemacht.

Die steinernen Gruppen an den beiden Thorbogen im Inneren des Burgplatzes, vier bekannte Arbeiten des Herkules darstellend, verfertigte Lorenz Mathielly.

Dem östlichen Theile der Burg angebaut mit dem Haupteingang vom Josephsplatz ist die k. k. Reitschule, vielleicht die schönste in Europa, ausgeführt unter der Regierung Kaisers Karl VI. (1729) nach dem Plane Fischers von Erlach. Öffentlicher Eintritt an Wochentagen von 10—1 Uhr Mittags.

In architektonischer Hinsicht vorzugsweise zu beachten wären:

Der Pallast des Erzherzogs Karl auf der Bastei Nr. 1160 hinter und neben dem Augustiner= kloster.

Die k. k. geheime Staatskanzlei, Ball= hausplatz Nr. 19.

Der Pallast des Erzherzogs Franz von Modena in der Herrengasse Nr. 27, und gerade ge= genüber der des Fürsten Liechtenstein Nr. 251.

Das Niederösterr. Landschaftshaus Nr. 30 daselbst, in alter gothischer Form mit einem großen Saale und schönen Frescogemälden von dem Jesuiten Pozzo und restaurirt von Peluzzi.

Das Gebäude der k. k. Nationalbank Nr. 84 daselbst, und weiter aufwärts

Der prachtvolle Schottenhof, theils in der

Herrengasse, theils auf der Freiung Nr. 136, nebst dem Melkerhof am Schottenthor Nr. 103.

Ferner: das Majoratshaus des Fürsten Liechtenstein, erbaut von Dominik Martinelli, durch den Innsprucker Baumeister Alex. Christian, in der vorderen Schenkenstraße Nr. 44.

Die königl. Siebenbürger= und die Ungarische Hofkanzlei, daselbst Nr. 47 und 48.

Das Gebäude des Hofkriegsraths, wo sich die erste von Heinrich Jasomirgott erbaute Burg befand, und das bürgerliche Zeughaus, beide am Hof Nr. 421 und 322.

Die k. k. Hofkanzlei, Wipplingerstraße Nr. 384.

Das Magistratsgebäude daselbst Nr. 385. Im Haupthofe desselben steht ein Springbrunnen mit einem Meisterwerk aus weichem Metall von Rafael Donner »die Befreiung der Andromache durch Perseus.«

Der k. k. Hofkammerpallast für den Prinzen Eugen erbaut von Fischer von Erlach, worin sich jetzt das Münzamt befindet, Himmelpfortgasse Nr. 946.

Der zweite Hofkammerpallast, Johannesgasse Nr. 971.

Das herzogl. Savoyische Damenstift, daselbst Nr. 976.

Die schöne Statue der unbefleckten Empfängniß Mariä mit zwei Engeln an der Fronte desselben in einer Nische, und die Samaritanerin und Christus in der Tiefe sind von dem berühmten Franz

Messerschmidt. Dem Stifte gegenüber oder dem Thore des Mariazellerhofes ist auch ein altes Bildwerk von Stein beachtenswerth.

Mehrere Palläste und Gebäude von ähnlicher Auszeichnung wird der Fremde auf der Freiung, in der Wallnerstraße, auf dem neuen Markt, in der Singerstraße und ganz vorzüglich beim Besuch der weiter unten erwähnten Gärten, der Kunst= und wissenschaftlichenAnstalten zu bemerkenGelegenheit haben.

Die größten Häuser in der Stadt sind das so= genannte Bürgerspital, am Kärntnerthorthea= ter Nr. 1100, und Trattner's Freihof, am Graben Nr. 618. Jenes, vormals wirklich ein Spi= tal, jetzt ein Zinshaus, hat 10 Höfe, 20 Stiegen und gegen 200 Wohnungen, mit 1181 Einwohnern und einem Zinserträgniß von jährl. 75,384 fl. K. M., dieses 5 Stockwerke 4 Höfe, 59 Wohnparteien, 338 Ein= wohner und einen Miethsertrag von jährl. 42,719 fl. K. M. Es ist von Peter Mollner erbaut und die Statuen sind von Tobias Korgler gefertigt. Dann das neuerbaute Haus Nr. 543 in der Landeskron= gasse, dem Grafen Bellegarde gehörig.

5. Kirchen, Klöster, Kapellen und Bet= häuser in der Stadt.

1. Die Metropolitankirche zu St. Ste= phan *) ist ein Meisterwerk altdeutscher Baukunst.

*) Nach Franz Tschischka's trefflichem Werke: Der Stephansdom in Wien und seine alten Baudenk= male, Wien 1832, Folio, umgearbeitet.

62

Den erſten Grund dazu legte Herzog Heinrich II. (Jaſomirgott) im Jahre 1144 wahrſcheinlich durch den Baumeiſter Octavian Falkner aus Krakau. Etwa 300 Jahre ſpäter wurde der Bau in der heu= tigen Geſtalt vollendet.

Die Kirche, durchaus von Quaderſteinen, hat eine Länge von 55 Klaftern 3′, und in der größten Breite 37 Klafter; ihre Stirnſeite nimmt 23 Klaf= ter ein. Die äußere Mauer iſt 18 Klafter 1′ hoch, und an derſelben erheben ſich zwiſchen mächtigen Strebepfeilern 31 Glasfenſter, jedes mit 192 Tafeln in 48 eiſernen Rahmen, zum Gewölbe, deſſen äuße= res Geſimſe mit jenen, bei altdeutſchen Bauwerken oft wiederkehrenden Thiergeſtalten mit ſeltſamen, auch menſchlichen Köpfen umgeben iſt, und von zwei, mit buntfarbigen glaſirten Ziegeln eingedeckten Rie= ſendächern, deren Zimmerwerk über 2900 Baum= ſtämme erfoderte, geſchirmt wird. Das erſte, aus der Zeit Herzogs Rudolph IV. iſt 17 Klafter, 3′, 6″, das zweite unter Kaiſer Friedrich III., ohne Zwei= fel vom Meiſter Erhart aus Wien erbaut, 11 Klafter 1′ hoch. Die inneren und äußeren Verzie= rungen der Kirche wurden von Heinrich Kumpf aus Heſſen und von Chriſtoph Horn aus Dünkel= ſpül verfertigt.

Der Dom hat fünf Eingänge; das Haupt= oder Rieſenthor befindet ſich an der Vorderſeite mit vielen, ſelbſt abenteuerlichen Verzierungen. Das Steinbild des Erlöſers in dem Portal und die Skulp= turarbeiten in den Vertiefungen verdienen Beach= tung. Die beiden Thürme an dieſer Vorderſeite

63

Heidenthürme genannt, sind 33 Klafter 4' hoch, wohl noch aus der Mitte des 12. Jahrhunderts und wie das Riesenthor selbst ein Zeugniß für den byzantinischen Geschmack. Im Innern der Thürme hängen sechs Glocken, deren größte von Franz Scheichel aus Wien gegossen (1772) etwa 83 Centner wiegt.

Bei einer Besichtigung der äußeren Kirche wären zu bemerken, dem Churhause gegenüber, das (jetzt verstümmelte) Grabmal von Otto des Fröhlichen lustigem Rath Neidhart Otto Fuchs (gestorben c. 1334); der Grabstein des Niemermeisters Johann Siegenfelder vom Jahre 1517 bei dem Eingange unter dem hohen Thurm, und des Kirchenmeisters Johann Straub, gestorb. 1540, beide den Abschied Jesu von seiner Mutter darstellend, dann der Kreuzweg nach Golgotha, vom Jahre 1533, leider auch verstümmelt; die steinerne Kanzel gegen den Bischofshof, auf welcher der heilige Capistran durch 28 Tage predigte (1541), und unter dem unausgebauten Thurme zunächst des Adlersthors das Grabmal des bekannten Gelehrten und Dichters Protucius Celtes oder eigentlich Konrad Pikel (gestorben 1508).

Neben dem Eingange in die Halle zunächst der Kreuzkapelle sieht man ein schönes Eccehomo-Bild (1625), im Innern der Kapelle eine Geheimschrift Rudolphs IV., (hier ist begraben von Gottes Gnaden der Herzog Rudolph der Stifter) und ein treffliches Steinbild, darstellend den Tod und die Krönung Mariä.

*

64

Das Gewölbe der inneren Kirche wird getragen von zwölf, das des hohen Chors von sechs mit Vorsprüngen, Säulen und Steinbildern verzierten, Pfeilern. Der Hochaltar ist ein Werk des Bildhauers Johann Bock; das Altarblatt verfertigte dessen Bruder Tobias Bock. Dem schönen marmornen Portal der Sakristei gegenüber, zur Linken des Hochaltars, befindet sich die sehenswerthe Schatzkammer; an beiden Seiten des hohen Chors sind sehr künstliche, vielleicht von Jörg Syrlin aus Ulm oder dessen Sohn gegen das Ende des 15. Jahrhunderts geschnitzte Chorstühle. Tschischka bemerkte nämlich an dem Buche, welches eine der Mönchsstatuen in den Ecken der Brüstung an den vorderen kleinen Chorstühlen bei sich hat, ein aus dem Buchstaben I und S gebildetes Monogramm und schließt aus der Ähnlichkeit dieser und der Arbeit der schön geschnitzten Kirchenstühle im Ulmer Frauenmünster auf Jörg Syrlin. Die bisher bekannt gewordenen Monogramme des Künstlers bestätigen zwar nicht geradezu die aufgestellte Vermuthung, um so mehr aber die Thatsachen, daß Jörg Syrlin (Sürlin) Vater und Sohn sich durch ihre Bildhauerarbeiten im ganzen südlichen Deutschland einen großen Ruf erworben hatten und der Vater zu Wien gestorben war. (Vergl. Tübinger Kunstblatt 1833. Nr. 103—104).

Jede Chorseite enthält 20 Vorder- und 23 Rücksitze, bei welchen der architektonische Theil der Hinterwand ganz vorzüglich ausgezeichnet ist.

Der Karl-Barromäi Altar zeigt ein Ge-

mälde des Rottmayer von Rosenhain; der
große Frauenaltar die Himmelfahrt Mariä von
Tobias Bock; der des heil. Anton von Pa=
dua ein Gemälde von Michael Angelo Unter=
berger, und der Paffionsaltar die Kreuzigung
Christi von Sandrart. Neben dem Frauenaltar
befindet sich das Cenotaphium Rudolphs IV. und
seiner Gemalin Katharina aus Sandstein von einem
unbekannten Künstler zu Anfange des 15. Jahrhun=
derts, und vor dem Paffionsaltar der prachtvolle
Sarkophag Kaisers Friedrich III. (gest. 1493), ge=
wiß das größte Meisterwerk seiner Zeit aus Salz=
burger=Marmor mit mehr als 240 Figuren verziert,
unter Beiwirkung mehrerer anderer Künstler von dem
Straßburger Nikolaus Lerch (1513) verfertigt. Die
Länge beträgt 12', 8'', die Breite 6', 4'', die Höhe
5', das den Sarkophag umgebende gleichfalls mar=
morne Geländer mit gerechnet, hat das Grabmal eine
Länge von 19', 2'', und eine Breite von 11' (nicht
15'), 2''. Die auch hier als Denkspruch Friedrich's
erscheinende Buchstaben A. E. I. O. V. erklärte man
gewöhnlich mit: Aller Ehren Ist Österreich Voll.
Indeß ist ermittelt, daß jene Buchstaben schon bei
der Krönung Kaisers Albrecht II. angebracht waren.
Eine bisher noch unbekannt gewesene Auslegung ver=
dankt man dem rühmlichst bekannten Schriftsteller
Emil in Wien, der im Archiv der k. k. Hofkanzlei
folgende Nachricht gefunden hat: Friedrich ließ die
fünf Selbstlauter auf der in Wien neu erbauten
Burg eingraben, als er mit seinem Bruder Albrecht
und dem Grafen von Cilly in Streit lebte, und

erflärte fie, als darunter die boshafte Bemerkung gefunden wurde: Aller Erft Ift Öfterreich Verdorben, alfo: En! Amo Electis, Injustis Ordinat Vltor Sic Fridericus ego rex mea jura rego. (Deutfch nach der alten Urkunde: Sehet ich bin geordnet lieb den erwellten und verher den ungerechten, alfo regier Ich kunig Fridrich mein recht.)

(Zuerft mitgetheilt in der öfterr. National Encyclopädie, Heft 1. Wien 1835.)

Das große Basrelief, die Krönung Mariä von der heil. Dreifaltigkeit darftellend, ift hier aber befonders darum merkwürdig, weil die drei göttlichen Perfonen im Äußeren ganz gleich abgebildet find, eine Darftellungsweife, die, wie ich anderweit bemerkt habe, keineswegs ungewöhnlich und in der Wefenheit und Einheit Gottes begründet war.

Die Wände und Pfeiler der Unterkirche enthalten übrigens mehrere Bilder von Rottmayer, Gries, Unterberger u. a.; von vorzüglichem Werthe find jedoch insbefondere Altomonte's Gemälde in der oberen, und deffen Stuckaturarbeit in der unteren Sakriftei.

Dem mittleren Pfeiler jener Reihe, welche das Mittelfchiff von der linken Abfeite trennt, ift die bewunderungswürdig verzierte Steinkanzel angebaut. Aus ihren vier zierlich durchbrochenen Vertiefungen fehen lebensgroß die Bruftbilder der vier Kirchenlehrer hervor und die fchlanken Zwifchenpfeiler find mit kleinen Heiligenbildern gefchmückt. Der Kanzelfuß ift mit zwanzig, 6 Zoll hohen, zierlichen Statuen umgeben, und in den Abtheilungen des fpi-

tigen Daches sind die sieben Sakramente bildlich
dargestellt. Die Höhe dieses herrlichen durch die ge=
schickten Steinmetze Andreas Grabner und Pe=
ter von Nürnberg nebst Anderen 1430 verfertigten
Kunstwerks beträgt 27', 6''.

Das unter der Kanzel befindliche Brustbild
in Stein galt bisher für ein Porträt des Baumei=
sters Anton Pilgram von Brünn, dem auch die
Verfertigung der Kanzel und die Vollendung des
hohen Thurmes zugeschrieben wurde. Das Brustbild
wiederholt sich in vergrößerten Maßstabe am Fuße
des alten Orgelchors, bei dem St. Peter=
und Paulaltare. Auf alte Kirchenrechnungen gestützt
glaubt Tschischka diese Brustbilder, deren größeres
besonders ausgezeichnet ist, auf den Baumeister
Hans Puchsbaum, unter dessen Leitung die Stein=
kanzel vollendet und der Bau des oberen Kirchtheils
gefördert wurde, beziehen zu müssen.

Von den vier Kapellen des Dom's bewahrt die
Kreuzkapelle das Grabmal des Prinzen Eugen
von Savoyen und des General Feldmarschalls Ema=
nuel aus der Familie dieses Prinzen. Außerhalb
des Gitters der Kapelle, an der linken Kirchenseite
ist das schöne Monument des Geschichtschreibers Jo=
hann Cuspinian, eigentlich Spießhammer (gest.
1529). Über diese Kapelle erheben sich zwei andere,
die des Johann des Täufers und des heil. Bartho=
lomäus.

In der Barbarakapelle ist das treffliche
Altarblatt von Altomonte; das in der Katha=
rinenkapelle neben dem großen ausgebauten

Thurm von Schmidt dem Älteren. In letzterer steht noch ein ausgezeichnetes Kunstwerk des 15. Jahrhunderts (1481), ein Taufstein in der Gestalt eines zwölfeckigen Beckens, 5 Schuh im Durchschnitt, äußerlich umgeben von den Figuren der Apostel. Die Überreste alter Glasmalerei erblickt man in den Fenstern ober den Eingängen des hohen Thurms und in einigen Kapellen.

Die Eligiuskapelle mit ihren großen Fensterbogen und dem Rosenfenster ist unstreitig die schönste Kapelle im Dom und hieß ehemals die Taufkapelle.

Ober dem Riesenthor befindet sich der große Musikchor und daselbst die vom Georg Neuhauser 1720 gestiftete Orgel mit 32 Registern. Von diesem Chor erregt der Anblick der Kirche Bewunderung und Erstaunen.

Den zweiten Musikchor, dem kaiserlichen Oratorium gegenüber, ziert eine vorzügliche Orgel von Ferdinand Römer.

Rudolph IV., der Stifter genannt, legte nicht nur den Grund zur Umstaltung der Stephanskirche in die heutige großartige Form, sondern auch zum Aufbau des riesenhaften Thurms, eines der stärksten und schönsten in Europa.

Meister Wenzla aus Klosterneuburg bei Wien, ein armer bescheidener doch kunsterfahrener Mann, entwarf den kühnen Plan des Thurms, schritt 1359 zur Ausführung und brachte den Bau bis auf zwei Drittel in die Höhe. Ich will hier beiläufig bemerken, daß noch vor wenigen Jahren, etwa 1829—30, an der äußeren südlichen Seite dieses Thurms, und zwar am Fuße der kleinen Pyramide in der Nähe des ersten Schwibbogenfensters der Katharinenkapelle, fast in gleicher Linie mit deren Gesimse, ein Brust= bild des Baumeisters aus Stein zu sehen war, wel= ches mit jenen in der inneren Kirche Ähnlichkeit hat= te, leider aber bei einer beabsichtigten Ausbesserung der schadhaften Thurmtheile herunter geschlagen wur= de. Da die Katharinenkapelle bereits 1396 in den Stadturkunden genannt wird und mit dem Thurm selbst in genauer Verbindung steht, so wird sie wohl auch mit demselben in gleicher Zeit ausgebaut und das erwähnte Steinbild auf den Meister Wenzla zu beziehen seyn. Vom letzteren habe ich in Beschrei= bungen nichts erwähnt gefunden, doch hätte eben die= ses Brustbild früher bemerkt auch früher über den Thurmbau Aufschluß geben können.

Nach Meister Wenzla's Tode (1404) arbeitete Meister Peter von Brachawitz an der Vollendung des Thurms bis 1429; allein erst seinem thätigen Gehülfen und Polier Hans Buchsbaum (Puchs= baum) gelang es, am vierten Tage nach Michael 1433 dessen Spitze zu krönen. Der ganze Bau hatte 74 Jahre gedauert.

Die Höhe dieses aus lauter Quadersteinen er= bauten Thurms ist sehr verschieden angegeben. Ge= wöhnlich bestimmte man sie nach der alten Berech= nung von Ressytko auf 74 Klafter 4'; Tschisch= ka nahm nach seinen sorgfältig angestellten Messun= gen 72 Klafter, 1' 3'' Wienermaß an, und Schmidl in seinem sogenannten Gemälde von Wien berichtigt, ohne eine Quelle anzugeben, die Höhe auf 70 Klafter oder 420 Schuh u. ſ. w.

Allein die Höhenverhältniſſe des Thurmes, abgeleitet aus den 1832 ausgeführten Meſſungs-Operationen*), deren Genauigkeit in einzelnen Beſtimmungen wie im Ganzen verbürgt iſt, weiſen nach, daß die höchſte Spitze des Stephansthurms über dem Kirchenpflaſter ſteht: 71 Klafter, 2', 7.104" Wiener-Maß, oder:

Wiener-Fuß = 428. 592, das iſt
Pariſer-Fuß = 417. 064,
Franz. Metre = 135. 479,
Rheinländ. Fuß = 431. 592,
Bairiſche Fuß = 464. 193.

Über den beweglichen Doppeladler auf der Spitze des Thurms erhebt ſich ein Kreuz 6' 7" hoch, im Gewicht von 120 Pfund. Es vertritt die Stelle eines am 14. Juli 1686 herabgenommenen Halbmondes mit dem Stern, jetzt im bürgerlichen Zeughauſe befindlich. Weiter abwärts iſt ein mit zwölf Pyramiden gezierter Gang und daſelbſt ein Sitz bezeichnet, auf welchem Rüdiger Graf von Stahremberg, Wiens Vertheidiger gegen die Türken 1683, das feindliche Lager zu beobachten pflegte. Die Thurmuhr hat Jakob Oberkir-

*) Vergl. Über die Höhe des Stephansthurms von Karl Myrbach von Rheinfeld, k. k. Oberſtlieutenant. u. ſ. w. im Bd. 11. der Beiträge zur Landeskunde Öſterreichs unter der Ens. Wien, Fr. Beck, 1832. S. 118.

cher verfertigt 1699; die Höhe ihrer Tafeln ist 2
Klafter 5''; der Stundenzeiger hat die Länge von
1 Klafter 5''; die Ziffern sind 2 Schuh lang. —
Der Durchmesser des Thurms am Fuße ist 7 Klaf=
ter, 4', 3'', und die Dicke des Mauerwerks verhält
sich zu diesem Durchmesser wie 1 zu 4.

In diesem Thurme hängen 5 Glocken, de=
ren größte von Joh. Achamer 1711 aus erbeute=
ten türkischen Kanonen gegossen wurde. Sie ist mit
Inbegriff des Helms und Schwengels 402 Centner
schwer und wird nur bei feierlichen Gelegenheiten
geläutet.

Die Thurmstiege hat 553 steinerne und 200
hölzerne Stufen. Die Spitze des Thurms ist nur
auf Leitern zu erreichen. Aus den obersten Öffnun=
gen hat man eine unbeschreiblich weite und herrliche
Aussicht. Die Erlaubniß zum Besteigen des Thurms
sucht man in dem nahestehenden Kirchenmeisteramte
Nr. 874 nach.

Den Bau des unvollendet gebliebenen
Thurms, zu welchem am 13. August 1450 der Grund=
stein gelegt wurde, begann Hans Buchsbaum.
Nach seinem Tode 1454 übernahmen verschiedene
Meister, und erst mit dem Beginne des sechzehnten
Jahrhunderts Georg Khlaig von Erfurt und An=
ton Pilgram von Brünn, die Fortsetzung dessel=
ben. Der Ausbau wurde aber 1516 aufgegeben und
63 Jahre später (1579), nachdem der Baumeister
Hans Saphoy den Thurm mit einem kleinen Auf=
satz versehen hatte, durch Michael Schwingen=
kessel, Kupferschmied in Wien, ein kupfernes Dach

aufgeſetzt. Die Höhe dieſes Thurms bis zum Adler
beträgt 34 Klafter 1'. Die in demſelben hängende
Glocke, die Pummerin genannt, wiegt 20,850
Pfund, iſt mit ſechs ſchönen Heiligenbildern verziert
und 1558 von Urban Weiß gegoſſen.

Den unterirdiſchen Theil der Stephanskirche bilden 30 große ſehenswerthe Gewölbe und
die Fürſtengruft. Jedes jener Gewölbe iſt 8
Klafter lang, 3 Klafter breit und 2 hoch. Mehre
andere Grüfte mögen wohl noch tiefer vorhanden
und mit Leichen hinreichend gefüllt auf immer ver-
ſchloſſen ſeyn. Auch hier bewundert man die Groß-
artigkeit des Bau's in ſeinem Verhältniß zu den äußeren Theilen.

Die Fürſtengruft, von Rudolph IV. gegründet, diente von 1365—1576 zum Familienbe-
gräbniß der Öſterreichiſchen Fürſten. Dann gerieth
ſie in Vergeſſenheit und als ſie ſpäter wieder aufge-
funden wurde, war bereits eine neue Gruft bei den
P. P. Kapuzinern erbaut. Darum verordnete Kaiſer
Ferdinand V., daß in der Gruft bei Skt. Stephan nur die Eingeweide der verſtorbenen Glieder des kaiſerlichen Hauſes in kupfernen Urnen bei-
geſetzt, die Leichname in die Todtengruft bei den
P. P. Kapuzinern gebracht und die Herzen in der
Lorettokapelle der Auguſtinerkirche aufbewahrt werden ſollten; welcher Gebrauch noch gegenwärtig ſtatt-
findet.

Der äußere Eingang in die Fürſtengruft iſt
neben der Kanzel des heiligen Capiſtran, und der
in die unterirdiſchen Gewölbe durch eine Seitenthür

im sogenannten deutschen Hause, der Wohnung des Thurmmeisters an der Südseite gegenüber. Die Er= laubniß zum Eintritt erhält man von der Hofbau= direktion, Kärntnerthorbastei Nr 1159, oder im Kirchenmeisteramte zu St. Stephan Nr. 847.

2.) Die St. Katharinenkapelle, dem unausgebauten Thurm der Stephanskirche gegenüber im Zwettelhofe, wurde schon 1214 eingeweiht. Sämmt= liche Gemälde in derselben sind bemerkenswerth; doch kennt man die Meister nicht.

3.) Die k. k. Burgkapelle, zuerst erwähnt 1298, im Schweizerhofe der Burg, auf Verordnung Kaisers Friedrich III. erweitert und eingeweiht (1449). ist zugleich eine Pfarre. Das Crucifix auf den Hoch= altar verfertigte Rafael Donner, das schöne Al= tarblatt auf dessen rechte Seite malte Fetti aus Mantua. Die klassische Musik in dieser Kapelle wird alle Sonntage von 18 Hofsängern, worunter 10 Hofsängerknaben aus dem k. k. Konvikt, und von 28 Hofmusikern ausgeführt. Sie stehen unter einem Hofmusikgrafen und bilden sämmtlich, mit Einschluß einer Hofharfenmeisterin und zweier Hofsängerinnen, das Musikchor der k. k. Hofkapelle.

4.) Die k. k. Kammerkapelle, der Reichs= kanzlei gegenüber, wird nur bei besonderen Veran= lassungen geöffnet; das Hochaltarblatt ist von Karl Maratti, die Gemälde der Seitenaltäre sind vom Freiherrn von Strudel und die der 12 Apostel von Maulbertsch.

5.) Die Kirche der Italiener am Mino= ritenplaß, 1276 erbaut, ist von der Hauptfronte ſehenswerth; die dort angebrachte Steinmetzarbeit gehört zu der trefflichſten dieſer Art. Das Hochaltarblatt malte Chriſtoph Unterberger; die Meiſter der Seitenbilder ſind unbekannt. In der Faſtenzeit wird hier in italieniſcher Sprache gepredigt.

6.) Die Schotten-Abtei und Kirche, auf der Freiung, wurde 1158 den aus Schottland hergekommenen Benediktinermönchen eingeräumt und 1418 von deutſchen Mönchen dieſes Ordens in Beſitz genommen. Sie hat im Innern 17 Altäre; das Hochaltarblatt und die Gemälde der Seitenaltäre ſind von Sandrart; Mariä Himmelfahrt, den h. Benedikt und Sebaſtian malte Tobias Bock; der h. Gregor iſt von Pachmann, und die h. Anna und Barbara von Hieronimus Jochmus (1653—1659). Die ſchöne Orgel verfertigte Franz Rober (1804). In dieſer Kirche befindet ſich auch das Grabmal des Grafen Rüdiger von Stahremberg.

7.) Die Pfarrkirche der Barnabiten bei St. Michael am Michaelsplatz, gegründet 1220, iſt in der Eingangshalle mit meiſterhaften Statuen, den Sieg des Erzengels Michael über den hölliſchen Drachen vorſtellend, von Lorenzo Mathielly verſehen. Das Marienbild auf dem Hochaltar iſt das Werk eines griechiſchen Künſtlers; das Altarblatt in der Johanneskapelle malte Profeſſor Schindler; die Blätter auf den Altären des h. Paulus, Karl Barromäus und Alex. Sauli ſind von Ludwig von Schnorr; das neue h. Grab von Franz Käßmann, und die Gemälde der andern Altäre ſind von Michael Angelo Unterberger,

Tobias Bock, Carlo Carloni u. a. In der Kirchengruft ruht — Metastasio (gest. 1784). Auch befindet sich hier das Grabmal der Gemalin Hans v. Liechtenstein, der berühmten weißen Frau.

8.) Die Pfarrkirche auf dem Hof, 1386 erbaut, war früher den Karmelitermönchen, dann den Jesuiten eingeräumt. Jetzt ist sie eine Pfarre; den trefflichen Fronton der Kirche ließ die Kaiserin Eleonora durch den Baumeister Carloni errichten (1662); das Hochaltarblatt, Maria Königin der Engel, malte Däringer (1798) unter Aufsicht des verstorbenen Professor Maurer. Unbekannt sind die Meister der 12 übrigen Altarblätter; vorzüglich schön ist der Chor.

9.) Die Pfarrkirche zu St. Peter auf dem Petersplatze, eigentlich uralt, in ihrer jetzigen Gestalt aber 1702 gegründet, ist nach dem Muster der Peterskirche in Rom von Fischer v. Erlach ausgebaut und ihr schönes Portal aus grauem Marmor mit Bleifiguren von Koll geziert; das Grabmal des Historikers Wolfgang Lazius sieht man zur Linken des Eingangs; die Freskogemälde an der Kuppel der Kirche und an den Decken der Kapellen sind von Rottmayer, die an der Decke des Chors von Anton Galli von Bibiena, das Hochaltarblatt und die Blätter der zwei ersten Kapellen von Altomonte, die der zwei folgenden von Rottmayer und Sconians, und endlich die der zwei letzten Kapellen von Altomonte und Reem.

10.) Die Hofpfarrkirche der Augustiner, errichtet 1330—39, steht in der Nähe der k.

*

k. Burg. Den schönen Hochaltar aus Tyrolermarmor erbaute der Hofarchitekt von Hohenberg (1784). Das große Freskogemälde, der h. Augustin in der Glorie, ist ein Kunstwerk von Maulbertsch; das Altarblatt malte Tobias Bock; die h. Anna: Spielberger. In der Maria-Loretto-Kapelle, welche Ferdinands II. Gemalin, Eleonora von Mantua, 1627 erbauen ließ, werden die Herzen der verstorbenen Glieder der kaiserlichen Familie in silbernen Urnen aufbewahrt. In der Todtenkapelle befinden sich die Grabmäler Kaisers Leopold II. von Zauner, und des Feldmarschalls von Daun; das des Gerard von Swieten ist in veränderter Gestalt im Saale der k. k. Hofbibliothek aufgestellt worden. Das schönste Denkmal dieser Kirche, in Kunsthinsicht vielleicht das erste in Europa, ist aber das Grabmal, welches Herzog Albert von Teschen seiner verstorbenen Gemalin, der Erzherzogin Christina, durch Canova errichten ließ (1805). Es kostete 20,000 Dukaten. Wer einer Beschreibung der allegorischen Figuren dieses Kunstwerks bedarf, findet sie in der Schrift: Mausoleum J. k. Hoheit Maria Christine, ausgeführt von Anton Canova; Wien bei Artaria und Comp. 1805.

11.) Das Bethhaus der evangelischen Gemeinde Augsburgischer Konfession, in der Dorotheergasse Nr. 1113, enthält zugleich die Wohnungen der Prediger und das Schulhaus. Die Orgel ist vorzüglich gut von Deutschmann gebaut (1807) und das Altarblatt, Christus am Kreuze, von Lindner gemalt.

12.) Das Bethhaus der Gemeinde helveti=
scher Konfession, neben jenem Nr. 1114 ge=
schmackvoll vom Hofarchitekten Nigelli erbaut,
hat statt des Altars bloß einen Altartisch und ent=
hält gleichfalls die Wohnungen der Prediger.

13.) Die Kirche der Kapuziner auf dem
neuen Markte, gegründet 1622, ist sehr einfach. Die
drei Altarblätter und ein schätzbares Bild im Chore,
Mariä Opferung, sind von dem Kapuziner Baum=
gartner. Die kais. Kapelle in dieser Kirche hat
einen sehenswerthen Schatz und ein schönes Altar=
blatt von Gabriel Matthäi aus Rom. Zwei große
Altarblätter für die öffentliche Andacht zu Mariä
Verkündigung und Weihnachten bestimmt, sind eine
Kunstarbeit Ludwigs v. Schnorr.

Die hier vorhandene k. k. Todtengruft ließ die
Kaiserinn Anna, Mathias Gemalin, in dem Zeit=
punkt erbauen, als jene bei Sct. Stephan in Ver=
gessenheit gerathen war (S. 72). Ihre und ihres
Gemals (gest. 1619) Grabstätten sind die ältesten.
Leopold I. (gest. 1705) vergrößerte die Gruft durch
eine neue Kapelle, deren Altar mit 6 Statuen von
weißem Marmor der Architekt Peter von Stru=
del verfertigte. Die Gruft ist ein langes Gewölbe,
worin ein Gang durch die rechts und links stehenden,
von eisernen Gittern eingeschlossenen Särge führt.
Maria Theresia ließ sie im Jahre 1753 abermals
erweitern und bestimmte den Zubau für die Glieder
des Hauses Habsburg=Lothringen. Die Decke dessel=
ben malte Ignaz Mühldorfer. Den jüngsten Zu=
bau ließ der verst. Kaiser Franz I. 1826 ausführen.

Am zweiten November (Allerſeelentag) jedes Jahres
wird die Gruft für Beſuchende geöffnet, dem Fremden
aber auch außer dieſer Zeit die Beſichtigung geſtattet.

14.) Die Kirche zum heil. Johannes
in der Kärntnerſtraße wurde 1200 von dem Maltheſerorden gebaut. Das Hochaltarblatt iſt von Tob.
Bock und außer dieſem links am Eingange ein ſchönes Hautrelief aus Gyps, die Feſtung Malta, bemerkenswerth. An Sonn= und Feiertagen wird hier
in ungariſcher Sprache gepredigt.

15.) Die Kirche zu Sct. Anna in der
Annagaſſe, gebaut 1415, hat ſchöne Gemälde von
Gran und Schmidt dem Vater. Das Muttergottesbild und die Kuppel ſind von dem Jeſuiten Pozzo.
Alle Sonntage iſt Predigt in franzöſiſcher Sprache.

16.) Die Kirche zur heil. Urſula (Urſulinerkirche) in der Johannesgaſſe, eingeweiht 1675,
hat 7 Altäre, deren Bilder von Spielberger
und Wagenſchön verfertigt ſind. Die Nonnen
des damit verbundenen Kloſters beſchäftigen ſich mit
dem Unterricht der Mädchen aus den niederen
Ständen. Sie kamen 1660 von Lüttich nach Wien.

17.) Die Kirche des deutſchen Ordens,
in der Singerſtraße, wurde zu Ehren der heil. Eliſabeth 1316 von Georg Schiffering aus Nördlingen vollendet. Tobias Bock malte das Altarblatt.
Von den Denkmälern zeichnet ſich der Abſchied Jeſu
von ſeiner Mutter ganz beſonders aus.

18.) Die Franziskanerkirche, am Platze
gleichen Namens, wurde 1614 vollendet. Das Architekturgemälde an dem Hochaltar verfertigte Andreas

Pozzo. Von den Altarbildern malte Schmidt,
der Vater, den heil. Franz und die unbefleckte Em=
pfängniß; Carlo Carloni ein Kruzifix; Wagen=
schön die Marter des heil. Capiſtran, und Rott=
mayer ebenfalls eine unbefleckte Empfängniß.

19.) Die Univerſitätskirche am Univer=
ſitätsplaße, 1627 vollendet und 1631 einweiht, zeigt
einen ſchönen Bauſtyl und beſteht aus einem einzigen
Gewölbe auf 16 marmornen Säulen ruhend. Sämmt=
liche Altarblätter und die meiſterhaft gemalte Kup=
pel ſind Werke des Jeſuiten Pozzo.

20.) Die Pfarrkirche der Dominika=
ner zur heil. Maria Rotunda, auf dem Plaße glei=
chen Namens, im Jahre 1186 für die Templer er=
baut, wurde 1226 von Leopold dem Glorreichen den
aus Ungarn gekommenen Dominikanern geſchenkt *)
Sie iſt mit vielen guten Altarblättern geziert, von
welchen der heil. Dominikus, die heil. Dreifaltig=
keit und die heil. Jungfrau Tobias Bock; die An=
betung den Hirten und die Marter der heil. Katharina
Spielberger; die heil. Katharina von Siena und
den heil. Winzenz Ferrerius Roettiers, den heil.
Thomas von Aquin aber Pachmann gemalt ha=
ben. Das Freskogemälde an der Kuppel der Kirche
iſt von Pozzo, die Freskomedaillons von Den=
zala. Unter den vielen Grabmälern verdient Beach=
tung das der Kaiſerinn Claudia Felicitas, zweiten
Gemalinn Kaiſers Leopold I.

---

*) Archiv der nöthigſten Kenntniſſe von Wien u. ſ. w.
Wien 1792. 8.

21.) Die Kirche zu Sct. Ruprecht, der Sage nach die älteste in Wien und im Jahre 740 erbaut, liegt am Kienmarkte. Das Hochaltarblatt ist von Rottmayer, das Gemälde auf dem Seitenaltar von Braun, die Glasfenstermalerei von Gottlieb Mohn.

22.) Die Kirche zu Sct. Salvator in der Salvatorgasse, ein Bauwerk der Brüder Otto und (sic) Haymo vom Jahre 1301, oder wie von Sickingen nach einem Verzeichniß der Wiener Steinmetzmeister versichert vom Jahre 1282, erhielt das aus Holz geschnitzte Brustbild Christi auf dem Hochaltar im Jahre 1459. Bemerkenswerth sind die zierlichen Säulen und die Steinbilder am Haupteingange, aus dem Anfange des 16. Jahrhunderts. Das Bild auf dem neuen Salvatoraltar malte Meidinger. Die Fastenpredigten werden hier in polnischer Sprache gehalten.

23.) Die Kirche zu Maria Stiegen, in der Passauergasse, ist eine der ältesten in Wien, angeblich schon im Jahre 882 entstanden, 1154 von einem Passauer Bischof ausgebaut und seit 1820 dem Orden der Redemtoristen (Liguorianer) eingeräumt. Der Beachtung werth sind die steinernen Figuren ober dem Haupt- und dem ersten Seiteneingange rechts. Ihre alterthümliche Gestalt ist unversehrt geblieben und ihr Inneres mit vielen Figuren geziert. Auf einigen ihrer Glasfenster sieht man noch alte, auf andern neue Gemälde, letztere von dem verstorbenen Gottlieb Mohn, nach Ludwig Schnorr von Karlsfeld's Zeichnungen verfertigt.

81

Der siebeneckige, 30 Klafter hohe Thurm mit 224 Stufen gehört zu den schönsten Überresten der Baukunst des Mittelalters. Der Fremde unterlasse ja nicht, ihn zu besteigen. Er gewährt eine herrliche Aussicht über die Stadt, das nahe Gebirge und das Marchfeld.

24.) Die Kirche der unirten Griechen ist auf dem Dominikanerplatze neben der Hauptmauth.

25.) Die zwei Kirchen der nicht unirten Griechen stehen auf dem alten Fleischmarkte Nr. 705 und auf dem Hafnersteige Nr. 713.

26.) Die prachtvoll vom Architekten Kornhäusel gebaute Synagoge der deutschen Juden befindet sich unweit von dem Kienmarkte Nr. 494. Der Gottesdienst in seiner zum Theil modernisirten Form wird gewiß jeden Reisenden ansprechen. Von den kleineren Kapellen, daran einige sich auch in Privathäusern befinden, wird die im Churgebäude nicht selten zu Trauungen benützt.

IX.

Die Vorstädte.

Vier und dreißig Vorstädte umlagern gleichsam die innere Stadt Wien und werden selbst wieder durch die sogenannte Linie, bestehend aus einem Graben und einem 12 Fuß hohen Wall, eingeschlossen. Diese Linie hat 11 Ausgänge oder Thore, die nach 10 Uhr Abends zwar geschlossen, zu jeder Stunde aber dem Reisenden geöffnet werden.

Die Vorstädte entstanden ganz eigentlich erst im Jahre 1684; denn Erdberg, Thury, die Land= straße, Leopoldstadt und Mariahilf, die schon frü= her vorhanden waren, wurden in den Jahren 1529 und 1683 beim Anrücken der türkischen Bela= gerungsarmee abgebrannt und die Überreste von den Türken vollends zerstört.

Nimmt man den Standpunkt auf der Ba= stei am Rothenthurmthore, so daß man die Ferdinandsbrücke vor sich hat, und umschreitet dann rechts nach Osten die Stadt auf der Bastei selbst, so liegen die Vorstädte in folgender Ordnung:

1. Die Leopoldstadt; sie zählte (im Jahre 1834) 636 Häuser und 2946 Einwohner.

2. Die Jägerzeil (einst die Venediger=Au). Häuser 66, Einwohner 2663.

3. Unter den Weißgärbern. Häuser 108, Einwohner 1799.

4. Erdberg. Eine der ältesten Vorstädte, schon im Jahre 1192 durch die Gefangennehmung des Richard Löwenherz bekannt. Häuser 408, Ein= wohner 7171.

5. Die Landstraße und der Rennweg. Häuser 645, Einwohner 26,995.

6. Die alte und neue Wieden. Häuser 892, Einwohner 36,540.

7. Der Schaumburgerhof, in der Nähe der Wieden, hat nur eine Gasse, 91 Häuser und 2375 Einwohner.

8. Hungelbrunn (Hungelgrund). Häuser 11, Einwohner 1313.

9. Der **Laurenzergrund.** Häuser 16, Einwohner 546.

10. **Matzleinsdorf.** Häuser 131, Einwohner 2636.

11. **Nikolsdorf.** Häuser 48, Einwohner 1716.

12. **Margarethen** (einst eine Komthurei). Häuser 174, Einwohner 5781.

13. **Reinprechtsdorf** (Rampersdorf). Häuser 25, Einwohner 753.

14. **Hundsthurm.** Häuser 155, Einwohner 4395.

15. **Gumpendorf.** Häuser 414, Einwohner 12,894.

16. Der **Magdalenagrund** (Ratzenstadel). Häuser 38, Einwohner 1264.

17. Die **Windmühle.** (Vor Bebauung des Grundes standen hier Windmühlen.) Häuser 108, Einwohner 4746.

18. Die **Laimgrube und an der Wien.** Häuser 196, Einwohner 8994.

19. **Mariahilf.** Häuser 149, Einwohner 10,072.

20. Der **Spitl-** (Spital-) berg. Häuser 146, Einwohner 5439.

21. **St. Ulrich** (Platzel und Mariatrost). Häuser 148, Einwohner 6977.

22. **Neubau** (Unter-Neustift) und Wendelstatt. Häuser 326, Einwohner 17,747.

23. Das **Schottenfeld** (Ober-Neustift). Häuser 490, Einwohner 19,981.

24. Altlerchenfeld. Häuser 238, Einwohner 8455.

25. Die Josephstadt. Häuser 209, Einwohner 10,314.

26. Der Strozische Grund. Häuser 57, Einwohner 2527.

27. Die Alservorstadt (Alsergrund und Währingergasse). Häuser 314, Einwohner 16,360.

28. Das Breitenfeld. Häuser 93, Einwohner 4573.

29. Der Michaelbeuernsche Grund (so genannt vom Stifte Michaelbeuern im Salzburgischen). Häuser 37, Einwohner 1832.

30. Der Himmelpfortgrund. (Sporkenbühl). Häuser 86, Einwohner 3281.

31. Am Thury. Diesen Grund bebaute Jos. Thury. Häuser 117, Einwohner 3954.

32. Das Liechtenthal und die Wiesen. Häuser 211, Einwohner 7032.

33. Der Althan, einst ein Garten des Grafen Althan, 1714 vom Magistrat erkauft. Häuser 38, Einwohner 853.

34. Die Rossau. Häuser 172, Einwohner 6466.

Die volkreichsten Vorstädte sind also die alte Wieden, die Landstraße und der Rennweg, die Leopoldstadt, das Schottenfeld, der Neubau und die Alservorstadt. Die Dörfer Hernals, Neulerchenfeld, Währing, Fünfhaus und Simmering, außerhalb der Linie gelegen, werden in polizeilicher Hinsicht noch zur Stadt Wien gerechnet.

Prachtgebäude und Anstalten, die auf diesem Umgange auf der Bastei zu erblicken und zu bezeichnen sind, wurden bereits S. 26 namhaft gemacht.

X.

Bau = Merkwürdigkeiten in den Vorstädten.

---

1. Brunnen und Wasserleitungen.

a) Die Albertinischen Wasserleitungen, dem Wassermangel der südwestlich liegenden Vorstädte abzuhelfen, wurden von dem Herzog Albert von Sachsen=Teschen ausgeführt. Das Wasser kommt von der hohen Wand hinter Hütteldorf aus mehreren Bergquellen, deren zwei höher als der Stephansthurm entspringen, wird dann fast bis zum genannten Dorfe in einem gemauerten Kanal von 5½ Fuß Tiefe und 2 Fuß Breite in eine große Brunnstube geführt, und aus dieser in mehr als 16,000 eisernen Röhren durch eine Strecke von 7155 Klafter unter der Erde in die Vorstädte geleitet, so daß auf diese Weise Gumpendorf 2, Mariahilf 3, die Laimgrube 2, die Josephstadt 2, dann die Gründe Neubau, Schottenfeld und St. Ulrich jeder einen Brunnen mit gutem trinkbarem Wasser besitzen. Das Werk wurde in den Jahren 1803—5 vollendet und kostete über 400,000 fl. K. M.

b) Der Brunnen in der Vorstadt Spittlberg in der breiten Gasse. Die mitten im Bassin aufgestellte Säule korinthischer Ordnung ist ein

8

Gußwerk von Mariazell aus steirischem Eisen. An der einen Seite: der Prophet Moses ebenfalls von Eisen, an den andern Seiten: Antikköpfe, aus deren Mund das Wasser quillt.

c) Der Brunnen in der Alservorstadt, Hauptstraße, ist mit einer meisterhaft aus Metall gearbeiteten Statue von Fischer, die Wachsamkeit vorstellend, und

·d) der Brunnen in der Währingergasse, derselben Vorstadt vor der Josephs = Akademie, mit. einer zierlichen Statue (Hygiea) aus weichem Metall ebenfalls von Fischer versehen.

e) der Brunnen in der Vorstadt Breiten= feld, in der Nähe des geräumigen unteren Pla= ßes, aus Gußeisen, modellirt und. gegossen unter Leitung des Dr. Karl Reichenbach zu Blansko in Mähren auf dem Eisengußwerke des Grafen von Salm. Das Bassin faßt 423½ Kubikschuh Wasser. Er wurde am 4. November 1833 geöffnet und ist auf Kosten der Gemeinde errichtet.

f) Der Brunnen auf der alten Wieden un= weit der Paulanerkirche, aus Stein, ebenfalls auf Kosten der Gemeinde errichtet und am 4. No= vember 1834 geöffnet.

g) Der Wiener = Neustädter Kanal. Siehe oben Seite 33.

2. Prachtgebäude in den Vorstädten.

a) Das k. k. Lustschloß Belvedere am Rennwege Nr. 642 (neue Zahl), vom Prinzen Eu= gen gegründet und nach dem Plane des Hofarchitek=

ten Joh. Lukas von Hildebrand vollendet, theilt sich in das untere und obere Belvedere. Der Haupt= eingang zum letztern ist südöstlich in der Nähe der Linie; jenen zum erstern vom Rennwege muß man zur Übersicht des Ganzen und den Balkon oberhalb der Gartenterrasse gegen die Stadt zur Aus= sicht über die Stadt wählen (Vergl. S. 30.). Im obern Belvedere ist die k. k. Gemäldegallerie, im untern die Ambrasersammlung aufgestellt; den Zwi= schenraum füllt ein geräumiger, dem Besuch offen= stehender, Garten mit einigen Seitengängen und Bassins, in der Mitte aber, zur Begünstigung der Aussicht, von Bäumen entblößt.

b) Das fürstl. Stahrembergische Frei= haus (Herrschaft Konradswörth) auf der Wieden Nr. 1 ist nicht sowohl der Pracht als des Umfanges wegen sehenswerth. Es hat 6 Höfe, 31 Stiegen, 301 Wohnungen (Ställe und Schupfen), 885 Ein= wohner, trägt jährlichen Zins etwa 41,000 fl., nicht, wie irrig angegeben wird, 140,000 fl. K. M. und ist das größte Privatgebäude innerhalb der Linie.

c) Der k. k. Marstall, dem Burgthor ge= genüber, aus der Regierungszeit Karls VI., hat 600 Fuß Länge und Raum für 400 Pferde. In der Jagd= und Sattelkammer befinden sich kostbare Pfer= degeschirre, und die ganze Einrichtung verdient vor= zugsweise die Aufmerksamkeit des Reisenden.

d) Der Pallast der k. ungarischen Nobel= garde zu St. Ulrich am Glacis Nro. 1.

e) Der fürstl. Auerspergische Pallast,

ein Werk Fischers v. Erlach, am Josephstäd-
ter Glacis Nr. 1.

f) Das fürstl. Esterhazysche Gebäude
(das rothe Haus) in der Alservorstadt Nr. 197 enthält 4 Höfe, 20 Stiegen, 150 Wohnungen, 1 Reitschule, mehrere Stallungen und Wagenbehältnisse,
und trägt etwa 20,000 fl. K. M. jährlichen Zins.

Die Palläste des Staatskanzlers Fürsten von
Metternich, der Fürsten Schwarzenberg,
Liechtenstein, Razoumovsky u. a. wird der
Fremde beim Besuche der dabei befindlichen Gärten,
und die großartigen Gebäude der Institute beim
Besuche dieser zu würdigen Gelegenheit finden.

3. Kirchen, Klöster und Kapellen in den Vorstädten.

Von der großen Anzahl derselben werden nä-
herer Beachtung empfohlen:

1) Die Pfarrkirche zum h. Leopold, Leopoldstadt große Pfarrgasse, nach Joh. Ospels Ent-
wurf 1723 neu erbaut, im Innern prachtvoll verziert und mit einem Thurm, ausgezeichnet durch
Stärke und Zierlichkeit, versehen. Das Hochaltarblatt ist von Altomonte.

2) Die Pfarrkirche zur h. Theresia und
das Kloster der Karmeliter, Leopoldstadt Taborgasse; eine Stiftung Kaisers Ferdinand II. (1624).
Den Hochaltar von Marmor ließ 1702 Kaiser Leopold I. errichten. Die Meister der Altarblätter sind
unbekannt.

3) Die Kirche und das Kloster der barm-

herzigen Brüder, Leopoldstadt Taborgasse;
die Zimmerarbeit der neuen Thurmkuppel ist ein
Meisterwerk.

4) Die Pfarrkirche zum h. Johann von
Nepomuk, in der Praterstraße, hat ein Ecce-
homo= und ein Muttergottesbild im Presbyterium
von Heinrich Stegmaier.

5) Die Pfarrkirche zur h. Margaretha
unter den Weißgärbern, klein aber zierlich, wurde
1690 gegründet, doch erst 1716 eingeweiht.

6) Die Kapelle, dem nämlichen Heiligen geweiht, auf der Landstraße im Invalidenhause,
hat einen schönen marmornen Altar mit einer Kreuzabnahme von Rafael Donner († 1741).

7) Die Kirche zur h. Elisabeth und das
Kloster auf der Landstraße. Das Hochaltarblatt
malte Cymbal, den Kreuz= und den Columbia-
Altar Baumgartner. Merkwürdige Grabschrift
einer Nonne in dieser Kirche.

8) Die Pfarrkirche zu St. Rochus und
Sebastian auf der Landstraße; das Hochaltarblatt mit diesen Heiligen ist von Strudel, das des
gekreuzigten Heilandes, auf Holz gemalt, von Lukas Kranach.

9) Die Pfarrkirche zu den Aposteln Petrus
und Paulus, in Erdberg, hat ein Hochaltarblatt
von Schilling und ein Marienbild vom Fräulein
von Benko. In dieser Vorstadt bestand schon 1394
eine Pfarre.

10) Die Kapelle zum h. Januarius, Landstraße im k. k. Lustgebäude Nr. 889; das Hochaltar-

bild von Altomonte und eine schöne Statue des
Heiligen aus Metall, im Presbyterium, von einem
unbekannten Künstler.

11) Die Kirche der Salesianerinnen,
auf dem Rennwege Nr. 640, ist der Peterskirche in
der Stadt, 1719, nachgebildet; das Kuppelgemälde
von Pellegrini; das Hochaltarblatt vom Nie=
derländer van Schuppen; die Kreuzabnahme von
Jansen; Petrus und Magdalena von Pelle=
grini. Das mit der Kirche verbundene Kloster
wurde am 10. Mai 1717 von Amalia, Witwe Kai=
sers Joseph I., gegründet.

12) Die Kirche zum h. Kreuz am deutschen
Gardegebäude auf dem Rennweg, 1755 erbaut, mit
einem Hochaltarblatt von Maulbertsch (?).

13) Die Kirche zu Maria Geburt daselbst,
neben der Artilleriekaserne, mit einem Hochaltar=
blatte von Maulbertsch.

14) Die Pfarrkirche zu St. Karl auf der
Wieden, schön und regelmäßig nach Fischers von
Erlach Plan durch Philipp Martinelli erbaut
(1715). Am Giebel des auf 6 korinthischen Säulen
ruhenden Portals sind in halb erhobener Arbeit auf
weißem Marmor die Wirkungen der Pest in Wien
(1713) dargestellt. Zu beiden Seiten freistehende
Säulen dorischer Ordnung, 41 Fuß hoch, 13 Fuß
im Durchmesser, inwendig hohl, von außen in ge=
wundenen Reihen und halb erhobener Arbeit dar=
stellend: das Leben, die Thaten und den Tod des
heil. Karl. Die Kuppel malte Rottmayer, auf
den Seitenaltären van Schuppen den h. Lukas,

Daniel Gran die h. Elisabeth und den römischen Hauptmann, Pellegrini den Wassersüchtigen, Ricci die Mariahilf, und Altomonte die Witwe von Nain. Das dem Dichter Heinrich von Collin gesetzte Denkmal befindet sich in dieser Kirche.

15) In der Kirche zu den heiligen Schutzengeln (Paulanerkirche), auf der Wiedner Hauptstraße, ist das geschätzte Altarblatt von Rottmayer, der h. Kaspar und Nikolaus von Heß.

16) Die Kirche zu St. Joseph (Sonnenhof) zu Margarethen; das Hochaltarblatt von Altomonte, Theresia und Anna auf den Seitenaltären von Auerbach, und der h. Leonhard, der Kanzel gegenüber, von Maulbertsch.

17) Die Pfarrkirche zum h. Ägidius in Gumpendorf, mit trefflichen Altarblättern geziert, ist eine der ältesten Kirchen in den Vorstädten. Die Glorie des h. Schutzpatrons am Hochaltar ist von Joseph Abel, die unbefleckte Empfängniß und Johann der Täufer auf den Seitenaltären von Schmidt (dem Kremser), Christus am Kreuze von Professor Redl, und Martha von Kreipel. Die Statuen der Apostel Petrus und Paulus verfertigte Klieber; die Orgel mit 16 Registern ist von Deutschmann.

18) Die Pfarrkirche zu Mariahilf (1686—1713) ist im Besitz eines sehr alten Gnadenbildes der Mutter Gottes. Die Malerei des Kirchengewölbes ist von Troger, Hauzinger und Strattmann, die h. Anna auf einem Seitenaltare von Sconians, und Alexander Sauli auf

einem andern von Leicher. Die Orgel baute Henka.

19) Die Kirche zum h. Kreuz, auf der Laimgrube an der Ingenieur=Akademie, hat einen schönen Thurm von Henrici gebaut; das Gemälde am Hochaltar ist von Heß, das obere von Hubert Maurer, die Geburt und Auferstehung Christi auf den Seitenaltären von Vinzenz Fischer.

20) In der Pfarrkirche zu St. Ulrich (Maria = Trost) sind das Hochaltarblatt und die 6 Gemälde auf den Seitenaltären sämmtlich von Troger.

21) Die Kirche zu Maria = Schutz und das Ordenshaus der armenischen Mechitaristen=Kongregation, in der Vorstadt St. Ulrich, war vormals ein Kapuzinerkloster, und zwar das erste in Österreich. Das Hochaltarbild und der h. Joseph und Anton auf den Seitenaltären sind von Schindler, die Kuppel von Schilcher gemalt; die Gemälde in der Seitenkapelle von Maulbertsch.

22) Die Pfarrkirche zu St. Lorenz auf dem Schottenfelde. Sehenswerth ist die Grablegung Christi in halberhobener Arbeit in Blei gegossen von Prokop; der marmorne Hochaltar ist vom Direktor Hagenauer; das Hochaltarbild gemalt von Strudel, der sterbende Joseph und die unbefleckte Empfängniß auf beiden Seitenaltären von Troger. Die von Joseph Franz Christmann verfertigte Orgel mit 25 Registern dürfte die beste in Wien seyn.

23) Die Pfarrkirche zu den sieben Zu=

fluchten, in Altlerchenfeld, hat zwei Seitenaltar=
gemälde, den h. Aloysius und Leonardus, von
Maulbertsch; die vorzügliche Orgel verfertigte
Christoph Erler.

24) Die Pfarrkirche zu Maria Treu und
das Kloster der Piaristen in der Josephstadt
mit Frontispiz=Figuren vom Bildhauer Madeser,
und mit Gemälden der großen Seitenaltäre von Fe=
lix Leicher. Die Kuppel, das Hochaltarblatt, Chri=
stus am Kreuz, und Johann von Nepomuk an den
kleinen Seitenaltären sind von Maulbertsch, die
beiden andern wahrscheinlich vom Maler Brand.
Rahl der jüngere, Sohn des tüchtigen Kupferste=
chers, malte ein Altarblatt um 300 fl. und wurde die=
serhalb als Wohlthäter der Kirche in das Kirchen=
buch eingetragen. Die ersten Piaristen kamen 1698
nach Wien und der sogleich begonnene Kirchen= und
Klosterbau wurde 1716 vollendet.

25) Die Pfarrkirche zur h. Dreieinig=
keit und das Kloster der P. P. Minoriten (1690—
95), Alservorstadt Hauptstraße. Das Hochaltarge=
mälde ist vom Ritter von Hempel, das auf dem
Tabernakel dieses Altars, Maria mit dem Kinde,
von Joseph Kastner. Im Kreuzgange sieht man
36 Portraits der Ordensstifter vom 14. — 18.
Jahrhundert. Merkwürdig ist auch die Kirchen=
gruft.

26) In der Kirche des k. k. Waisenhau=
ses, Alservorstadt Karlsgasse, ist der h. Karl Bor=
romäus auf dem ersten Seitenaltare von Rott=
mayer, der h. Petrus auf dem Meere am zweiten

Altare von Roettiers, und der h. Januarius von Altomonte.

27) Die Pfarrkirche zu den vierzehn Nothhelfern im Liechtenthal (1712 — 14) mit einem meisterhaften Gemälde im Gewölbe über dem Eingange (der betende Zöllner und der Pharisäer) von Franz Singer. Der Hochaltar ist mit einem schönen Bilde von Franz Zoller geziert; von den Gemälden der Seitenaltäre malte das h. Kreuz, Jesus, Maria und Joseph: Anton Maulbertsch; den h. Franz Xaverius: Koll, den Erlöser auf dem Kreuzaltar: Kuppelwieser, und den h. Johann von Nepomuk: Franz Zoller. Die beiden Statuen (St. Florian und die schmerzhafte Mutter), in der Mitte der Kirche, verfertigte der Bildhauer Franz Loy.

28) Die Pfarrkirche zu Mariä Verkündigung und das Kloster der Serviten (1651 — 70) in der Roßau, mit einer berühmten Kapelle des h. Peregrin, an dessen Namenstage, den 27. April, sie ungemein zahlreich besucht wird. Die Stucco-Arbeit im Innern ist von Johann Barbarigo.

Die übrigen Kirchen und Kapellen bedürfen keiner nähern Bezeichnung, da ihre Gemälde und Schnitzwerke theils von unbekannten Meistern, theils an sich unbedeutend sind.

Ansichten der vorzüglichsten Plätze, Kirchen und Palläste Wiens*) werden verkauft

---

*) Beim Verleger dieses Büchleins sind gleichfalls zu

von den hiesigen Kunsthändlern Anton Paterno am
neuen Markte, J. Bermann am Graben, Mollo
und Artaria am Kohlmarkte u. a.

XI.

Anstalten in Beziehung auf Bedürfniß und
Bequemlichkeit.

A. Überhaupt und unabhängig von der
Dauer des Aufenthaltes.

---

1. S p e i s e = A n s t a l t e n. Die eigentlichen
Wirthstafeln (tables d'hôte) sind in Wien nicht ge=
wöhnlich. Einigermaßen aber ist damit ein Anfang
gemacht von dem Hoftraiteur Ant. Heß im Augar=
ten und von den Brüdern Scherzer im Sperl.
Der Tag, an welchem eine solche Tafel stattfindet,
wird öffentlich bekannt gemacht, jedoch müssen von
den Theilnehmerm die Karten dazu früher gelöst
werden.

Auch gibt es wenige Traiteurs oder Re=
staurateurs in Wien, denn außer dem erwähnten
Hoftraiteur wären nur noch zu bemerken: J. Daum,

---

haben: Historisch=malerische Ansichten der Resi=
denzstadt Wien und ihrer Umgebungen,
gezeichnet und gestochen von tüchtigen Künstlern.

Den Besitzern und Abnehmern dieses Büch=
leins werden daraus auch einzelne Ansichten
als Erinnerungs= oder Stammbuchblätter nach eigener
Wahl käuflich überlassen.

96

Kohlmarkt Nr. 261 und das Casino auf dem neuen Markt.

Der Fremde im Gasthofe läßt sich entweder das Essen auf sein Zimmer bringen oder besucht die Speisesäle. Der Preis der Speisen und der Getränke ist auf eigenen Zetteln verzeichnet. Man wählt nach Belieben und schließt die Rechnung nach dem Tariff ab. Die Speisestunden sind Mittags von 1—4 Uhr, Abends von 8—10 Uhr (Vergl. S. 20. Gasthöfe.)

Außer den Gasthöfen gibt es in Wien noch viele Häuser, in welchen man zu Mittag und Nacht speisen, aber nicht wohnen kann. Sie hießen früher Wirthshäuser, jetzt Gasthäuser, sind mehr oder minder bequem und zierlich eingerichtet, und auch in den Vorstädten vorhanden. Ihre Zahl beträgt etwa 150.

In der Stadt werden ziemlich zahlreich besucht: das Jägerhorn, Dorotheergasse Nr. 1105; der Seißerhof in der Spänglergasse Nr. 427; der Stern auf der Brandstatt Nr. 629; der ungarische König Nr. 852 und die goldene Ante Nr. 522, beide in der großen Schulenstraße; das Gasthaus zum heiligen Geist im Bürgerspital Nr. 1100; das zum Steinl Nr. 429 in der Steinlgasse u. s. w. Speisestunden daselbst von 12—3 Uhr, Abends von 7—9 Uhr. Tariff wie oben.

In den Vorstädten, namentlich in der Leopoldstadt, besucht man das Gasthaus zur österreichischen Kaiserkrone in der großen

Fuhrmannsgasse Nr. 482, und am zahlreichsten
jenes zum Sperl in der Sperlgasse Nr. 240;
unter den Weißgärbern das zum guten Hir=
ten, und auf der Landstraße jenes zur golde=
nen Birne. Diese Gasthäuser sind mit Gärten
und Gartensalons versehen und sorgen auch für sehr
anlockende Harmonienmusik.

Einladungen zum Besuche dieser und anderer
Vorstadt=Gasthausgärten werden täglich erlassen und
durch große Anschlagzettel bekannt gemacht.

2. Weinhandlungen. Diese, weniger häu=
fig als die Gasthäuser und Weinkeller, verkaufen
alle Sorten österreichischer, dann ungarische, wohl
auch italienische Weine im Großen sowohl, als Maß=
und Seidelweise, haben auch ein oder mehrere gut
eingerichtete Zimmer für Gäste, an welche die ver=
langten Weinsorten nach bestimmten Preisen aus=
geschenkt werden. Man findet dergleichen unter an=
dern bei J. Daum, Kohlmarkt zum grünen Faßel
Nr. 261, und bei Achaz v. Lenkey, im Lilien=
gäßchen Nr. 898. In diesen Weinhandlungen
werden die Gäste auch mit warmen Speisen bedient.
Einen Ausschank vorzüglicher ungarischer Gebirgs=
weine über die Gasse hat Joh. Theod. Minkus,
in der Stadt, Sailergasse Nr. 1092.

Außer diesen Handlungen führen noch einige
Spezereihändler vorzügliche Sorten inländi=
scher Weine, und sind berechtigt, solche entweder
unmittelbar an Gäste auszuschenken, oder auch an=
derweit zu verkaufen und zu versenden. Ausgesteckte
Tannenreiser an den Thürflügeln oder Tafeln

9

mit geeigneter Inschrift bezeichnen diese Befugnisse. An Eßwaaren findet man hier alle Arten Käse, Würste, Seefische u. s. w. nach bestimmten Preisen.

Die vorzüglichsten Spezereihändler=Schilde, unter welchen jene Weine ausgeschenkt werden, sind: die Handlung zu den drei Laufern, am Michae=lerplatze Nr. 253, des Joseph Stiebitz et Comp. zum schwarzen Kamehl, in der Bognergasse Nr. 312; des Ant. Schneider zu den 3 Löwen in der Kärntnerstraße Nr. 1073; zum weißen Rössel nnter den Tuchlauben Nr. 554, u. a.

Das zierlichste Lokal findet der Fremde in der Handlung zu den drei Laufern.

3. Weinkeller. Um einen Blick in die Le=bensweise der untern Volksklassen zu thun, verschmä=he der Fremde es nicht, einige der sogenannten Weinkeller (überhaupt etwa 70) z. B. den Türken=keller auf dem Haidenschuß Nr. 237, den Greißler=keller auf dem hohen Markte Nr. 446 u. s. w., hauptsächlich in den sonntägigen Abendstunden zu be=suchen, oder eigentlich mehrere Klafter tief in ein unterirdisches Gewölbe hinabzusteigen, wo bei Lam=pen= und Kerzenschein die wohlfeilsten Weinsorten ausgeschenkt und die Gäste mit kalten Schinken, Zervelatwürsten u. dgl. bedient werden.

Dagegen sind der Annakeller in der Jo=hannesgasse Nr. 980 und der durch seinen noch grö=ßeren Umfang merkwürdige Seitzerkeller in der Spänglergasse Nr. 427 bequem und zierlich eingerich=tet. Im letztern, auch Elysium genannt, der 100 Tische, 900 Stühle, 2 große Tanzsäle und mehrere

geräumige Speisesäle hat, wurden bisher auch, von
Personen aus allen Ständen besuchte, Bälle gege=
ben. Etwas übertrieben wohl nennt man an solchen
Tagen die Versammlung den unterirdischen
Kirchweihtag in der Brigittenau, denn
mehr als 2000 Menschen können in diesem Lokale
mit einiger Bequemlichkeit sich nicht bewegen. Auch
im Annakeller finden jetzt Tanzunterhaltungen Statt.

Den Eingang solcher Keller bezeichnen ebenfalls
ausgesteckte Tannenreiser.

4. Bierhäuser. Man erkennt die Bierhäu=
ser leicht an ihrem Aushängezeichen, nämlich an ei=
nem Busch Hobelspähne, jetzt gewöhnlich an ei=
nem Fensterladen zierlich abgebildet, oder von Blech
nachgeahmt. Wo dergleichen Hobelspähne und Tan=
nenreiser vereinigt erscheinen, wird Bier und Wein
zugleich ausgeschenkt. Einige Bierhäuser sind mit
einfacher Inschrift bezeichnet. Ihre Zahl in der Stadt
und in den Vorstädten beträgt gegen 500.

In der Stadt werden von Einheimischen und
Fremden besucht: das Bierhaus zum Repphühnl,
Goldschmiedgasse Nr. 593; zur großen Tabaks=
pfeife, im Eisgrübl Nr. 618; zur Schnecke,
am Petersplatze Nr. 612; das auf der Brand=
statt Nr. 631; zu den drei Raben in der Ra=
bengasse Nr. 645; zum Strobelkopf im Stro=
belgäßchen Nr. 866; das Michaeler=Bierhaus
am Michaelsplatze Nr. 1153 u. a.

In den Vorstädten, woselbst sich die bei wei=
tem größere Anzahl der Bierhäuser befindet, sind
jetzt die bekanntesten: das zum Stern in der Al=

*

ſervorſtadt, Adlergaſſe Nr. 164, und beſonders das Neulinger auf der Landſtraße, Ungergaſſe Nr. 392, mit einem großen, ſchattenreichen Garten ver= ſehen. Außer verſchiedenen Bierſorten bekommt man an ſolchen Orten gewöhnlich auch einige warme oder kalte Speiſen.

Junge Leute aber, welche es vorziehen, die Mittagskoſt in ſolchen Bierhäuſern einzunehmen, ſind entweder leidenſchaftliche Tabakraucher, oder in ihren Ausgaben beſchränkt. Merkwürdig, wie Ande= re es haben finden wollen, iſt das nicht.

5. Kaffeehäuſer. Hier in Wien und im J. 1683 ſoll angeblich das erſte Kaffehhaus im chriſtlichen Europa von einem Polen, Georg Franz Koltſchitzky, errichtet ſeyn. Allein ſchon 1652 beſchäftigte in London ein Grieche ſich mit der Zube= reitung des Kaffee's und Lemontey weiſt in ſei= ner Geſchichte des 18. Jahrhunderts nach, daß be= reits im J. 1671 ein Kaffeehaus in Montpellier und 1672 ein zweites in Paris beſtand. In der Stadt ſind gegenwärtig über 30, in den Vorſtädten über 50. Dem Liebhaber von Neuigkeiten bieten ſie dar die bekannteſten erlaubten deutſchen, franzöſiſchen u. a. Zeitungen, wie auch einige Zeitſchriften, und ſind gewöhnlich mit 2, oft mit 3 und 4 Billards verſehen. In der Stadt ſind die vorzüglichſten: das des Haidvogel, zur goldenen Krone, am Graben Nr. 619; das des Wolfberger daſelbſt, Nr. 1133; das Schweiger'ſche daſelbſt, Nr. 1131; das des J. Daum, am Kohlmarkte, Eck der Wallnerſtraße; das Cortiſche, am Joſephsplatze

Nr. 1153; das auf der **Löwelbastei** im soge=
nannten Paradiesgärtchen und das geschmackvoll ge=
baute und zierlich eingerichtete Kaffeehaus im **V o l k s=
g a r t e n,** beide dem erwähnten Corti zugehörig;
C o r r a, im Bürgerspital Nr. 1100; **W i e r s c h m i e d,**
am neuen Markte Nr. 1046; **L e i b e n f r o s t,** da=
selbst Nr. 1060; **N e u n e r,** in der Plankengasse
Nr. 1063; **W e i s s e n b e r g e r,** in der Sailergasse
Nr. 1076; **G e h r i n g e r,** am Kohlmarkt Nr. 281;
S c h n e i d e r in der Goldschmiedgasse Nr. 593 u. a.

Von den hiesigen **G r i e c h e n** wird **K a p p e l=
m a y e r s** Kaffeehaus am alten Fleischmarkt Nr. 691
und von den **T ü r k e n** das des **E c k m a y e r** daselbst
zur Stadt London Nr. 684 besucht.

Die jenseits der Ferdinandsbrücke an der Do=
nau beim Anfange der **L e o p o l d s t a d t** gelegenen,
zierlich eingerichteten Kaffeehäuser sind fast täglich
überfüllt. Bereits 1703 von Holz erbaut, gehören sie
zu den ältesten in Wien.

6. In der **M i n e r a l w a s s e r = T r i n k a n=
s t a l t** auf dem Glacis, außer dem Karolinenthore,
kann man vom Monate Mai bis Oktober täglich
von 6—12 Uhr Morgens verschiedene Mineralwasser
trinken. Diese Anstalt ist mit vielen Sitzen, Gar=
tenanlagen und einem gut besorgten Kaffeehause ver=
sehen.

Die Bereitung **k ü n s t l i c h e r** Mineralwasser ist
durch eine a. h. Entschließung vom 22. December
1832 verboten.

7. **F i a k e r.** Zur großen Bequemlichkeit dienen
etwa 700 Fiaker (Wiener=Vorstadtlohnkutscher). Sie

sind in der Stadt und in den Vorstädten in bestimm=
ten Gassen und auf Plätzen vertheilt, und von
7 Uhr Morgens bis nach 10 Uhr Abends zum Fah=
ren bereit. Viele von ihnen haben bereits sehr ele=
gante Wagen und alle fahren mit so seltener Um=
sicht und Sicherheit, daß ihnen kaum die russischen
Droschkenführer darin gleichkommen dürften. Man
bedient sich auch der Fiaker zu Landpartien in der
Nähe und Ferne der Residenz, in welchem Fall man
sie früher sich einzufinden bescheiden kann. Eine
Taxe aber ist nicht vorgeschrieben und darum muß
vor dem Einsteigen oder bei der Aufnahme mit ih=
nen genau akkodirt werden. Bei Landfahrten pflegt
nicht der Fiaker, sondern der von ihm Geführte das
Linien= und Weggeld zu entrichten. An Sonn= und
Festtagen, bei besondern Veranlassungen und sehr
üblem Wetter steigern sie ihre Foderungen. Vorzugs=
weise geschieht dieß bei Fremden, die sie augen=
blicklich erkennen. Darum wird der Reisende wohl
thun, früher Erkundigung einzuziehen über den Be=
trag, der nach Verschiedenheit der Fälle (für eine
Stunde in der Stadt z. B. 48 kr. K. M.) gezahlt
zu werden pflegt. Jeder Wagen ist numerirt und
sämmtliche Fiaker stehen unter einem eigenen Kom=
missär bei der Polizei=Oberdirektion, bei dem man
sie, wenn's Noth ist, belangen kann. Man hat
in diesem Fall lediglich die Zahl des Wagens zu nen=
nen.

Übrigens gewährt der Gebrauch der Fiaker noch
den Vortheil, daß bloß die Anstalt oder das Haus,
wohin man fahren will, bezeichnet werden darf;

denn ein Fiaker hat beinahe eine größere Lokalkennt=
niß, als der Lohnbediente.'

Man titulirt den Fiaker du, und gibt kein
Trinkgeld.

Durch das Dekret der k. k. Hofkanzlei vom 30.
März 1833 ist den Fiakern auch gestattet, unter Beo=
bachtung der polizeilichen Vorschriften Pferde vor
fremden Wagen anspannen zu können.

8. Stadtlohnwagen, 300 etwa an der Zahl,
sind nicht numerirt, aber von allen Formen bis zur gro=
ßen Eleganz zu haben. Darum werden sie auch für
anständiger gehalten, als die Fiaker. Man bestellt
sie bei den Eigenthümern, kann sie auf halbe und
ganze Tage, auf Wochen, Monate und Jahre be=
dingen und mit ihnen auch Landfahrten und weitere
Reisen machen. Die Kutscher erhalten ein mäßiges
Trinkgeld.

Einer der vorzüglichsten Stadtlohnkutscher ist:
Joseph Jantschky, am Judenplatze Nr. 401;
die Wohnungen Anderer sind durch Aushängschilder
bezeichnet.

9. Gesellschafts= und Stellwagen nach
den Umgebungen der Stadt (s. Abschnitt III.) in
allen Richtungen. Leute aus niedern Ständen bedie=
nen zu gleichem Zwecke sich der an den Linienthoren
aufgestellten Zeiselwagen. Es gibt deren gegen
1200, unter welchen einige schon ziemlich bequem
eingerichtet sind.

10. Tragsessel. Außer den erwähnten Wa=
gen gibt es in Wien noch Tragsessel (37) ebenfalls

numerirt, in verſchiedenen Gegenden der Stadt auf=
geſtellt, doch nicht ſehr im Gebrauche.

11. Bäder. Mit Badanſtalten iſt Wien reich=
lich verſehen. Am ſtärkſten wird das Dianenbad,
Leopoldſtadt an der Donau Nr. 9 beſucht. Das
Badhaus, im untern Stocke reinlich, im obern ge=
ſchmackvoll eingerichtet, hat eigene Abtheilungen für
Frauen= und Männerbäder, einen großen Geſell=
ſchaftsſaal und einen artigen Garten. Das Waſſer
läuft aus Pipen warm und kalt ein. Der geringſte
Preis eines Bades im Sommer iſt 32 kr. K. M.
Auf Verlangen werden auch künſtliche Bäder berei=
tet und gewärmte Wäſche zum Abtrocknen beſorgt.

Nächſt dieſer Anſtalt werden häufig benützt:
das Kaiſerbad, oberhalb des Schanzels an der
Donau Nr. 22, und das Schüttelbad, unweit
der Franzensbrücke in der Jägerzeile Nr. 13. Die
eben genannten Bäder beſtehen aus Donauwaſſer.

Beiläufig erwähne ich hier eines Apparats zu
Douche=, Regen= und Staubbädern, welcher
mit 12—18 Maß Waſſer jedes Bad erſetzt und nicht
nur als Heil= ſondern auch als das vorzüglichſte
Reinigungsmittel empfohlen, überall anzubringen und
des geringen Umfangs wegen ſelbſt auf Reiſen mit=
zuführen iſt. Der Preis dieſer Maſchine (zu haben
bei F. Sartorius, Kärntnerſtraße Nr. 1046) iſt
nach Verſchiedenheit des Materials und der Form
15—80 fl. K. M.

Ein Schwitzbad durch erhitzte Kieſelſteine fin=
det man bei K. Matſchiner, Gumpendorf Nr. 361.
Es ſoll als Heilmittel gegen rheumatiſche und gichtiſche

Krankheiten dienen, worüber jedoch nähere Belehrung von einem Arzte einzuholen ist.

Als eine unentgeldliche, offene Donau-Badanstalt für Männer kann eine bezeichnete Stelle, im Donauarm unterhalb der Schwimmschule am Praterdamm, wo sich auch eine Anstalt zur Aufbewahrung der Kleidungsstücke und zur Verabreichung von Badewäsche befindet, und das geschlossene Männer- und Frauenbad im sogenannten Kaiserwasser nächst der mittleren Taborbrücke, wie auch am Schüttel nächst der Franzensbrücke benützt werden.

Eine neue Floß-, Schwimm- und Badanstalt, in Verbindung mit einer Damenschwimmanstalt, ist im Rücken des Augartens, am Schluße der Leopoldstadt, außer der Taborlinie errichtet. Sie besteht aus der Damenschwimmschule, aus größern und kleinern Badabtheilungen für das weibliche und männliche Geschlecht, mit Extra- und Vollbädern. Sie wurde eröffnet im Monat August 1831, führt den langen Titel »Ferdinand- u. Maria-Damen- Schwimm- und Herren-Badanstalt und erfreut sich eines häufigen Besuchs, seitdem zur Hin- und Herfahrt Aktiengesellschaftswagen bestehen. Endlich errichtete im Frühjahr 1835 Jos. Scherzer eine Badanstalt im Kaiserwasser beim Tabor für Personen beiderlei Geschlechts, die gut bedient und mit vorzüglicher Wäsche versehen, dieserhalb auch häufig benützt ist. Die Gesellschaftswagen zu dieser und der vorgenannten Anstalt findet man am Rothenthurmthore.

12. Kleidungsstücke und Putzwaaren. Im Vergleich mit mancher andern Hauptstadt, insbesondere mit London, behauptet Wien einen entschiedenen Vorzug darin, daß die Form der Kleidung eines Fremden fast gänzlich unbeachtet bleibt. Dennoch fehlt es hier keineswegs an Gelegenheit, sich in der kürzesten Zeit, nach der letzten Mode, solid, elegant und reich zu kleiden.

In dieser Beziehung finden Herrn und Damen: Leibwäsche, zierlich im Schnitt, gut verfertigt und bis zur ausgezeichneten Feinheit bei den sogenannten Pfaidlern (Leinwäschhandlungen) in der Kärntnerstraße, am Stockimeisenplatz, Nr. 878 (Fr. Ritzenthaler), am Graben und auf dem Kohlmarkte.

Fertige Damenkleider, Hüte und Putzwaaren aller Art bietet die Modehandlung zur schönen Wienerin am Stockimeisenplatze. Deßgleichen findet man eine große Auswahl der neuesten Damenhüte von Seidenstoffen auf den belebtesten Plätzen, nämlich in der Kärntnerstraße, am Stephansplatz, am Kohlmarkte u. s. w.; die bekannte Modistin Anna Langer aber wohnt in der Annagasse Nr. 986, 1. Stock.

In den Handlungen auf den genannten Plätzen haben Damen auch Gelegenheit zum Ankauf aller Arten von Stoffen zu Kleidern, Shawls nach türkischen Mustern, Umhängtüchern, Modeartikeln u. dergl., namentlich bei Joseph Arthaber, Eck der Goldschmiedgasse; bei Xav. Sigris zur Hofdame (von Mayer gemalt) am Stephansplatz

Nr. 627; bei Schwingenschlögel und Geringer, am Stockimeisenplatz; bei S. Doby, am Graben, zum Amor; bei Lommer, am Graben, Eck der Spiegelgasse und gegenüber Nr. 916 in der Shawlsniederlage; bei F. E. Liegert, Graben, zum seidenen Handschuh Nr. 511; in der Seiden = und Modewaarenhandlung des Jos. Bertitsch, zum weißen Berg, am Graben Nr. 1120; in der Handlung des Jos. Lee, zur Sonne am Graben Nr. 1134; und (insbesondere) bei J. Tschapeck, am Graben Nr. 1122 zur Jungfrau von Orleans, wo alle Gattungen ausgezeichneter Seiden=, Putz= und Modewaaren zur Kleidung für Damen und Herren zu haben sind. Vergleiche Abschnitt IV.

Schöne, den französischen gleichstehende, Bänder findet man nebst anderen Modeartikeln bei J. Harnisch und Helbold, am Kohlmarkt Nr. 262 zum Modeband.

Als Verfertiger moderner Damenanzüge empfehlen sich durch mitgetheilte Modebilder in der Wiener Zeitschrift für Kunst, Literatur ꝛc. ꝛc. J. G. Beer, Dorotheergasse Nr. 1108, und Th. Petko, Spänglergasse Nr. 426. Männerkleidermoden bringt ebendas. der bürgerl. Schneidermeister Jos. Gunkel, der zugleich verfertigte Kleidungsstücke nach der letzten Mode zur Auswahl vorräthig hat, zum Anschauen. Seine Wohnung und Niederlage ist am Graben Nr. 1114 im 1. Stocke.

Alle Sorten glatter und façonirter Weißwaaren, Percale, Battiste, Mousseline, Vapeur u. f.,

108

dann Blond- und Zwirnspitzen in allen Breiten, vorzüglich ein trefflich assortirtes Lager von Weißstickereien aller Art nach dem neuesten Geschmack führt Anton Kersa, zum Pilger am Bauernmarkt. — Auch sind derlei Blondartikel, Engl. Tull, Stickereien, Zwirnspitzen, zu haben bei Joseph Timar, Sailergasse Nr. 1098 zur weißen Fahne.

Reiche und schwere Seidenzeuge, den französischen nicht nachstehend, führen die Handlungen des Herrn Franz Frischling und Comp., am Graben zur Weltkugel Nr. 1105; Leop. Hofzinser daselbst zum schwarzen Adler Nr. 1094; Joseph Schucker, das. zum silbernen Anker Nr. 1094, und Franz Schucker, Kohlmarkt, zum Prinzen von Würtemberg Nr. 261.

Florentiner-Strohhüte von besonderer Schönheit und Dauer findet man in der Strohhutniederlage der Elis. Wiessinger, Stadt, Kramergasse Nr. 532, eine reiche Auswahl bei Seb. Boldrini, Goldschmiedgasse im inneren Trattnerhof, und die Niederlage der Florentiner Strohhutfabrik von Mießel und Bruner befindet sich auf der Freiung zum goldenen Strauß in dem v. Steinerschen Hause Nr. 157.

Blumen zum Kopfputz liefern die Fabriken des Alois Brandeker, Landstraße, Ungergasse Nr. 370, des Leopold Schedl, in der Niederlage unter den Tuchlauben Nr. 553, und des Leop. Hertel, Seitzergasse Nr. 423, 1. Stock.

Feinste Näh-, Strick- und Schling-

arbeiten, auch Damen=Negligés werden trefflich
und pünktlich verfertigt von Magd. Holzmüll=
ner, in der Stadt auf der hohen Brücke, am Eck
der Färbergasse Nr. 351.

Sehr feine Damenstrümpfe, glatte und
durchbrochene, verkaufen die Handlungen des Adam
Dill, auf dem Neubau, große Rosmaringasse Nr.
85, 1. Stock, des Franz Michelmann, auf dem
Stephansplatz zum grünen Kranz Nr. 628 u. a.

Vorzüglich gute Damenschuhe verfertigen
Franz Peppert, Hofschuhmacher in der Spiegel=
gasse, Joseph Groll (auch wasserdichte) daselbst
zum goldenen Hirschen u. a. Einen bedeutenden
Schuhverlag hat J. G. Stolz, in der Wollzeile
Nr. 772, u. a.

Handschuhe von der feinsten Art für Herren
und Damen sind in vielen Kurrenthandlungen zu
haben; ausgezeichnet schön mit Maschinen=Naht ver=
fertigt dieselben aber: Georg Jaquemar, Ma=
riahilfer Hauptstraße Nr. 14 zum rothen Handschuh,
nach ihm Autenrieth, Kärntnerstraße Nr. 1150.
Erstere findet man beim Verfertiger derselben selten,
immer aber vorräthig in der Kurrenthandlung des
S. Doby, zum Amor, Stockimeisenplatz, Eck des
Krautgassels, woselbst auch schöne Foulardstücher,
Giletszeuge, Tibetkaschimire u. s. w. billig zu haben
sind.

Mieder — ohne sich das Maß am Körper
von fremder Hand nehmen zu lassen (mit Anwen=
dung der Elastizität aus Gummi = Elastikum) beim
vollen Anzuge, Morgen= und Nachtmieder, Mieder

Der Fremde in Wien. 3. Aufl.   10

für die Kinder, durch welche die Vorbeugung des
Körpers vermindert wird, bei Reithofer und
Purtscher, Herrngasse Nr. 253. Einen sehr an-
preisenden Aufsatz darüber lieferte die populäre österr.
Gesundheitszeitung 1831. Jännerheft. Bl. 2, und
spätere Erfahrungen haben die Trefflichkeit dieser,
als auch der ganz aus gesponnenem Gummi Elast.
gewebten, Mieder bestätigt. Auch dergl. Hosenträger, Strumpfbänder u. s. w. sind in dieser Niederlage billig zu haben.

Als vorzüglicher Miedermacher ist noch bekannt
Wurzinger am Hof zu den sieben Sternen.

Trauerwaaren aller Art findet man hauptsächlich im Haupttrauerwaarenverlage zur Irisblu-
me, am Hof, dem Hofkriegsrathsgebäude gegenüber,
Eck der Glockengasse.

Wiener Juwelierarbeiten, bekanntlich zu
den schönsten von Europa gezählt, sind in großer
Mannigfaltigkeit zu haben in den Handlungen des
Joh. Ed. Pürker und Comp., J. B. Haas,
Ferd. Swoboda, Jos. A. Sieber, C. W. Koch,
Fr. Syré, Ign. Fr. Rozet, am Stockimeisenplatze, Graben und Kohlmarkte, vorzüglich auch in
der Galanteriewaaren-Fabrik des Franz Wallnö-
fer und Söhne in der Singerstraße Nr. 896.

Männerkleider sind in mehr als 50 Ver-
kaufsgewölben in der Kärntnerstraße, am Graben
und Kohlmarkte ꝛc. vorräthig, und 30 Handlungen
verkaufen Tuch von der geringsten bis zur feinsten
Sorte.

Eine nach dem Muster von Paris hier vom

111

Schneidermeister Jof. Rißenthaler, Dorotheergasse Nr. 1115, errichtete Bekleidungsanstalt
hat sehr erwünschten Fortgang gefunden und an Aus-
breitung gewonnen. Es liegt derselben ein Abonne-
mentsplan zu Grunde, nach deffen verschiedenen
Klaffen Jedermann sich eine vollständige Sommer-
oder Wintergarderobe anschaffen kann. Das Nähere
ist beim Unternehmer selbst zu erfahren, der zugleich
ein solides Assortiment von Tüchern und andern Stoffen bereit hält, um nach beliebiger Auswahl die ver-
langten Kleidungsstücke alsogleich verfertigen zu
können. Wer dieser sich nur während seines Aufenthalts in Wien bedienen will, hat zu zahlen:

5 fl. K. M. für ein neues kompletes Kleid auf
24 Stunden.

2 fl. für jeden Tag in der ersten Woche,

1 fl. für jeden Tag in der zweiten

30 kr. für jeden Tag in der dritten, und

15 kr. für jeden Tag in der vierten Woche.

Für einzelne Stücke, als für einen Mantel,
Kaput, Gehrock oder Frack wird bezahlt täglich in
der ersten Woche 1 fl.; in der zweiten 20 kr.; in
der dritten 15 kr. und in der vierten Woche täglich
10 kr. K. M. Für längere Benutzung bleibt der Preis
der vierten Woche festgesetzt.

Bei der Zurückgabe der Kleidungsstücke erfolgt
die Wiedererstattung der für ihren Werth nach Umständen gemachten Einlage.

Endlich können bei ihm auch ganze Garderoben
und einzelne abgelegte Kleider, wenn sie selbst nicht
ursprünglich aus seiner Werkstätte sind, gegen neue,

*

nach eigener Wahl in Stoff und Farbe, getauscht werden, und minder begüterte Personen finden zu jeder Zeit einen Vorrath von abgelegten Kleidern zu billigen Preisen. Er ist Verfasser des Werkes: Gründliche Darstellung des Männerkleiderzuschnitts, mit 20 lithographirten Tafeln; Wien, 1830. 4., und Gründer einer Unterrichtsanstalt für angehende und ausübende Kleidermacher, die viel Ersprießliches zu leisten verspricht.

Die k. k. patentirten Luft = und wasserdichten Fabrikate von Sigm. Wolffsohn sind zu haben in der Himmelpfortgasse Nr. 950. Dem Reisenden dürften die Stoffe zu Regenmänteln und die mit Luft gefüllten Sitzpolster besonders zu empfehlen seyn.

Hüte, ausgezeichnet durch Wasserdichte, Leich=tigkeit, Schwärze und Glanz: bei Nikolaus Wer=ner, in der Singerstraße Nr. 995; bei Sebastian Werner, unter den Tuchlauben zum Herrnhuter Nr. 436; Peter Girzick, Dorotheergasse Nr. 1118; bei Johann Hubert, am Graben zu den drei gol=denen Hirschen Nr. 1120; bei Wilh. Stuchly zum Vergißmeinnicht am Michaelerplatz, den drei Laufern gegenüber; Fr. Jos. Werner, Kärntnerstraße, zum Großfürsten von Rußland Nr. 969 u. s. w. Die meisten dieser Handlungen besorgen auch das Reinigen der Hüte.

Stiefel, besonders leicht und zierlich gear=beitet: bei Philipp Demmer, Schmalgasse, am Graben Nr. 262; in der Spiegelgasse Nr. 1104 zur Stadt London, zur Kaiserin von Öster=reich, zum Admiral Nelson u. s. w.

113

Wasserdichte Stiefel werden von mehreren Meistern verfertigt. Ein ausschließendes Privilegium dazu haben Jakob Schwenk und Mathias Pfister, in der Schmalgasse am Graben. Auch sind als solche bewährt die von Franz Thonner, Panigalgasse auf der alten Wieden Nr. 46 zum goldenen Sieb.

13. Kleiderreinigungs= und Fleckausbringungsanstalten. Die älteste derselben ist in der Dorotheergasse Nr. 1108 und auf der Landstraße Nr. 112. Sie übernimmt zum Reinigen alle Damen= und Herrnkleidungsstücke von Seide, Schaf= und Baumwolle, ferner echte und unechte Shawls, Gold = und Silberstickereien u. s. w.

Andere Anstalten solcher Art bestehen noch 15, darunter wird häufig benutzt jene am Kohlmarkte, Eck der Wallnerstraße Nr. 262 und die vereinigte Reinigungs= und Appretursanstalt für Damen = und Herrnkleider im kleinen fürstl. Lobkowitzischen Hause, der Augustinerkirche gegenüber, Nr. 1157, Stock 1., woselbst zur augenblicklichen Herstellung beschädigter Kleidungsstücke besondere Zimmer für Damen und Herren bereit stehen.

14. Risse und Löcher in Tuchkleidern, Shawls u. dgl. stopft meisterhaft, dem Auge unerkennbar, die verwitwete Henriette Janson, Leopoldstadt, Hauptstraße nächst der Kirche der Barmherzigen Nr. 324, Stiege 1., Stock 3.

15. Die k. k. Briefpostanstalt (kleine Post) für die Stadt und die Vorstädte Wiens ist im Jahre 1830 aufgehoben und eine Stadtpost errichtet zur

Vermehrung der Korrespondenzgelegenheit, größeren Bequemlichkeit der Aufgabe und schnelleren Vertheilung der angekommenen Briefe. Das Stadtpost oberamt, im Obersthofpostamte, Wollzeile Nr. 867, steht mit 5 Filialpostämtern in den Vorstädten täglich fünfmal in Verbindung durch ab- und zugehende Kariolwägen, so daß auch die Briefe täglich fünfmal ausgetragen werden. Aufgegeben können bei den Filialpostämtern werden: Briefe für das In- und Ausland, Gelder, Packete; dann können Personen daselbst sich zu Eil- und Postwagenfahrten einschreiben lassen, Pränumerationen auf in- und ausländische Zeitungen leisten, wie solches in dem Cirkulare vom 18. August 1830 ausführlich besagt ist.

Außer diesen Ämtern bestehen in der Stadt 15 Briefsammlungen, und in den Vorstädten 50.

Die Postgebühr für einen Brief bis einschließlich 4 Loth von einem hiesigen Bewohner an den andern ist 2 kr. K. M., und außerdem ist für jeden Brief, der bei einem Filialamte oder einer Briefsammlung aufgegeben wird, bei der Aufgabe 1 kr. als Sammlungsgebühr zu entrichten.

Diese Anstalt erstreckt sich bereits über sämmtliche Umgebungen der Hauptstadt. — Die höchste Postgebühr für einen einfachen von hier weiter zu sendenden Brief ist 14 kr., und wenn er rekommandirt wird 6 kr. K. M. mehr.

Das Briefaufgabeamt in der Stadt Wollzeile Nr. 867 wird um 8 Uhr in der Früh geöffnet und der Schluß der Aufgabe für die nicht rekommandirten, von hier weiter zu sendenden Briefe ist beim

Hofpostamte auf 4½ Uhr Nachmittag festgesetzt. Der Schluß für die zu rekommandirenden Briefe ist beim Hofpostamte um 3 Uhr Nachmittag, doch können dergleichen Briefe von 9 Uhr früh unausgesetzt auf=gegeben werden.

Bei den 5 Filialpostämtern müssen die weiter zu sendenden Briefe spätestens bis 3½ Uhr Nach=mittag und wenn sie rekommandirt sind bis 1½ Uhr Nachmittag aufgegeben werden. Fahrpostfen=dungen sind daselbst nur bis 3½ Uhr Nachmittag zu bewirken.

Geldbriefe und kleine Fahrpostsendungen bis zum Gewichte von 3 Pfund, welche mit den Abends abgehenden Brief=Eilwagen befördert werden sollen, müssen spätestens bis 4½ Uhr Nachmittag dem Fahr=postaufgabsamte (Dominikanerplatz Nr. 666) übergeben werden. Für andere Geld= und Fracht=stückfendungen und Beförderung der Reisenden (wie bereits früher S. 11 erwähnt ist) sorgt die Haupt=postwagendirektion daselbst.

Die General=Post= und Straßenkarte der österr. Monarchie in vier Blättern entworfen vom Oberst Max de Traux und Herrn F. Fried, ge=stochen von List 1830, ist empfehlenswerth und in der Kunsthandlung bei Artaria auf dem Kohlmarkte um 5 fl. K. M. zu haben.

116

B. Beim längern Aufenthalt des Frem=
den in Wien sind, in Beziehung auf Be=
dürfniß und Bequemlichkeit, noch fol=
gende Anstalten zu beachten.

---

1. Die Monatzimmer. Beabsichtigt der
Fremde in Wien einen längern Aufenthalt, als zum
Bekanntwerden mit den vorzüglicheren Merkwürdig=
keiten nöthig ist, dann wird er zuvörderst sein Ab=
steigquartier im Gasthofe mit einer Privatwohnung
in der Stadt oder Vorstadt zu tauschen haben. Der
Zeitersparniß wegen gebührt einer Wohnung in der
Stadt immer der Vorzug und der höhere Kosten=
betrag wird dadurch vollständig ausgeglichen.

Solche Privatwohnungen sind Miethzim=
mer, hier Monatzimmer genannt, und stets
in großer Zahl zu verlassen d. i. zu vermiethen.
Gewöhnlich werden sie nach ihrer Beschaffenheit auf
Täfelchen beschrieben und letztere der Hausthür an=
geheftet. Man miethet sie monatweise, mit und ohne
Möbeln, einfach und kostbarer eingerichtet, mit und
ohne Bedienung; nach welchen Bedingungen dann
auch der Preis bestimmt und monatlich vorhinein
entrichtet wird. Der Fremde kann sich auch von ei=
nem der hiesigen Trödler (Tandler) vollständig
möbliren lassen und den verabredeten Preis wöchent=
lich oder monatlich dafür berichtigen, in welchem
Falle bei dessen Abreise der Trödler Alles wieder zu=
rücknimmt. Dennoch ist es vorzuziehen, ein bereits
möblirtes Zimmer zu bedingen. Will der Fremde es
länger nicht benutzen, so kündigt er in der Mitte des

Monats, oder zahlt den für einen Monat bestimm=
ten Preis als Entschädigung. Fällt seine Anwesenheit
in die Wintermonate, so schließe er über die Hei=
tzung des Zimmers mit seinem Wirthe einen eige=
nen Vertrag, oder nehme seinen Holzbedarf aus der
Holzverkleinerungsanstalt, Phorus ge=
nannt. Große Anschlagzettel machen die Bestellungs=
orte bekannt und das bereits klein geschnittene und
gespaltene Holz wird, jedoch nicht unter einer Drit=
telklafter, in geschlossenen Wagen zugeführt. Die
Holzpreise sammt Zufuhrlohn sind veränderlich und
werden daher von Zeit zu Zeit gleichfalls öffentlich
bekannt gemacht.

Zum Reinigen der Stiefel und Schuhe ist
fast in jedem Hause ein sogenannter Stiefelpu=
tzer zu finden, oder zu erfragen, der zugleich das
Putzen der Kleider besorgt und monatlich dafür 1 fl.
36 kr. bis 2 fl. K. M. erhält. Eben so verhält es
sich mit den Wäscherinnen, denen das Reinigen
der Wäsche stückweise oder monatlich bezahlt werden
kann.

Jedes nur irgend bedeutende Haus hat einen
Hausmeister zur Besorgung aller Geschäfte, die
auf Reinlichkeit und Erhaltung desselben sich bezie=
hen. In der Stadt werden die Hausthore ohne Un=
terschied der Jahreszeit um 10 Uhr Abends, in den
Vorstädten während des Sommers um 10 Uhr, zur
Winterszeit um 9 Uhr geschlossen. Hausschlüssel
sind selten, in der Stadt fast gar nicht gebräuchlich.
Das Öffnen der Thore nach Ablauf jener Stunde
verrichtet der Hausmeister, der dafür vom Ein= oder

118

Austretenden eine kleine Entschädigung (Sperr=
groschen) erhält.

2. Druckwerke Behufs speciellerNo=
tizen. Will der Fremde die Stadt Wien in allen
Einzelheiten, und im Zusammenhange der Behörden
und Einrichtungen der Monarchie kennen lernen,
so findet er die Aufschlüsse: in Dr. Joseph Kud=
lers (vortrefflichem) Versuch einer tabellarischen
Darstellung des Organismus der österr. Staats=
verwaltung, Wien, bei Volke, 1834, Folio; in
Joh. Pezzl's Beschreibung von Wien, siebente
Auflage, verbessert und vermehrt von Franz Tschischka,
Wien, bei C. Armbruster, 1826, 18.; im Hof=und
Staats=Schematismus des Österr. Kaiser=
thums, Wien, in der k. k. Hof= und Staats=Ära=
rialdruckerei, 8.; und im Adressenbuch der
Handlungs=Gremien und Fabriken in
Wien und mehreren Provinzialstädten, Wien, beim
Verfasser J. B. Schilling in der Weihburggasse
Nr. 939, 2. Stock.

Beide Werke, der Hof= und Staats=Schema=
tismus und das Adressenbuch werden jährlich neu
aufgelegt.

Wer aber Wien in merkantilischer Hinsicht, um
Waareneinkäufe zu machen, oder Fabriken kennen
zu lernen, besucht, dem wird empfohlen das Adres=
senbuch, umfassend das Manufakturfach von
gedruckten, gewebten und gewirkten Waaren der
Fabriken und Fabrikanten in Wien, von Jos. Nie=
dermayr, Wien, Mechitaristen=Kongregation, Sin=
gerstraße Nr. 896, 1831. 8.

Bei gehöriger Benutzung dieser, mit musterhaf=
ter Ausführlichkeit und Richtigkeit gearbeiteten, mit
tüchtigen Namen= und Sachregister versehenen Werke
wird der Fremde alle gewünschte Auskunft finden,
und wenn ihm anderweit etwas zu wissen nöthig seyn
sollte, so möge er sich an das

3. Allgemeine Anfrag= und Auskunfts=
Komptoir am hohen Markt Nr. 322 wenden. Es
ist an Wochentagen früh von 9—12 Uhr, Nachmit=
tags von 3—6 Uhr offen und gibt gegen mäßiges
Honorar Nachricht unter Andern auch über Darlehen
auf Hypotheken und Waaren, über vorhandene
Natur= und Kunstprodukte für Käufer und Verkäu=
fer, über Reisegelegenheiten, über Dienstgeber und
Dienstsucher u. f. w.

Andere sogenannte Geschäfts=Kanzleien,
deren etwa 20 in Wien als Privatanstalten beste=
hen, ertheilen von ihrer Einrichtung in den hiesi=
gen öffentlichen Blättern oder durch Anschlagzettel
öftere Kunde.

4. Politische und periodische Blät=
ter, Zeitungen und Journale.

Von diesen erscheinen in Wien folgende:

Annalen der k. k. Sternwarte, jährlich 1
Heft in Folio.

Anzeiger (Allgemeiner musikalischer) wöchent=
lich 1 Blatt in 8., jährliche Vorausbezahlung
3 fl. K. M.

Beobachter (Österreichischer) täglich ein
Blatt in 4.

Feierstunden, Zeitschrift für Freunde der

Kunst, Wissenschaft und Literatur, wöchentl. 3 Num=
mern, mit einer Beilage in gr. 8., ihres nützlichen und
erheiternden Inhalts wegen eben so, wie in Beziehung
auf klaren, gediegenen Vortrag besonders zu em=
pfehlen. Ganzjähriger Preis nur 5 fl. K. M. Redakteur
Herr J. S. Ebersberg.

Gesundheitszeitung (Populäre Österrei=
chische), heftweise in 4.

Mittheilungen aus Wien, von Franz
Pietznigg, alle Monate ein Heft in 8., mit an=
ziehenden Aufsätzen, und einigen Bildnissen.

Jahrbücher der Literatur, vierteljährig 1
Band in gr. 8.

Jahrbücher (Medizinische) des Österr. Kai=
serstaates, jährlich 1 Band von 2 Stücken in gr. 8.

Jahrbücher des k. k. k. polytechnischen
Instituts, jährlich 1 Bd. in gr. 8.

Der Jugendfreund, heftweise, monatlich
1 Bändchen.

Sammler (Der) Unterhaltungsblatt, wö=
chentlich 3 Nummern in 4.

Theaterzeitung (Wiener allgemeine) und
Originalblatt für Kunst, Literatur und geselliges
Leben, mit 128 kolorirten Herrn= und Damen=Mo=
debildern, und seit dem Jahre 1834 außerdem noch
mit Original=Holzschnitten vom Prof. Blaf. Höfel
u. a. unstreitig die am Meisten gelesene
und reichste an Notizen jeder Art, wöchent=
lich fünfmal in 4. Pränumerationspreis auf Ve=
linpapier halbjährig 10 fl. K. M. (auch auf Druckpa=
pier und ohne Kupfer, oder die Kupfer ohne den

Text) beim Herausgeber und Redakteur Adolph Bäuerle, Wollzeile Nr. 780.

Verhandlungen der k. k. Landwirthschafts= gesellschaft in Wien, Heftweise in 4. Neue Folge in 8.

Wanderer (Der) politisches und auch Unter= haltungsblatt in 4.

Wochenblatt (Österr.) für Industrie, Ge= werbe, Land= und Hauswirthschaft, in wöchentl. Lieferungen vom 1. Juli 1835. Preis ganzjährig 4 fl. K. M.

Zeitschrift (Österreichische) für den Forst= mann, Landwirth und Gärtner, wöchentlich 1½ Bogen in 4.

Zeitschrift (Österr.) für Geschichts= und Staatskunde, nebst Blättern für Literatur, Kunst und Kritik, wöchentlich 2 Nummern in 4. Sie be= steht seit 1835 und liefert treffliche Aufsätze. Redak= teur: J. Kaltenbaeck, Preis ganzjährig 12 fl. K. M.

Zeitschrift (Wiener) für Kunst, Literatur, Theater und Mode, mit einem Notizenblatt als Beilage, mit und ohne Kupfer, wöchentlich 3 Num= mern in gr. 8. Außer den Mustern für Damen= und Herrenanzüge liefert sie die Abbildungen des Da= menkopfputzes fast ausschließlich nach Originalen der Modistin Anna Langer.

Zeitschrift (Österreichisch=militairische) monatlich 1 Heft in 8.

Zeitschrift für Physik und verwandte Wissen=

11

schaften, von Dr. Andreas Baumgartner, seit April 1832 heftweise.

Zeitschrift für österr. Rechtsgelehrsamkeit und politische Gesetzkunde, monatlich 1 Heft in 8.

Zeitschrift (Neue theologische) jährlich 4 Hefte in gr. 8.

Zeitung (k. k. priv. Wiener=, nebst Amts= und Intelligenzblatt, seit 1701), täglich, Sonn= und Feiertage ausgenommen 1 Nummer.

Unter den hier erscheinenden Almanachs und Taschenbüchern (etwa 20) behauptet die Vesta durch schöne Stahlstiche den ersten Rang. Die Aglaja wird seit einigen Jahren nicht mehr fortgesetzt, der Vorrath früherer Jahrgänge aber als eine neue Auflage feilgeboten.

5. Leihbibliotheken. In Wien sind drei öffentliche Leihbibliotheken:

a) Die des Buchhändlers Karl Armbruster, in der Singerstraße zum rothen Apfel Nr. 878, im 1. Stocke, mit mehr als 10,000 mit Kenntniß und Umsicht gewählten Werken in den vorzüglichsten europäischen Sprachen zur Unterhaltung und Belehrung. Das Abonnement beträgt monatlich 1 fl. 30 kr. K.M., vierteljährig 4 fl.; die Einlage mit 4 fl. K.M. für deutsche Bücher, und jene für Bücher in ausländischen Sprachen mit 5 fl. K.M. wird beim Austritt zurückerstattet.

Die Stunden zum Abholen der Bücher in den Wochentagen sind von 9—12 Uhr, Nachmittags von 3—6 Uhr.

b) Die des Antiquar=Buchhändlers Johann

Tauer, am Schulhofe Nr. 413, an der Ecke der Parifergaffe. Die kürzeste Lesegebühr ist monatlich 1 fl. 30 kr. K. M., und die zu leistende Einlage aber überhaupt 4 fl. K. M.

c) Die geistliche Leihbibliothek der Mechitaristen in der Singerstraße Nr. 896 enthält vorzugsweise Werke im Fache der katholischen Theologie und Erbauungsschriften. Monatliches Abonnement 48 kr. K. M., auf einen einzigen Tag 2 kr., Einlage 4 fl. K.M.

Von dieser Kongregation ist auch der Verein zur Verbreitung guter katholischer Bücher ausgegangen, deffen Zweck darin besteht, der Maffe schlechter Bücher gute katholische Bücher entgegen zustellen.

6. Musikalien-Leihanstalten. Dergleichen bestehen hier 2:

a) Die des Friedrich Mainzer, Dorotheergaffe Nr. 1116, mit den besten und neuesten Werken des In- und Auslandes. Abonnement monatlich 1 fl. 12 kr. K.M., vierteljährig 3 fl. 12 kr., halbjährig 5 fl.; Einlage 4 fl. K.M.

b) Die des X. Ascher, am Bauermarkte Nr. 606. Abonnement monatlich 36 kr. K.M., vierteljährig 1 fl. 36 kr., halbjährig 2 fl. 48 kr. K.M.; Einlage 4 fl. Diese Anstalt übernimmt auch Notenkopirungen, kauft und verkauft alle Gattungen gut erhaltener Musikalien.

7. Fortepiano-Leihanstalt. Mit dem Ausleihen der Fortepiano's auf längere oder kürzere Zeit gegen eine mäßige Vergütigung befaffen sich

mehrere Perſonen. Das Intelligenzblatt der k. k. priv. Zeitung enthält täglich Anzeigen davon.

8. Für Blumenliebhaber beſteht in Wien eine Anſtalt des Kunſtgärtners Joſeph Held, in der Weihburggaſſe, nächſt der Franziskanerkirche Nr. 921, woſelbſt täglich alle Gattungen von Blumen zum Verkauf vorräthig ſind, auch Beſtellungen auf Blumenlieferungen zur Verzierung der Tiſche, Vaſen und der Zimmer gemacht werden können. Der trefflich beſorgte Garten, reich an Camellien und andern ſeltenen Pflanzen, iſt auf dem Rennweg Nr. 551 befindlich.

Eine ähnliche Anſtalt des Kunſtgärtners Roſenthal iſt an der Auguſtinerkirche in einem zierlichen Lokale dem Pallaſt des Fürſten Lobkowitz gegenüber.

9. Das allgemeine Überſetz=, Kopir= und Schreib=Komptoir beſorgt gegen angeſmeſſenes Honorar Überſetzungen aus allen Sprachen, Abſchriften, Aufſätze, kalligraphiſche Arbeiten, Rechnungsreviſionen, Druckkorrekturen und Rubrizirungen aller Arten von Handlungsbüchern. Es befindet ſich jetzt in der untern Breunerſtraße Nr. 1131.

Rückſichtlich der Rubrizirungen verdient jedoch C. G. Jasper's Linir= und Raſtriranſtalt, Wieden, neben der Paulanerkirche Nr. 334 vorzugsweiſe empfohlen zu werden. Das Lineament übertrifft an Genauigkeit und Schönheit alles in der Art bisher Gelieferte; auch darf das Papier nicht genäßt werden.

10. Eine Privatanſtalt zum Verfertigen,

auch Ausleihen von Dekorations= und Be=
leuchtungsgegenständen ist in der Stadt
Rauhensteingasse Nr. 937, dem Zeitungskomptoir
gegenüber.

11. Das Bücherauktionsinstitut, im
Bürgerspital Nr. 1100, übernimmt gegen bestimmte
Prozente zum öffentlichen Verkauf alle größeren und
kleineren Büchervorräthe, Kupferstiche u. dgl., von
Privaten und besorgt die dazu erforderlichen Ge=
schäfte. Es ist Eigenthum des Buchdruckers Edl. v.
Schmidtbauer.

12. Die Privatbauzeichnungsanstalt
des herrschaftl. Baudirektors Jos. Jäckel, unter
den Tuchlauben Nr. 555, besorgt seit dem 1. Juni
1833 Zeichnungen und Vermessungen von Gebäuden
aller Art, von Gärten, ökonomischen Anlagen,
herrschaftl. Pallästen u. s. w.

XII.
Anstalten zur Erheiterung und Belustigung.

---

1. Lebhaft besuchte Plätze in der Stadt,
auf der Bastei und dem Glacis.

a) Der beliebteste Spaziergang der Wiener in
der Mitte der Stadt ist der Graben und der an=
stoßende Kohlmarkt, besonders an Sonn= und
Feiertagen von 12 bis gegen 2 Uhr Mittags, au=
ßerdem täglich, ohne Rücksicht auf die Jahreszeit, in
der Mittags= und Dämmerungsstunde.

Am stärksten zeigt sich das Gedränge, aber auch die Eleganz der Kleidung, an jenen drei Tagen, die dem jedesmaligen Eintreten des Osterfestes vorhergehen, wozu besonders das Besuchen der heil. Gräber in den Kirchen bei Skt. Stephan, Skt. Peter, Skt. Michael u. a. am Charfreitage, und die Feier der Auferstehung am Charsamstage beitragen.

b) Von der Bastei wird jener Theil in den Mittagsstunden, vorzugsweise in den Herbst = und Frühjahrsmonaten, zum Spaziergange benützt, welcher von dem Karolinenthor nach der Burgbastei führt. In der Nähe der letztern, auf der Löwelbastei zwischen dem Burg = und dem Josephstädterthor, in dem sogenannten Paradiesgärtchen, bietet überhaupt noch das Cortische Kaffehhaus einen Vereinigungspunkt für die schöne Welt dar. Mit niedlichen Gartenanlagen versehen, gewährt es auch eine reizende Aussicht über einige Vorstädte und die nächsten Umgebungen Wien's.

c) Auf dem Glacis wird in schöner Jahreszeit der Theil am stärksten besucht, welcher mit der erwähnten Promenade auf der Bastei in gleicher Richtung sich befindet.

d) Der vorzüglichste Sammelplatz auf dem Glacis ist jedoch jener außerhalb des Karolinenthores, wo die Mineralwasser = Trinkanstalt besteht. In den Morgenstunden findet man daselbst sich ziemlich bequem, am Abend im großen Gedränge. In der Regel ist hier eine gute Harmoniemusik, und an gewißen Tagen finden sogenannte Reunionen gegen Eintrittsgeld Statt.

Beiläufig bemerkt dient das kleine Gebäude, links gegen den Wienfluß, nächst dem Wege in der Allee vom Karolinenthor nach dem Bohlenstege, dem Schwarzenbergischen Pallast gegenüber, zum Verbrennen des Papiergeldes.

2. Öffentliche und Privatgärten.

a) Der Volksgarten steht in Verbindung mit der Gartenanlage des Cortischen Kaffehhauses auf der Löwelbastei. Der Haupteingang, von der Stadt genommen, ist an der rechten Seite des neuen Burgplatzes. Gleich im Vorgrunde bemerkt man einen zierlichen Springbrunnen, rechts ein Gebäude zur Wasserleitung, links ein Kaffeehaus, eine geschmackvolle Halbrotunda bildend, von 26 ionischen Säulen getragen, anständig verziert im Innern.

In der Mitte des Gartens steht der Theseustempel, in demselben Canova's Meisterwerk: der besiegte Centaur, aus carrarischem Marmor, 18 Fuß in der Höhe, 12 in der Breite. Kaiser Franz I. erkaufte es in der Werkstätte des Künstlers um 80,000 Franks. Der Tempel ist nach dem Plane des Hofbauraths Peter Nobile ausgeführt und genau dem antiken Theseustempel in Athen nachgebildet. Die Säulen, 10 an der langen, 6 an der kurzen Seite, sind dorischer Ordnung. Die äußere Länge des Tempels beträgt 76, die Breite 43 Fuß.

In die Katakomben dieses Tempels, mit verschiedenen Alterthümern geschmückt, gelangt man durch ein niedliches Seitengebäude. Nähere Auskunft findet man in der Beschreibung des Theseums und deſſen unterirdiſcher Halle, Wien, bei Chriſt. G. Heubner. Preis 20 kr.

Man kann in dieſen Garten zu jeder Stunde des Tages eintreten. Geſellſchaften ſammeln ſich Nachmittags und Abends. Um letztere Zeit wird er durch 209 freiſtehende Laternen beleuchtet.

Die Katakomben ſind geöffnet vom 1. Mai alle Freitage von 9½ bis 1 Uhr Mittags.

b) Der k. k. Hofgarten, an der linken Seite des neuen Burgplatzes von der Stadt, enthält ein nach dem Plane des k. k. Raths v. Remy prächtig erbautes Gartenhaus mit 2 muſterhaft eingerichteten Glashäuſern, in deren Mitte ein zu jeder Zeit mit den ſeltenſten und ſchön blühenden Pflanzen gefüllter Blumenſaal befindlich iſt. Er wird von 8 Säulen getragen, jede 30 Fuß hoch und 3 im Durchmeſſer. Sein Inneres, ein Parallelogramm, iſt 72 Fuß lang, 36 hoch und eben ſo breit. Die Glashäuſer gehören zu den größten und ſchönſten in Europa. Sie enthalten größtentheils die Vegetation des Vorgebirgs der guten Hoffnung und der Inſeln von Auſtralien, baumartige ſeltſam geſtaltete Caſuarinen, Melaleuken, Mimoſen, Palmen u. dgl. Zwei Converſationsſalons bilden die Endflügel des Gebäudes; eine große Vaſe von edler Form und blendender Weiße, ein Kunſtwerk der hieſigen Porzellanfabrik, ſteht in dem zur rechten Seite, und durch den linken Flügel führt ein bequemer Gang zu den ältern warmen Glashäuſern auf der Terraſſe, woſelbſt auch außer einer ſehr großen Sammlung von ſucculenten und neuholländ-

dischen Pflanzen viele west= und ostindische Vögel
u. s. w. vorhanden sind. Hier ist auch der erste
Versuch in Wien gemacht, derlei Pflanzen im Glas=
hause in freier Erde ohne Töpfe zu ziehen.

In der Mitte des Hofgartens steht die Statue
Kaisers Franz I., des Gemals der Kaiserin Maria
Theresia, zu Pferde, ein Kunstwerk aus weichem
Metall gegossen von Balthasar Moll, mit einer la=
teinischen Inschrift vom Jahr 1819.

Die Erlaubniß zum Eintritt wird nachgesucht
bei dem Hofgärtner Herrn Haker, dessen Woh=
nung im Garten selbst befindlich ist.

c) Der botanische Garten der k. k. Jo=
sephs=Akademie, Alservorstadt, Währinger=
gasse Nr. 121, wurde bereits auf Anordnung Kaisers
Joseph II. angelegt. Er war jedoch gleichsam in Ver=
gessenheit gerathen, und selbst jetzt ist von ihm nicht
gehörige Kenntniß genommen. Dennoch verdient er
wegen Eintheilung und Reichthum alle Aufmerksam=
keit, und dürfte sehr bald einen ausgezeichneten
Grad der Vollkommenheit erhalten. Bäume und
Gesträuche stehen in englischen Partien; einjährige
und vorzüglich perennirende Pflanzen sind nach dem
Linnéschen System geordnet; Alpen= und Wasser=
pflanzen, diese in Bassins, jene an einem besonde=
ren Orte sind in bedeutender Zahl vorhanden; die
Neuholländer= und Orangeriepflanzen sehr zu beach=
ten, und die Sammlungen von Johnsonien, Jose=
phinien, Pankratien u. a. als trefflich anzuerkennen.

Der Garten ist eigentlich für die Studierenden
dieser Akademie bestimmt, doch wird der Eintritt

Einheimischen und Fremden gern gestattet. Direktor
ist der k. k. Rath Professor Zimmermann, bo=
tanischer Gärtner Herr Stöckel.

d) Der fürstl. Liechtenstein'sche Garten
(und Sommerpallast) in der Rossau Nr. 130,
im englischen Geschmack angelegt, wird vom Publi=
kum häufig besucht und von Kennern geschätzt. Die
Gewächshäuser sind sehr schön und zweckmäßig ge=
baut; die Sammlung der Neuholländer = Pflanzen
wird fortwährend vermehrt. Sehr ausgezeichnet ist
die Sammlung von Camellien und die hier befind=
liche Astrapaca Wallichii dürfte wohl das größte
Exemplar in Wien seyn.

Von ganz eigenthümlicher Art zeigt sich der
Wintergarten, gleichsam ein Miniaturgemälde
englischer Anlagen in einem Glashause, ausge=
stattet mit einem Teich, Bach, Wasserfall, mit ver=
schiedenen Baumgruppen und grünen Rasen. Die=
se kostspielige Anlage ist nur gehörig zu würdigen,
wenn sie, ihrer Bestimmung gemäß, im Winter
gesehen wird. Überraschend erscheint der Eintrittssaal.

Der prächtige Pallast zeichnet sich insbesondere
aus durch die schönste Stiege (Treppe) in Wien.

e) Der fürstl. Schwarzenbergsche Gar=
ten (und Sommerpallast, letzterer vom Ar=
chitekten Fischer von Erlach vollendet), am Renn=
wege Nr. 546, mit Teichen, Springbrunnen, schat=
tigen Spaziergängen u. s. w. versehen, liegt der
innern Stadt am nächsten, und wird daher auch
am zahlreichsten besucht.

Seit dem Jahre 1827 findet hier im Monat Mai

eine öffentliche Blumen- und Pflanzenaus-
stellung Statt, bei welcher für die schönsten, üp-
pigst blühenden u. a. Pflanzen Preise zuerkannt
werden, die gleichfalls in seltenen Pflanzen bestehen. Solche Preise erhalten auch Blumensträuße,
die in botanischer Hinsicht das Auge des Kenners
befriedigen, und Preise von 8 Dukaten in Gold
sind für andere ausgesetzt, die sich nicht sowohl durch
Größe als durch zierliche Anordnung und wohlge-
fällige Form des Ganzen auszeichnen. Der dießfäl-
lige Verein, von Privatpersonen gegründet, ist auf
Beförderung der höheren Gartenkultur berechnet,
und die Ausstellung hat bereits Gewächse von außerordentlicher Schönheit und Seltenheit gezeigt. Möge derselbe sich lange erhalten!

f) Der botanische Garten an dem k. k.
Theresianum, Favoritenstraße Wieden Nr. 156
ist hauptsächlich zu botanischen Vorlesungen für die
Zöglinge der Akademie bestimmt.

Von hier wähle man den Weg zum obern Belvedere Nr. 544, woselbst sich im Vordergrunde

g) der botanische Garten für die österreichische Flora befindet. Dieser wurde auf unmittelbaren Befehl Sr. Majestät Kaisers Franz I.
von Dr. Host angelegt und ist eine ihrer Art einzige Anstalt mit wildwachsenden Pflanzen aus allen
Theilen der Monarchie versehen, zwar nicht öffentlich, doch ohne Schwierigkeit in Augenschein zu nehmen. Dr. Host hat darüber eine Synopsis plantarum in Austria provinciisque adjacentibus spon-

to crescentium, Wien 1828 (2te Aufl.) herausge=
geben, deren Werth überall anerkannt ist.

Durch das obere Belvedere und dessen Garten
gelangt man auf den Rennweg zu dem

h) botanischen Garten der k. k. Univer=
sität (das. Nr. 638) von sehr bedeutendem Um=
fange, der 1756 unter Maria Theresia angelegt
wurde. In der ersten Abtheilung vom Eingange
rechts sieht man einen Wärme= und einen Re=
genmesser. Letzterer (Ombrometor) ist nach
Horner verfertigt. Der Trichter hat einen Quadratschuh obere Öffnung. Jeder Umschwung der
Schaufel beträgt 1,41343 Kubikzoll Wasser, welche
auf einen Quadratschuh verbreitet 0,009815 Zoll
Wasserhöhe oder sogenannten ombrometrische Höhe
geben. Der Zeiger des kleinen Zifferblatts zeigt die
einzelnen Schaukelumschläge von 1 bis 24 an. Die
Grade des großen Zifferblatts gelten 24 Umschläge.
Der Ombrometer ist vom 1. Jänner 1832 gerichtet
und zeigt von da die Regenmenge in jedem Monat an.

Die einjährigen und perennirenden
Pflanzen zur linken Seite des kleineren Gartens und
in der anstoßenden größeren Abtheilung sind nach dem
Linné'schen System geordnet; die Wasserpflan=
zen in verschiedenen Bassins vertheilt. Den öko=
nomischen, medizinischen und den zahlrei=
chen Alpenpflanzen, die jedoch einer fortwäh=
renden Erneuerung bedürfen, sind besondere Räume
angewiesen. Sträucher und Bäume dagegen
stehen an Hauptgängen und in Gruppen vertheilt, mit
dem botanischen Namen, wie jene Pflanzen versehen.

Um den gegenwärtigen Reichthum dieses Gartens zu würdigen, kann die Angabe dienen, daß in demselben bereits enthalten sind (Frühjahr 1835.)

Einjährige Pflanzen 1690
Perennirende (die
Alpenpfl. mitbegriffen) 8940
Wasserpflanzen 214
Gehölz 1712
Glashauspflanzen 4876 = 17432

An Species werden gezählt von Acor 42, Crataegus 42, Fraxinus 37, Lonicera 34, Prunus 63, Pyrus 45, Quercus 24, Robinia 33, Rosa 340, Salix 109, Tilia 31. Dennoch befand Schmidl sich in einem großen Irrthum, wenn er behauptete (S. Wien wie es ist S. 77), daß die Gattung Rosa hier so vollständig sei, wie sicher kein anderer europäischer Garten Gleiches biete; denn schon in der Nähe von Wien enthält die Rosensammlung im k. k. Lustschlosse Laxenburg über 400 Species und die des Erzherzogs Karl im Garten des Schlosses Weilburg bei Baden mehr als 1800 d. i. Eintausend achthundert Arten.

Der größte Theil der Salices steht ungemein zweckmäßig in einer halbrunden Erdvertiefung im Hintergrunde des neuen Gartens.

Die Bauart der Gewächshäuser entspricht ihrer Bestimmung. Es sind eigentlich deren vier vorhanden. Links am Garteneingange ist das sogenannte Kaphaus; neben an mit der Fronte größtentheils nach Westen (sic) das kalte Haus, und am Ende von diesem nach der Südseite des

12

134

Gartens gekehrt das eigentlich warme Haus. Zwischen letzterem und dem Kaphause steht noch ein kleineres Glashaus, bestimmt für Stapelien, Zwiebelgewächse und Mesembryanthemum, mit einer, hier in Wien zuerst versuchten Heizung durch warmen Wasserdunst. Der für das Gedeihen der Pflanzen außerordentlich günstige Erfolg dieses Versuchs hat bereits Nachahmung gefunden und wird ohne Zweifel immer allgemeiner werden.

Der Kenner wird unter den warmen, sukkulenten und Neuholländerpflanzen sehr seltene und Exemplare von ausgezeichneter Größe bemerken, auch dürfte die Sammlung der sukkulenten Pflanzen der Specieszahl nach die vollständigste in Wien seyn.

Als Seltenheiten zeigt man hier noch aus dem Nachlasse des Prinzen Eugen, gestorben 1736, also die ein Jahrhundert alte Bosa Gervamora und die Kiggelaria africana. Endlich ist auch hier der erste gelungene Versuch in Österreich gemacht, die Vallisneria spiralis, Aponogeton distachion und Caltha aethiopica im Freien überwintern zu lassen, und endlich stehen schöner und reicher wie sonst Pyrus japonica (eigentlich Cydonia japonica) und Paeonia arborea, mit gutem Erfolge aber Phormium tenax, in freier Erde.

Im Garten befindet sich der Hörsaal zu den botanischen Vorlesungen, die vom Monate Mai bis Juli gehalten werden. Direktor ist der k. k. Regierungsrath Freiherr von Jaquin, Obergärtner

185

Herr Dieffenbach. Der Eintritt ist täglich ge=
stattet.

Dem botanischen gegenüber liegt

i) der Garten des Fürsten v. Metter=
nich (Nr. 545), ein Muster des guten Geschmacks
und der Landschaftsgartenkunst, mit den schönsten
Rasenplätzen in Wien von dem beliebten englischen
Reihgras (Lolium perenne) und mit Blumengrup=
pen stets blühender Pflanzen vom ersten Früh=
jahr bis in den Spätherbst. Die vorhandene Samm=
lung von Georginien, Semperflorensrosen, Camel=
lien, der warmen ausländischen Pflanzen und die der
englischen Pelargonien ist überaus reich und kostbar
und wird unablässig vermehrt.

Vorzügliche Interesse erregt eine köstliche, hier
in Töpfen gezogene Orangerie, und der glück=
liche Erfolg eines auch hier zum ersten Mal gemach=
ten Versuchs, eine Camellia und eine Erythrina
Cristagalli im freien Lande zu überwintern.

k) Der Privatobstgarten Sr. Maje=
stät weil. Kaisers Franz I. auf der Landstraße,
Haltergasse Nr. 256, einer der größten Obstgärten
in Europa, zugleich versehen mit einer Obstbaum=
schule und einer bedeutenden Pflanzung der trefflich=
sten und seltensten Traubensorten. Die herrlichen
Treibhäuser sind im reinsten Geschmack erbaut. Ihre
Länge in sechs Abtheilungen beträgt über 70 Klafter,
die Höhe etwa 7 Klafter. Sie enthalten die Vege=
tation der heißen Zone mit den Bäumen und Pflan=
zen der Länder unter dem Äquator, den Kaffeebaum,
das Zucker= und Bambusrohr, die Baumwolle, den

136

Indigo, Cacao, die indischen Gewürzpflanzen, das Campecheholz, den Mahagoni, die Bananenfrucht, die Mammea und Cocos, die Annonen und noch wenig bkeannten Jambusen (Eugenia). Diese Samm=lung ist die größte in Wien und hat die ausgezeich=netsten Exemplare, namentlich von der Urania spe-ciosa (in Riesengröße), Musa sapientum, Heli-conia Bihai, Dracaena, von der schönen und sel=tenen Latania rubra, Pandanus, Cocoloba pu-bescens, Carolina insignis u. a. m.

Der Garten steht unter der Aufsicht des k. k. Obergärtners Herrn Rauch, bei welchem der Ein=tritt nachzusuchen ist.

l) Der Garten am k. k. Thierarznei=Institut ist von geringem Umfange und mit eini=gen Offizinalpflanzen angebaut. Ich erwähne des=selben nur darum, weil er anderweit als zu den bo=tanischen Gärten Wien's gehörig aufgeführt zu wer=den pflegt.

m) Der fürstl. Razoumovskysche Garten (und Pallast) in der Vorstadt Erdberg Nr. 93 dürfte rücksichtlich der englischen Anlagen vielleicht in Wien der schönste seyn.

n) Die Flur der Pelargonien deutschen Ursprungs bei Herrn Klier, unter den Weißgär=bern nächst der Kettenbrücke, bietet ein interessan=tes Schauspiel von mehr als 800 Sorten veredelter Pelargonien dar, in mehr als 4,000 Exemplaren ge=schmackvoll und symmetrisch geordnet. Der Eintritt wird gern gestattet.

o) In dem Garten des Berlinerblau=Fabrikan=

ten Herrn J. Adam, auf der Siebenbrünner Wiese
Vorstadt Matzleinsdorf Nr. 105 findet der Blumen=
freund eine Sammlung von zwölftausend der
schönsten und seltensten, einfachen und gefüllten,
monstrosen, einfarbigen und kolorirten Tulpen
von wenigstens tausend Gattungen; dann etwa tau=
send Arten aus Samen gezogener Aurikeln, wel=
che vom Eigenthümer bereitwillig gezeigt werden.

p) Viele andere Privatgärten wären wohl noch
des Umfangs und der innern Einrichtung wegen zu
erwähnen; allein der Eintritt ist schwierig oder gar
nicht gestattet. Doch will ich auf den des Herrn J.
B. Rupprecht, Gumpendorf Nr. 54, ausnahm=
weise aufmerksam machen, weil der Zutritt in der
Blütezeit des Chrysanthemum indicum von wel=
chem sich hier gegen 70 genuine Species befinden, im
Spätherbst, und gebildeten Personen auch in einer an=
deren Zeit gestattet ist. Die erwähnten Species hat
der Eigenthümer, ein kenntnißreicher und vielseitig
gebildeter Mann, in einem bei der Witwe A. Strauß
in Wien gedruckten Werke, 1833. 8. anziehend be=
schrieben. Außerdem befinden sich ganz in der Nähe
Wien's zwei bemerkenswerthe Gärten, welche von
Fremden gesehen werden können. Einer derselben,
in Hiezing, gehört dem Baron von Hügel.
Die Pflanzensammlung daselbst verdient, nach dem
Urtheil eines Sachkenners, den Namen einer Flora
der fremden Welttheile, und seine Sammlung der
Georginien den Ruf der ersten in Europa. Der
zweite Garten in Hetzendorf, dem Baron von
Pronay gehörig, mit besonders schönen und selte=

‚nen Pelargonien geziert, hat zugleich sehr hübsche englische Partien. In beiden Gärten werden Pflanzen getauscht u. s. w.

q) Der k. k. botanische Garten in Schönbrunn. Siehe weiter unten: Schönbrunn.

3. Der Prater, der Augarten und die Brigittenau.

a) Der Prater, ein angenehmer und großer Lustwald, dessen Wiesengrund durchaus nur Laubholz trägt, wurde von Kaiser Joseph II. dem Publikum zur Unterhaltung eröffnet (1766). Er steht fast im unmittelbaren Zusammenhange mit der Vorstadt Jägerzeile, durch welche auch der gewöhnliche Weg in denselben führt. Vier große Alleen, von einem freien Platz in der Form eines Halbzirkels auslaufend, durchschneiden den Prater in verschiedener Richtung. Die beiden links liegenden werden wenig besucht, die dritte führt auf den Feuerwerksplatz und zu den zerstreuten Wirthshäusern, zwischen welchen Ringelspiele, Schaukeln, Kegelbahnen u. dgl. angebracht sind. Hier (im sogenannten Wurstprater) ist an Sonn- und Feiertagen der untern Volksklassen Tummelplatz. Die vierte Allee (Hauptallee) rechts ist der Versammlungsort der vornehmen Welt, die breite Mittelstraße für die Wägen, die kleinere vom Eingange rechts für die Reiter, und die zur Linken, woselbst sich auch ein kaiserlicher Lustgarten befindet, für die Fußgeher bestimmt.

An der linken Seite findet man ein Panorama, drei Kaffeehäuser, von welchen das Wagnersche auch im Winter von Herren und Damen zahl-

reich besucht wird, und einen Traiteur; gegenüber
ist der Cirkus für Kunstreiter. Hinter den Kaffee=
häusern stehen einige kleine Gebäude, worin optische
Vorstellungen, Geistererscheinungen u. dgl. zu sehen
sind. Der Hannswurst treibt im Kleinen hin und
her, auch noch sein kurzweiliges Spiel. Am südlichen
Ende des Praters, dicht an der Donau, liegt das
sogenannte Lusthaus, ein runder, freier Pavillon,
eine angenehme, freie Aussicht gewährend. Der
Eintritt steht Jedermann offen. In der Nähe ist
ein Gasthaus. Die vom Anfange des Praters bis
zu dem Lusthause nach der Schnur gezogene Allee
hat eine Länge von 2,315 Klaftern. Sie wurde in den
Jahren 1537—38 angelegt.

Der Prater wird sehr besucht. An manchem
Sonntage finden sich wohl mehr als 15,000 Fußge=
her ein. Die größte Menge der Wagen sieht man in
den Nachmittagsstunden. Im Frühling und im Herbst
bilden sie in langsamer Bewegung, oft anzuhalten
genöthigt, einen Zug von mehr als zwei Stunden.

Von den Gasthäusern in der Nähe des
Feuerwerksplatzes werden besucht das zum wilden
Mann und zum Paperl (Papagei). Man speist da=
selbst nach der Karte oder zu bestimmten Preisen.

b) Der Augarten, unter Kaiser Ferdinand
III. 1655 angelegt, unter Leopold I. erweitert, liegt
am Ende der Leopoldstadt, bildet ein Viereck, hat
einen Flächeninhalt von 130,000 Quadratklaftern und
mittelst zweier Alleen Gemeinschaft mit dem Pra=
ter. Kaiser Joseph II. gab ihm seine heutige Gestalt
und bestimmte denselben zu einem öffentlichen

Erholungsorte (1775). Das Gartengebäude hat zwei große Speisesäle, ein Billard = und einige Neben= zimmer. Der Hoftraiteur Anton Heß veranstaltet in demselben an gewissen Tagen Tanzunterhaltungen, Reunionen und Tables d'hôte (S. 95). Die beiden großen Säle haben 5,508 Quadratschuh Bodenfläche. Der Augarten entbehrt die künstlichen Verzierungen, ist aber großartig angelegt, und hat außerdem in einer geschlossenen Abtheilung eine Rosensamm= lung von etwa 180 Species und die stärkste Obst= treiberei in Wien. Die schöne Welt versammelt sich hier vorzugsweise am ersten Mai in den Mor= genstunden zur Feier des Maifestes. Dem Liebhaber von Spaziergängen steht er täglich offen. Auf der Terrasse, vom Haupteingange links am Ende des Gartens, hat man eine herrliche Aussicht über die Landhäuser, Dörfer und Weinhügel des Kahlen= berges u. a.

Im großen Vorhofe findet hier alljährlich im Monat Mai eine öffentliche Ausstellung von veredeltem Horn= und Schafvieh Statt, welche von der hiesigen k. k. Landwirthschaftsgesell= schaft veranstaltet zwei Tage dauert. Die Preisver= theilung erfolgt am zweiten Tage. Der erste Preis ist die Gesellschafts=Medaille von Silber, der zweite die von Bronze; außerdem Geldpreise von 2 fl. K. M. bis 4 Dukaten in Gold. Seit dem Jahre 1830 sind aber auch Prämien der Zugkraft für Pferde und Ochsen, die zum Betriebe der Landwirthschaft ver= wendet werden, ausgesetzt, nämlich 2 Prämien à 12 Dukaten in Gold für Zugpferde und 2 dergleichen à 8 Dukaten für Zugochsen. In den Sälen verdient alsdann die Sammlung landwirthschaftlicher Maschinen und Modelle in Augenschein genommen zu werden. Eintrittskarten ertheilt die Gesellschaftkanzlei, Heiligenkreuzerhof Nr. 676, Stock 1.

Zur rechten Hand, vom Eingange in den Augarten durch den Saal, steht das einfache Haus, welches Kaiser Joseph II. im Sommer zu bewohnen pflegte und nach Osten die Aussicht in die große Prateralle gestattet. Es ist noch mit den Möbeln damaliger Zeit geschmückt und der Eintritt wird den Fremden, die sich dieserhalb an den Aufseher wenden, gern gestattet. Der Eingang ist neben dem Hauptthor des Augartens.

c) Die Brigittenau hat ihren Namen und die niedliche Brigittenkapelle der merkwürdigen Rettung des Erzherzogs Leopold Wilhelm von Österreich zu verdanken, der hier am Brigittentage 1645 der schwedischen Armee gegen über lagerte und von einer feindlichen, neben ihm niedergefallenen Kugel nicht verletzt wurde. Sie liegt hinter dem Augarten, aus welchem Fußgeher durch eine dazu bestimmte Thür in dieselbe gelangen können. Erfrischungen erhält man in mehreren Wirthshäusern und in dem Jägerhause. Im Sommer wird dieser angenehme Lustwald stark besucht, am zahlreichsten aber an dem Kirchweihfeste, welches sich nach dem Anfange des Leopoldstädter Margarethenmarktes richtet und auf den Sonntag vor oder nach dem 13. Juli fällt. Doch treten hier zuweilen Abänderungen ein, die dann öffentlich bekannt gemacht werden. Dieses

Kirchweihfest ist ein wahres Volksfest, das seines=
gleichen nirgend hat und während dessen zweitägigen
Dauer 20—40,000 Menschen aus allen Klassen sich
nach ihrer Weise und auf mancherlei Art vergnügen.
Es ist oft, aber auch mangelhaft beschrieben, denn
was vor wenigen Jahren noch chaotisch durcheinan=
der getrieben schien, gestaltete bald darauf sich zur
erfreuenden Ordnung ohne Zwang und Absicht. Dem
Fremden empfehle ich, zuvörderst die wogende Menge
von einem erhöhten Standpunkte, deren es mehrere
gibt, zu überblicken, dann beim Durchwandern die
verschiedenen, theils auf dem Grasboden gelagerten,
theils an den Tischen der eilig und kunstlos errich=
teten, den Thespiskarren sehr ähnlichen, Eß= und
Trinkanstalten (oft mit wunderlichen Inschriften ver=
sehen) versammelten Gruppen zu mustern und einen
Bestandtheil des hiesigen Volkscharakters in dem Um=
stande nicht zu übersehen, daß selbst ein Vollgenuß
der Getränke wohl laute, jauchzende Lustigkeit, aber
keine Neigung zum Zank und Streit erwecken kann.

4. Die Theater. Wien besitzt fünf Theater;
zwei in der Stadt und drei in den Vorstädten. Sie
sind folgende:

a) Das k. k. Hof = Theater nächst der
Burg Nr. 1. (Burg= oder Nationaltheater), dem
Range nach die erste Schaubühne Wien's, ist aus=
schließend dem deutschen Schauspiel gewid=
met. Es hat 2 Parterres und 4 Gallerien. Die
Courtine: Apoll und die Musen, ist ein ausgezeich=
netes Werk der Maler Füger und Abel. Zur größe=
ren Sicherheit des Publikums bei entstehender Feuer=

gefahr dient eine eiserne Courtine, welche die Büh=
ne von dem Versammlungssaal der Zuschauer ab=
sondert.

Preise der Plätze:

Loge im ersten und zweiten Rang K. M. 5 fl. — kr.

Sperrsitz im ersten Parterre . .	1 =	24 =
Eintritt in dasselbe	1 =	— =
Eintritt ins zweite Parterre . .	— =	30 =
Eintritt in den dritten Stock . .	— =	36 =
Sperrsitz daselbst	— =	48 =
Eintritt in den vierten Stock . .	— =	20 =

Die Vorstellungen fangen um 7 Uhr an, ein=
zelne Fälle ausgenommen. In das erste Parterre tritt
man mit abgezogenem Hut ein. Das Eintrittsgeld
wird bis zum Anfange des Schauspiels auf Verlan=
gen zurückerstattet. Die Hofschauspieler sind nach
zehnjähriger Dienstleistung pensionsfähig.

b) Das k. k. Hof = Theater nächst dem
Kärntnerthor Nr. 1086, jetzt für deutsche
Opern und Ballets bestimmt, hat 1 Parterre
mit erhöhter Abtheilung und 5 Gallerien, wovon die
3 ersten zu Logen verwendet sind. Es ist verpachtet;
die Preise des Eintritts wechseln nach Umständen
und werden auf den Theaterzetteln bekannt gemacht.
Anfang der Vorstellung um 7 Uhr.

c) Das k. k. privilegirte Theater an
der Wien Nr. 26 ist das größte und schönste von
Allen und die Bühne desselben gehört zu den breite=
sten und tiefsten Deutschlands. Letztere faßt bei gro=
ßen hier sonst vorherrschenden Spektakelstücken
über 500 Personen und über 100 Pferde. Es hat 2

Parterres, 8 Logen daselbst, 10 dergleichen im er=
sten Stock und 4 Gallerien.

Preise der Plätze:

Loge im Parterre und ersten Stock K. M. 5 fl. — kr.

Gesperrter Sitz daselbst . . . — =	48	=
Eintritt daselbst . . . . . — =	80	=
Gesperrter Sitz im zweiten Par= terre und zweiten Stock . . . — =	36	=
Eintritt daselbst . . . . . — =	20	=
Dritte Gallerie . . . . . — =	16	=
Vierte Gallerie . . . . . — =	8	=

Anfang der Vorstellungen um 7 Uhr.

d) Das k. k. priv. Theater in der Leo=
poldstadt, Pratergasse Nr. 511 gibt komische
Volksspektakel und Pantomimen und ist
in so fern von ganz eigenthümlicher Beschaffenheit
und für den Fremden von besonderem Interesse. Aus
der längst vergangenen Zeit der Gespenstergeschichten
ist demselben von einem komischen Schildknappen
Kasperl zum Theil noch jetzt der Name geblieben:
Zum Kasperl. Der Schauplatz besteht aus 1 Par=
terre und 3 Gallerien. Die Maschinerie ist trefflich.

Die Eintrittspreise sind in Wiener = Währung
bestimmt und folgende:

Loge . . . . . . W. W. 8 fl. —kr.		
Parterre und erste Gallerie . . 1 = = =		
Sperrsitz daselbst . . . . 1 = 80 =		
Zweite Gallerie . . . . . — = 36 =		
Sperrsitz daselbst . . . . 1 = — =		
Dritte Gallerie . . . . . — = 18 =		

Anfang der Vorstellung um 7 Uhr.

c) Das k. k. privil. Theater in der Jo=
sephstadt, Kaiserstraße Nr. 102, ist zierlich, be=
quem und sicher gebaut. Es hat 2 Parterres, 3 Gal=
lerien, 14 Logen und 400 Sperrsitze. Mit seinen
Vorstellungen stand es gleichsam zwischen dem
Theater an der Wien und jenem in der Leopoldstadt,
hat sich jedoch in der neuesten Zeit so bedeutend ge=
hoben, daß es die neuesten und besten Opern gibt,
und selbst von der Stadt aus zahlreich besucht wird.

Ein große Loge kostet hier 12 fl. W. W. (4 fl.
48 kr. K. M.), eine kleine 8 fl. (3 fl. 12 kr. K. M.).
Die übrigen Eintrittspreise sind wie im Leopoldstäd=
ter=Theater. Anfang der Vorstellung um 7 Uhr.

5. Das Ballhaus, hinter der kais. Burg auf
dem Ballplatz, ist sowohl zum Ballspiel eingerichtet,
als auch mit Billards versehen. Fremde und Ein=
heimische können es, der Unterhaltung wegen, täg=
lich besuchen.

6. Der kaufmännische Verein gehört nur
theilweise zu den Anstalten, von welchen hier die
Rede ist. Seine Bestimmung ist nämlich Rücksprache
über Geschäfte und dann erst Unterhaltung. Die Ge=
sellschaft hat Direktoren und Ausschüsse. Außer den
Mitgliedern des Handelsstandes können auch Staats=
beamte, Gelehrte und Künstler, mittelst Ehrenkar=
ten eintreten. Fremde werde von eigentlichen Mit=
gliedern eingeführt. Man findet hier etwa 50 deut=
sche, italienische, französische und englische Zeitun=
gen und Zeitschriften. Der jährliche Beitrag ist 30 fl.
K. M. und der Versammlungsort in der Spiegel=
gasse Nr. 1096. Eintritt zu jeder Stunde des Tages.

Der Fremde in Wien. 3. Aufl.   13

7. **Die Schießstätte der Bürgerschaft** dient zur Unterhaltung und Übung der Bürger im Scheibenschießen, steht unter dem Magistrat und hat einen Ober= und Unterschützenmeister. Zuweilen werden auch **Frei=** und sogenannte **Freudenschießen** gegeben, zu deren Theilnahme besondere Einladungen erfolgen. Der Bau des neuen Kriminalgefängnisses hat das bisherige Lokale in der Alservorstadt in Anspruch genommen und bis zur Ermittelung eines anderen werden die Schießübungen vorläufig in Klosterneuburg und Schwechat abgehalten.

8. **Tanzsäle** gibt es **in der Stadt** eigentlich nur zwei, beim römischen Kaiser auf der Freiung und auf der s. g. Mehlgrube am neuen Markt. Dort finden gewöhnlich Gesellschaftsbälle Statt und dann ist die Personenzahl bemessen; hier auf der Mehlgrube war vor einigen Jahren Alles in bunter Mischung und das Ganze von eigenthümlicher Physiognomie; seit 1831 aber ist der große Saal, von 1152 Quadratschuh Bodenfläche, geschmackvoll und reich verziert, zu einem Versammlungsorte gebildeter Stände umgestaltet und das Lokale wird nun **Casino** genannt. Zwei **unterirdische** Tanzsäle in der Stadt sind im Seißer= und St. Annakeller (siehe S. 98 und 99).

In den **Vorstädten** zeichnen sich aus der Tanzsaal zum **Sperl** in der Leopoldstadt, der **Apollosaal** am Schottenfelde Nr. 113 und mehrere andere, von denen nur der zum **kleinen Stadtgut** in Sechshaus Nr. 5 seines zierlichen

Lokals, aber auch der gemischten Gesellschaft wegen
genannt wird.

9. Die Redouten fangen nach dem Dreikö=
nigsfeste an und dauern bis zum letzten Faschings=
tage. Ausnahmweise findet schon früher die Kathari=
nenredoute Statt, zum Besten einer Pensionsanstalt.
Die beiden überaus schönen Säle, von denen der
große 6,966 Quadratschuh Bodenfläche hat, sind in
der kaif. Burg am Josephsplatz, und hier allein
ist es erlaubt, in Maske zu erscheinen. Die Re=
douten haben an ihrem ehemaligen Glanze bedeutend
verloren, doch trifft der Fremde noch einen Wieder=
schein desselben in jener Katharinenredoute, in der
am dritten Faschingssonntage, auch am fetten Don=
nerstage und am Fastnachtsdienstage, wo dann die
Musik schon um Mitternacht schweigt und die Pro=
menade der eleganten Welt durch die
Säle beginnt. Den besten Standpunkt zum
Überblick der Gesellschaft gewährt die Hauptstiege
im großen Saale. Zuweilen werden in diesen Sä=
len auch Konversationsbälle gegeben.

Erfrischungen, Speisen und Getränke erhält
man um bestimmte Preise in besonderen Zimmern
neben den Sälen. Die Eintrittspreise wechseln.

10. Reunion (Konversation, Soirè) wird
veranstaltet in den Sälen des Augartens, in je=
nen zum Sperl in der Leopoldstadt; zum guten
Hirten unter den Weißgärbern; zur goldenen
Birn auf der Landstraße; zur österreichischen
Kaiserkrone in der großen Fuhrmannsgasse, Leo=
poldstadt Nr. 482, u. s. w. Besondere Anschlagzettel
*

verkündigen die Tage. Soupé, Konverſation und Muſik ſind die Beſtandtheile ſolcher Reunions, die wenigſtens dem Namen nach in den meiſten Gaſt= häuſern Nachahmung gefunden haben.

11. Daß es in einer lebensluſtigen Stadt, wie Wien, an Hausbällen nicht fehlt, bedarf keines Nachweiſes. Der Fremde findet zu dieſen und zu den ehemals mehr wie jetzt gebräuchlichen Abendge= ſellſchaften durch Empfehlung leicht Zutritt.

12. Feuerwerke, zu deren Verfertigung Herr Stuwer privilegirt iſt, werden vom Monat Mai bis September gegeben. Der dazu beſtimmte Platz (Feuerwerkplatz) iſt im Prater. An dem daſelbſt be= findlichen großen Gerüſte werden die Dekorationen befeſtigt; gegenüber ſteht ein Amphitheater für die vornehme Welt. Den Zwiſchenraum füllt das grö= ßere Publikum. Das Feuerwerk beginnt mit eintre= tender Dämmerung, endet in $\frac{3}{4}$ Stunden und zeigt gewöhnlich 5 Dekorationen. Den Schluß macht im= mer eine heftige Kanonade. An ſolchen Tagen verſammelt ſich gern die ſchöne Welt im Prater und nicht ſelten ſind noch beim Feuerwerk 6,000 Perſonen zugegen. Der Eintrittspreis in den Prater alsdann iſt unbedeutend (24 kr.), um ſo phraſenreicher aber die vorausgeſchickte Ankündigung. Doch kann der Beſuch dieſes allerdings impoſanten Schauſtückes je= dem Fremden empfohlen werden.

Seit einigen Jahren gibt Stuwer auch ſoge= nannte Waſſerfeuerwerke auf dem großen Baſſin des oberen Belvedere, oder auf einem Arme der Donau, die vielen Beifall finden.

13. Das Wettrennen der hiesigen herrschaftlichen Läufer findet alljährig am 1. Mai im Prater aus hergebrachter Gewohnheit, nicht aus Wohlthätigkeit, Statt. Sie versammeln sich gegen 6 Uhr früh und durchlaufen hin und zurück die lange Strecke vom Anfange der Hauptallee bis zum Lusthaus. (Siehe Seite 138.) Es werden dabei von den Herrschaften mancherlei Wetten verabredet. Von den empfangenen bedeutenden Geschenken pflegen die Läufer gewöhnlich einen Theil zum Pensions=fonde der herrschaftl. Livreebedienten oder zu andern milden Zwecken abzugeben und das ist unstreitig das Beste an der Sache.

14. Das Pferderennen auf der Sim=meringer Heide, vor der St. Marxer=Linie, an=fänglich eine bloße Unterhaltung des Adels, hat in neuerer Zeit eine ernstere Bestimmung erhalten. Der Hauptzweck ist nämlich jetzt auf die Beförderung der Pferdezucht gerichtet und die der Bauern=pferde insbesondere berücksichtiget. In dieser Bezie=hung wird zuweilen auch ein Rennen der Bauern=pferde, nicht, wie Schmidl (a. a. O. S. 288) sagt, ein Preisrennen der Bauern veran=staltet. Es hat dieserhalb sich ein leitender Ausschuß und eine Subskription auf mehrere Jahre gebildet. Die Bedingungen und die Preise (100 Dukaten, 80, 50, 15 u. s. w.) werden jährlich von dem Ausschusse bekannt gemacht und die Tage der Preisrennen be=stimmt. Letztere fallen gewöhnlich in das Ende Aprils oder in den Anfang Mai's. An solchen Tagen sind Schaugerüste errichtet und auch andere Gelegenheiten

gegeben, deren die Liebhaber sich, um schnell an Ort und Stelle zu kommen, bedienen können; Erfrischungen findet man unter den Tribunen. Dem Fremden wird das Ganze gewiß ein anziehendes Schauspiel seyn.

Zur Seite dieser Heide, dem Lusthause im Prater gegenüber, ist der vor zwei Jahren vollendete Durchstich der Donau sehenswerth.

XIII.

Wissenschaftliche, allgemeine Bildungs = und Erziehungs = Anstalten.

A. Im Innern der Stadt.

1) Die k. k. Universität. Die vom Kaiser Friedrich II. 1237 gegründete erste öffentliche lateinische Schule erhob Herzog Rudolph IV. 1365 zu einer Universität, welche vom Herzog Albert 1384 erweitert und vom Kaiser Ferdinand II. 1662 den damaligen Jesuiten gänzlich übergeben wurde. Die Eintheilung der Studierenden in 4 Nationen: die österreichische, rheinische, ungarische und sächsische schreibt sich aus der Zeit der Stiftung der Universität her.

In den Jahren 1753 — 55 wurde aber ein neues Gebäude errichtet und darin die Universität zu Gemäßheit der unter der Kaiserin Maria Theresia von dem Freiherrn van Swieten bewirkten

Umgestaltung 1756 eröffnet. Dieses ist ein freiste=
hendes längliches Viereck auf dem Universitätsplatze
von 2 Stockwerken und dessen Haupteingang zur
Seite mit zwei Springbrunnen geziert. Das ana=
tomische Theater befindet sich im Erdgeschoß; der
große schöne Versammlungssaal, von 3,816 Quadrat=
schuh Bodenfläche, dessen Decke G u g l i e l m i malte,
und der mechanische Hörsaal mit vielen künstlichen
Modellen und Instrumenten sind im ersten Stock.
Den medizinischen Hörsaal im zweiten Stock ziert
die Büste des Freiherrn van Swieten, Verfassers
des neuen Studienplans, aus Bronze von M e s s e r=
s c h m i d t; später ist die des Kaisers Joseph II. auf=
gestellt. Auch findet man dort eine merkwürdige
Sammlung anatomischer Präparate von A l b i n ,
L i e b e r k ü h n , M a y e r , P r o h a s k a , R u y s c h
und B a r t h.

Die Universität ist eingetheilt in die bekannten
vier Fakultäten und in jene 4 Nationen, die Österrei=
chische, Ungarische, Sächsische und Rheinische. Die
Dauer eines jeden Kurses und die Kollegiengelder
sind festgesetzt. Der theologische Kurs dauert 4 Jahre
und ist unentgeldlich; der juristische ist von gleicher
Dauer, Kollegiengeld 30 fl.; der medizinische ist auf
5 Jahre bestimmt, Kollegiengeld 30 fl., und der phi=
losophische auf 3 Jahre, Kollegiengeld 18 fl. K. M.
Der Besuch der Vorlesungen wird Fremden gestattet.

2.) Die k. k. S t e r n w a r t e , im neuen Uni=
versitätsgebäude, wurde 1753 errichtet und befindet
sich gegenwärtig in trefflichem Zustande. Sie besitzt
außer einer gewählten Bibliothek eine herrliche Pen=

duluhr von Graham, einen englischen Chronometer von Arnold, einen Multiplikations = Kreis von Rei= chenbach und Ertl u. a. m. Die täglichen meteorolo= gischen Beobachtungen werden in der k. k. priv. Wie- nerzeitung und im österr. Beobachter bekannt ge= macht.

Direktor der Anstalt ist Professor Littrow; der Besichtigung wegen meldet man sich im Rech= nungszimmer.

3.) Das k. k. Konvikt, das ehemalige Jesui= terkollegium, der Universität gegenüber, ist für ar= me Studierende errichtet (1802). Diese besuchen das Gymnasium, die philosophischen und juridischen Hör= säle der Universität, erhalten auch Unterricht im Zeich= nen, in der Musik und im Gesange, in der franzö= sischen und italienischen Sprache, und werden gleich= förmig erzogen.

4.) Die drei k. k. Gymnasien sind: das Uni= versitätsgymnasium, das bei den Schotten in der Stadt, und jenes bei den Piaristen in der Joseph= stadt; Klasseneintheilung, Lehrgegenstände und Lehr= bücher überall die nämlichen; jährliches Schulgeld 12 fl. K. M.

5.) Das fürsterzbischöfliche Semina= rium oder Alumnat, Skt. Stephan Nr. 874, ist zur kostenfreien Aufnahme und Ausbildung von etwa 60 Klerikern bestimmt, welche die theologischen Vorlesungen an der hiesigen Universität besuchen müssen.

6.) Das Pazmanysche Kollegium, Schönlaterngasse Nr. 683, so genannt von dem Stifter Peter Pazmany, Primas von Ungarn (1623), für ungarische Jünglinge bestimmt, die zum geistlichen Stande gebildet werden, einen blauen Talar tragen, Pazmanyten heißen, zum Besuche der theologischen Vorlesungen an der Universität verpflichtet sind, und deren Anzahl 65 nicht übersteigen darf.

7.) Die höhere Bildungsanstalt für Weltpriester, die nach vollendetem theologischen Kurse zu Professoren, Direktoren der Seminarien, Vorstehern von Kollegien ꝛc. bestimmt sind, ist 1816 auf Kosten des Staats errichtet im Augustinerkloster Stadt Nr. 1158.

8.) Die Normalschule bei Skt. Anna, Johannesgasse Nr. 980, von Maria Theresia gestiftet (1771) ist so benannt, weil sie allen Schulen in der österreichischen Monarchie zur Norm = oder Musterschule dienen soll. Sie wird außerordentlich stark besucht und hat vier Klassen, worin Unterricht im Lesen, Schreiben, Rechnen, in der Naturlehre und Naturgeschichte, in der Religion, in den Anfangsgründen der geometrischen und freien Handzeichnung ꝛc. ertheilt wird.

Auch werden daselbst Vorlesungen über Pädagogik, Katechetik und über physische Erziehung der Kinder gehalten, ferner Anweisung zum Erlernen des Generalbasses und Orgelspiels gegeben.

Diese Hauptschule hat zugleich den Verlag und Verkauf aller Normalschulbücher für die gesammte Monarchie, und nach ihrem Muster bestehen noch 6 andere Hauptschulen, wovon

eine in der Stadt selbst und die andern in den Vorstädten. Das Unterrichtsgeld ist jährlich 10 fl. K. M.

Von der bei Skt. Anna befindlichen Zeich-
nungsschule ist unter der Rubrik XV. Kunstbildungsanstalten die Rede.

9.) Trivialschulen, in welcher bloß Religion, Lesen, Schreiben und Rechnen gelehrt wird,
sind in der Stadt 2, in den Vorstädten 57. Schulgeld jährlich 3 fl.

Die Zahl aller öffentlichen Schulen in
Wien beträgt jetzt 75.

10.) Die k. k. protestantische theologische Lehranstalt, in der vordern Schenkenstraße Nr. 43, ist von Kaiser Franz I. gestiftet, mit
hinreichenden Fonds versehen und 1821 eröffnet. Hier
wird die gesammte theologische Wissenschaft nach den
Grundsätzen der protestantischen Kirche vorgetragen
und überhaupt die höhere Ausbildung der künftigen
Religionslehrer beider protestantischen Konfessionen
im Umfange der österr. Monarchie bezweckt. Die
Zöglinge sind größtentheils aus Ungarn und Sie-
benbürgen; der Kurs dauert 3 Jahre.

11.) Die vereinigte Schulanstalt der
protestantischen Gemeinde und die damit
verbundene Mädchenschule ist in den Bethäusern der
Gemeinden, Dorotheergasse Nr. 1114. (S. 74.)

12.) Die k. k. Akademie der morgenlän-
dischen Sprachen, in dem Jakoberhof Nr. 799,
ist 1754 gestiftet und zur Vorbereitung rücksichtlich
des Verkehrs mit der ottomanischen Pforte bestimmt.
Nach vollendeten Studien in derselben kommen die

Zöglinge in der Regel als sogenannte **Sprachkna-
ben** zur k. k. Gesandtschaft in Konstantinopel, um
sich in den orientalischen Sprachen weiter auszubil-
den, und werden dann entweder dort als wirkliche
Beamte oder bei der Staatskanzlei in Wien, oder
in den levantinischen Häfen und Gränzstädten als
Konsuln oder Dollmetscher angestellt.

13.) Die **k. k. Landwirthschafts-Gesell-
schaft** in Wien, Heiligenkreuzerhof Nr. 676, hat,
im J. 1812 gebildet, den Zweck: zur Verbesserung
der Landwirthschaft mit vereinter Kraft zu wirken.
Sie zählt Mitglieder aus allen Ständen und Provinzen der Monarchie, Herrschafts- und Guts-
besitzer, Pächter, Verwalter, öffentliche Lehrer
u. a. m.

14.) Die **öffentliche Handlungsschule**,
im Lokale der Michaelerschule, steht unter der Leitung eines Lehrers der Buchhaltungs-Wissenschaft,
Joh. Nep. **Röhrig**, und der Unterricht wird an
Sonntagen von 10—12 Uhr Vormittags, und von
3—5 Uhr Nachmittags ertheilt.

15.) **Öffentliche Vorlesungen** über Mechanik für Handwerker und Künstler hält der Professor der Physik und Mathematik Andr. v. **Ettings-
hausen** alle Sonn- und Feiertage von 11—12 Uhr
im Hörsale des alten Universitätsgebäudes, und dergleichen über **Krankenwärterlehre** frei und
unentgeldlich Dr. Max. Florian **Schmidt** im neuen
Universitätsgebäude. Seine Wohnung ist auf der
Landstraße Nr. 305, woselbst auch Adressen bereits

gebildeter Krankenwärter und Wärterinnen ausge=
geben werden.

16.) Privat=Lehr= und Erziehungs=An=
stalten für Mädchen und Knaben gibt es viele in
Wien, darunter auch ein Privat=Lehrinstitut für
ungarische Jünglinge in den vier vorgeschrieb.=
nen Grammatikalschulen, mit Einschluß der ungari=
schen Sprache, eröffnet von Joseph von Fekete am
1. November 1830 in der Stadt, Teinfaltstraße
Nr. 54; und eine Erziehungsanstalt für israeli=
tische Mädchen von 6—12 Jahren aus Wien und
den k. k. erbländischen Provinzen. Unterricht wird
ertheilt außer Religionslehre in den für deutsche
Schulen vorgeschriebenen Gegenständen, im Nähen,
Stricken, Merken, Schlingen, Häckeln, Sticken,
Kleidermachen, in der französischen Sprache und
Musik, im Deklamiren und Tanzen. Vorsteherin der
Anstalt ist Flora Unger, Kärntnerstraße Nr. 1053.
Die meisten Anstalten befinden sich in den Vorstädten.

17.) Die Zahl der Privat= oder sogenannten
Hauslehrer, die durch gewisse Zeugnisse zur Ertheilung des Unterrichts befähigt seyn müssen, steigt
über 300.

18.) Zur Erlernung fremder Sprachen ist
in Wien vielfältige Gelegenheit vorhanden. Das
Intelligenzblatt der Wiener=Zeitung enthält fast täglich Anzeigen darüber; doch mag beiläufig erwähnt
werden, daß Unterricht im Englischen ertheilen:
Ferdinand Zierer, große Schulenstraße Nr. 824 die
Stiege rechts, und James Hoare, Favoritenstraße

auf der Wieden Nr. 292; daß eine Schule der englischen Sprache errichtet ist von Karl Gaulis Clair-
mont, Kohlmarkt Nr. 255, und Karl Gansmiller
die italienische Sprache und Handelskorrespon-
denz lehrt in der Stadt, Johannesgasse Nr. 975,
Stock 1 u. s. w.

19.) Schriftsteller und Gelehrte (mehr
als 500). Ein Reisender hat in diesem Wegweiser
ein Verzeichniß der Gelehrten vermißt und sein Miß-
fallen darüber ausgesprochen. Ich denke aber, daß die
Gelehrten überhaupt kein Gegenstand
neugierigen Beschauens von Seite der
Fremden sind, daß der Schriftsteller insbesondere durch seine Werke gekannt und der Reisende,
der die Bekanntschaft des Einen oder Andern wünscht,
mit einer Empfehlungskarte versehen oder von einem
besondern Interesse geleitet seyn muß, in welchem
Falle er lästig zu werden nicht besorgen darf. Jeder
Besuch, der nicht in dieser Gränze liegt, gewährt
keinen Gewinn und verdirbt die Zeit. Übrigens weiset der Hof- und Staatsschematismus die Namen
der angestellten Professoren ꝛc. nach, und andere
Auskünfte werden wohl die Buchhandlungen ertheilen können.

B. In den Vorstädten.

1.) Das Pensionat der Salesianer-
Nonnen am Rennwege Nr. 640, ist für Töchter
des höheren Adels bestimmt. Die Zahl der freien
Stiftungsplätze ist sehr klein und die Pensionäre ha-

14

ben daher eine gewiſſe Summe jährlich für Koſt und Unterricht zu bezahlen.

2.) Das k. k. Civilmädchen=Penſionat, Alſervorſtadt Nr. 106, zur Bildung von Lehrerin= nen, wurde vom Kaiſer Joſeph II. (1786) errichtet, um die weibliche Erziehung in Schulen und Privat= häuſern zu verbeſſern. Zu dieſem Zweck bleiben die Zöglinge gegen 8 Jahre in der Anſtalt und empfan= gen Unterricht in der Religion, im Recht= und Schön= ſchreiben, im Rechnen, in der Naturlehre und Na= turgeſchichte, Erdbeſchreibung und Geſchichte, in ſchriftlichen Aufſätzen, im Zeichnen, in der deutſchen und franzöſiſchen Sprache, und in weiblichen Arbeiten.

Außer den Penſionären werden auch andere Mädchen gegen Entrichtung einer beſtimmten Sum= me in dieſes Penſionat aufgenommen.

3.) Das k. k. Erziehungs=Inſtitut für Offizierstöchter in Herrnals, außerhalb der Herrnalſer=Linie, gleichfalls von Joſeph II. geſtif= tet, hat 46 Stiftungsplätze ſämmtlich nur für arme Offizierstöchter beſtimmt. Einrichtung und Unterricht unterſcheiden ſich nicht von jenen im Civilmädchen=Penſionat. Dieſes Inſtitut wird in ſo fern bemerkbar gemacht, als Herrnals in polizeilicher Hinſicht noch zur Stadt Wien gerechnet iſt und die Aufnahme der Offizierstöchter in daſſelbe vom k. k. Hofkriegsrathe ausgeht.

4.) Die k. k. Thereſianiſche Ritter=Aka= demie auf der Wieden Favoritenſtraße Nr. 156, entſtand aus der Akademie, welche Maria Thereſia ſtiftete (1745) und aus zwei ähnlichen andern Anſtal=

ten. Sie ist bloß dem Adel gewidmet. Die Zöglinge werden hier zu Civilanstellungen gebildet; ihre
Zahl ist etwa 200. Die Humaniora werden wie in
den Gymnasien, die höhern Wissenschaften wie in
den Universitäts = Kollegien vorgetragen. Außerdem
wird Unterricht ertheilt in der französischen, italienischen, englischen, böhmischen Sprache, in der freien
Handzeichnung, im Tanzen, Fechten, Reiten und
Voltigiren. Das Institut ist mit einer Bibliothek,
einer Sammlung von Naturalien und physikalischen
Instrumenten einer Schwimmschule und einem großen
Garten versehen. Die Stipendienstiftungen für diese
Anstalt betragen 149 Plätze. Für andere Zöglinge
ist das Kost = und Unterrichtsgeld vorgeschrieben.

5.) Die k.k. Ingenieur=Akademie auf der
Laimgrube Nr. 187, wurde im Jahre 1735 gegründet und das schöne Gebäude, worin sie sich jetzt befindet, auf Anordnung der Herzoginn von Savoyen,
Theresia Anna Felicitas, 1749 errichtet. Die Bildung guter Ingenieur=Offiziere ist der Zweck dieses
Instituts, welches 30 Staats = und 49 Privatstiftun-
gen, überhaupt aber gegen 800 Zöglinge zählt.

Die Lehrgegenstände sind in 6 Klassen getheilt;
viele derselben beziehen unmittelbar sich auf das Mi-
litärfach. Angestellt sind für die wissenschaftlichen
Fächer 15 Lehrer, außerdem ein Fechtmeister, ein
Tanzmeister und ein Bereiter.

Nach vollendeter Prüfung in jenen 6 Klassen
treten vorzüglich fähige Zöglinge in eine siebente
Klasse zum erweiterten Vortrage der Ingenieur=
Wissenschaften. Sie heißen dann Genie = Korps=

Kadetten, erhalten eine monatliche Besoldung aus der Kriegskasse und später eine Anstellung im In= genieur=Korps oder in andern Regimentern.

Zöglinge, die keinen Stiftungsplatz haben, zah= len ein bestimmtes Kost = und Unterrichtsgeld. Die Disziplin ist streng militärisch und der ganze Lehr= kurs dauert 6 — 8 Jahre.

6.) Das gräfl. Löwenburgische Konvikt, neben dem Kollegium der Piaristen in der Joseph= stadt Nr. 135, zur Erziehung adeliger Jünglin= ge aus Österreich und Ungarn gestiftet. Die Lehr= gegenstände sind: Normalkenntnisse, die Humanio= ra und die philosophischen Wissenschaften, dann Sprachen, Zeichnungs = und Tanzkunst. Jünglinge, welche die vierte Grammatikalklasse bereits zurück= gelegt haben, werden nicht mehr aufgenommen. Das Institut hat eine Bibliothek und eine Sammlung physikalischer und mathematischer Instrumente.

7.) Gymnasien. Siehe S. 152.

8.) Die k. k. medizinisch=chirurgische Jo= sephs=Akademie, in der Währingergasse Nr. 221, vom Kaiser Joseph II. gestiftet und im Jahre 1785 eröffnet, ist bestimmt, die österreichische Armee mit tüchtigen Ärzten zu versehen. Im Jahre 1804 erhielt sie ein Militär=Operations=Institut und 1822 eine neue Einrichtung. Diese Akademie ist selbst= ständig und ertheilt daher den vollständigen Unter= richt in der Medizin und Chirurgie, wie die andern Universitäten in Österreich. Sie ist auf 200 Zöglin= ge berechnet, welche die philosophischen Vorlesungen bereits auf einer inländischen Universität besucht ha=

ben müſſen. Der Lehrkurs dauert 2 Jahre. Die
von ihr graduirten Doktoren haben gleiche Rechte
mit denen anderer inländiſchen Univerſitäten. Das
Inſtitutsgebäude iſt eines der prächtigſten in Wien,
mit einem anatomiſchen Theater und botaniſchen
Garten (Seite 129) verſehen. Es bewahrt eine ausgezeichnete Bibliothek, in deren Mitte die Büſte des
kaiſerlichen Stifters von Cerachi befindlich iſt,
eine koſtbare Sammlung chirurgiſcher Inſtrumente,
Maſchinen, Knochen, Wachspräparate, letztere von
Fontana und Moscagni aus Florenz. (Vergl.
unten: Sammlungen.)

9.) Das k. k. Thierarznei-Inſtitut, Landſtraße Rabengaſſe Nr. 541, wurde zwar ſchon von
der Kaiſerin Maria Thereſia gegründet (1769),
vom Kaiſer Franz I. aber (1821—22) in das jetzige
prachtvoll erbaute Gebäude verlegt.

Der Unterricht betrifft nicht nur die Naturge-
ſchichte der Hausthiere, ihre Zucht, Wartung, Pfle-
ge, Veredelung, die Theorie und Praxis des Huf-
und Klauenbeſchlages, ſondern auch die Arzneimit-
tellehre, die Veterinär-Chirurgie und Operations-
lehre, die Seuchenlehre und Veterinär-Polizei im
Allgemeinen und in ſpecieller Beziehung auf Pferde, Hunde u. ſ. w. Dieſer Unterricht iſt theoretiſch
und praktiſch zugleich für den Kurſchmied ſowohl,
wie für den eigentlichen Thierarzt auf zwei Jahre
eingetheilt. Dagegen dauert der populäre Unterricht
über Krankheiten der Hausthiere für Jäger, Hirten
und Schafmeiſter nur zwei Monate. Nach den jetzt
beſtehenden Verordnungen kann kein Arzt ein öffent-

liches Physikat erlangen, der nicht die Lehre von
den Seuchen und Krankheiten des Hornviehs studirt,
und keinem Schmiede soll das Meisterrecht ertheilt
werden, der nicht den Lehrkurs der Thierarzneikunst
besucht hat. In das mit der Anstalt verbundene Spital kann Jedermann kranke Thiere, gegen Bezahlung des Futters und der Arznei, geben und es werden deren so viele angenommen, als der Raum
gestattet. Die hier seit längerer Zeit bestandene P fe r-
debadanstalt ist im Jahr 1833 auf eine Weise
erweitert, daß dieselbe auch von Seite des Publikums für kranke und gesunde Pferde benutzt werden
kann. Der Preis eines warmen Bades für 1—3
Pferde, unter gehöriger Aufsicht eines Institutge-
hülfen, ist 2 fl. 15 kr. K. M.

Der vortrefflichen Einrichtung wegen gehört
das Institut zu den ersten dieser Art in Europa. Es
ist der Universität einverleibt, hat einen Direktor,
5 Professoren und 6 Pensionäre, besitzt eine täglich
sich mehrende Bibliothek, einen physikalischen Appa-
rat, eine Sammlung der verschiedensten Hufeisen, ve-
terinair-chirurgischer Instrumente, ein anatomisch-
pathologisches Museum und einen Pflanzengarten
(S. 136). Die Besichtigung wird gestattet, wenn
man sich bei dem Aufseher im Gebäude meldet.

10.) Das k. k. polytechnische Institut
und die Realschule, auf der Wieden Nr. 28, zu
welcher Kaiser Franz I. am 14. Oktober 1816 den
Grundstein legte, ist eine Bildungsanstalt für Gewerbe und Handel, die als solche zwei Abtheilungen
hat: die technische und kommerzielle. Die

Vorkenntnisse zu beiden werden in der mit dem In=
stitut vereinigten Realschule binnen zwei Jahren er=
worben.

Die Lehrfächer der technischen Abtheilung
sind: Chemie, Physik, Mathematik, Maschinen=
lehre, praktische Geometrie, Baukunst und Techno=
logie; die der kommerziellen Abtheilung: Ge=
schäftsstyl, Handlungswissenschaft, Handel= und
Wechselrecht, Merkantil=Rechenkunst, kaufmännische
Buchhaltung, Handelsgeographie und Geschichte,
und Waarenkunde. Der Lehrkurs dauert 3 Jahre.

Der Realschule stehen vor 1 Vizedirektor,
11 Professoren und 3 Lehrer der lateinischen, böh=
mischen und englischen Sprache; der technischen
Abtheilung: 9 Professoren, 8 Assistenten und
2 Werkführer; der kommerziellen: 5 Pro=
fessoren. Die Leitung des Ganzen ist einem Direktor
anvertraut.

Außer einer zahlreichen Bibliothek aus allen
Fächern der chemischen, kommerziellen, mathema=
tischen, physischen und technologischen Wissenschaf=
ten, mehr als 7000 Bände, besitzt das Institut eige=
ne Sammlungen, und zwar: in der Realschule
eine Sammlung für Mineralogie und Zoologie; in
der kommerziellen Abtheilung eine Sammlung
für die Waarenkunde, und in der technischen
Abtheilung das mathematische und physikalische Ka=
binet, die chemische Präparaten= und Fabrikaten=
sammlung, die Sammlungen architektonischer und Ma=
schinen=Modelle, die Sammlung der Werkzeuge und

das Nationalfabriksprodukten-Kabinet. (Vergl. weiter unten Sammlungen f. Technik.)

Ferner gehören zu diesem Institut eine mechanische und astronomische Werkstätte und das chemische Laboratorium.

Die Vorlesungen beginnen mit dem 1. Nov. und
werden unentgeldlich gehalten. Es wird bloß eine
Immatrikulirungsgebühr entrichtet. Auch kann der
Vortrag über einzelne Wissenschaften benützt werden.

An jedem Sonnabende von Ostern bis Ende des
Schuljahrs und von 8—1 Uhr sind die Sammlungen in Augenschein zu nehmen. Fremden ist der
Eintritt, wenn sie in der Kanzlei sich melden, täglich gestattet.

Die Figurengruppe ober dem Eingange und
die Basreliefs an der Fronte sind von dem Bildhauer Joseph Klieber; den Bauplan entwarf der
Hofbaudirektor Jos. Schemerl Ritter von Ley-
tenbach.

11.) Eine öffentliche Manufaktur-Zeich-
nungsschule (oder wie sie auch genannt wird:
Manufakturmuster-Übersetzungsschule) ist von Joseph Georg Bartsch in Gumpendorf auf dem
Kirchplatz Nr. 116 seit einigen Jahren errichtet und
hat trefflichen Fortgang. An Sonntagen wird prak-
tischer Unterricht in der Weberei überhaupt und
in der Kunstweberei insbesondere ertheilt und dadurch auf die Verbesserung dieses Manufakturzwei-
ges sehr günstig eingewirket. Der Stifter dieser
Schule hat seine Berufsfähigkeit in dem Werke:
Die Vorrichtungskunst der Weberstühle

für die gesammte Seiden = und Wollenmanu=
faktur, mit Mustern und lithogr. Abbildungen, zur
Genüge dargethan. Es ist vom Verfasser und durch
die Wimmersche Buchhandlung in Wien zu be=
ziehen.

12.) Trivialschulen, Privatlehr= und
Erziehungs=Anstalten. Siehe S. 154. u. f.

13.) Im Jahre 1830 entstanden in Wien auch
die Kleinkinder=Bewahranstalten (kleine
Kinderschulen) für Kinder von 2—6 Jahren, »um ih=
nen während der Tagesarbeit ihrer erwerbsbedürftigen
Ältern sicheren Schutz vor Gefahr der Verunglückung
und Verwahrlosung zu gewähren, und sie durch natur=
gemäße Entwickelung ihrer Kräfte kindlich und sittlich
froh werden, außerdem aber ihnen noch Unterstü=
tzung an Kleidungsstücken, Strümpfen, Schuhen
u. dgl. zukommen zu lassen.« Diese treffliche Ein=
richtung erfreut sich der allgemeinsten Theilnahme
und Unterstützung, und es bestehen bereits fast in
allen Bezirken Schulen solcher Art, zu deren wei=
teren Begründung sich ein Centralverein ge=
bildet hat.

14.) Die militärische Schwimm = An=
stalt und die Schwimmschule ist auf jenem
Arm der Donau angebracht, der an der Nordseite
des Praters vorbeifließt und wohin man durch die
der Praterstraße entgegen gesetzte Allee, die durch
eine ausgesteckte Fahne kenntlich gemacht ist, ge=
langet.

Der Zweck der Schwimmanstalt ist, dem
Militär die Fertigkeit im Schwimmen zu verschaf=

fen, weshalb Militärpersonen während der Som=
mermonate sich darin regelmäßig üben müssen. Da=
gegen ist die S ch w i m m sch u l e für alle Stände
bestimmt. Die ganz Unerfahrnen werden hier von
geprüften Schwimmmeistern methodisch unterrich=
tet, Geübtere aber können ihre Schwimmfertigkeit
erweitern. Dazu sind die Stunden von 9—1 Uhr
früh und von 4—8 Uhr Nachmittag festgesetzt. Ge=
gen Entrichtung einer gewissen Summe, welche bei
Eröffnung der Anstalt im Mai bekannt gemacht
wird, kann man einzelne Schwimmlektionen oder
den vollständigen Unterricht nehmen. Zuschauer zah=
len einen bestimmten Eintrittspreis. Frauenzimmern
ist jedoch der Eintritt nur an Sonn= und Feiertagen
gestattet. Die Mütter werden sich hier überzeugen,
daß Schwimmübungen kein Wagestück, sondern eine
durch gründlichen Unterricht erworbene und die ju=
gendliche Kraftentwickelung fördernde Kunstfertigkeit
sind.

Der Schwimmanstalt für Damen ist S. 105
Erwähnung geschehen.

167

XIV.

Hülfs = und Beförderungsmittel der wissen=
schaftlichen und allgemeinen Bildungs = und
Erziehungs=Anstalten in der Stadt Wien
und in den Vorstädten.

---

1. Die Buchdruckereien. Der Bücherdruck
ist hier ein freies, in der Regel persönliches
Gewerbe, dessen Ausübung den Polizei= und Cen=
surgesetzen unterliegt. Das Imprimatur des
Central=Bücher=Revisions=Amtes, womit jedes zu
druckende Buch versehen seyn muß, schützt gegen je=
de Verantwortlichkeit rücksichtlich des Inhalts. Nur
Dasjenige, was der Buchdrucker mit eigenen Pressen
und auf eigene Rechnung erzeugt, darf er in einem
Verschleißgewölbe (Bücherverlag) zum Verkauf
ausbieten. Dadurch erlangt er aber nicht die Rechte
eines Verlagsbuchhändlers.

Außer der k. k. Aerarial = Staatsdruckerei, Sin=
gerstraße Nr. 913, welche die Druckarbeiten in den
verschiedenen Zweigen der Staatsverwaltung liefert,
und jener der Mechitaristen=Kongregation am Platzl
Nr. 2, bestehen hier noch 19 Buchdruckereien mit
etwa 200 Pressen und gegen 500 Arbeitern. Unter
diesen möchten, ohne den übrigen zu nah zu treten,
die des Anton Strauß sel. Witwe, Alservor=
stadt Nr. 143, des K. Gerold, Dominikanerplatz
Nr. 667, des P. Sollinger, Laimgrube Nr. 4,
der v. Ghelenschen Erben, Rauhensteingasse Nr.
927, jene von Anton Pichler's sel. Witwe, Vor=

ſtadt Margarethen Nr. 30 im eigenen Hauſe, die Leopold Grund'ſche Buchdruckerei am Neubau in der Andreasgaſſe Nr. 303, und endlich die des Anton Edlen v. Schmid, in orientaliſchen Sprachen, Alſervorſtadt Strudelhofgaſſe Nr. 267, die vorzüglicheren ſeyn.

2. Buchhandlungen. Die Buchhändler Wiens bilden ein Gremium, deſſen Rechte von 2 Vorſtehern vertreten werden. Sie unterliegen den Cenſurgeſetzen und dem Buchhändlerpatent vom 18. März 1806. Ihre Handlungen theilen ſich in

a) moderne Buchhandlungen, welche Verlag und Sortiment führen, auch antiquariſche Geſchäfte treiben können. Unter dieſen: Karl Armbruſter, Singerſtraße Nr. 878 zum rothen Apfel; B. Ph. Bauer und Dirnböck, Herrngaſſe Nr. 25; Friedrich Beck, Seißerhof Nr. 427; Karl Gerold (auch franz. u. engl. Sortiment) Stephansplatz Nr. 625, Karl Haas, ſel. Witwe, Tuchlauben Nr. 561, Chr. Gotth. Heubner, Bauernmarkt Nr. 590; Kupffer und Singer, Wollzeil Biſchofshof Nr. 869; L. A. Mayer und Komp., Singerſtraße im deutſchen Hauſe; Mörſchner und Jaſper, Kohlmarkt Nr. 257; v. Mösle ſel. Witwe, Graben Nr. 1144; Rohrmann und Schweigerd, vormals Joſ. Ph. Schalbacher (auch franz. u. engl. Sortiment) Wallnerſtraße Nr. 269; Rud. Sammer, Kärntnerſtraße Nr. 1019; Schaumburg und Komp. (eben ſo) Wollzeile Nr. 775; M. Schmidls ſel. Witwe, Dorotheergaſſe Nr. 1105; Franz Tendler im Trattnerhofe Nr. 618;

Friedrich Volke's sel. Witwe (ital. Sortiment)
Stocklmeisenplatz Nr. 875 ; J. B. Wallishaus=
fer's sel. Witwe, hoher Markt Nr. 541 ; Jof.We ne=
dikt's sel. Witwe, Bischofsgasse Nr. 633 ; Franz
Wimmer, Dorotheergasse Nr. 1107 (katholisch=theo=
logische Bücher, in gleicher Weise, wie die Buchhandlung
der P.P. Mechitaristen in der Singerstraße Nr. 869).

b) Antiquar=Buchhandlungen, die we=
der mit neuen Werken Handel treiben, noch Ver=
lagswerke drucken dürfen, sind in Wien vier, von
welchen die des Matth. Kuppitsch, Augustiner=
gasse Nr. 1157, auch eine sehr bedeutende Sammlung
von seltenen Werken altdeutscher Literatur besitzt,
und die des Franz Gräffer, Rauhensteingasse
Nr. 948, vorzugsweise österreichische oft sehr seltene
und kostbare Geschichtswerke unter möglich billigen
Bedingungen feilbietet. Das größte und vollständigste
Lager antiquarischer Werke in allen Litera=
turzweigen führt Schmidl's Buchhandlung in der
Dorotheergasse.

3. Bibliotheken, und zwar
A. Öffentliche.

a) Die k. k. Hofbibliothek. Das herrliche
Gebäude derselben, die ganze Fronte des Josephspla=
tzes einnehmend, ist ein Werk Fischer's v. Erlach
(gest. 1724*), von seinem Sohne 1726 vollendet, und

---

*) Ich bemerke hierbei, daß wenn in diesem Büchlein
von Fischer's Werken nach dem Jahr 1724 die Rede
ist, ihm der Plan zu denselben angehört, worauf es
bei Bauwerken, da der Künstler nicht selbst an die
Arbeit geht, vorzugsweise ankommt.

15

auf Befehl Kaisers Karl VI. aufgeführt. Der
Aufgang ist links an der äußersten Seite. Eine
schöne, breite Stiege, deren Wände mit römischen
Steinschriften verziert sind, führt in den prachtvol=
len 246′ langen, 45′ breiten, 62′ hohen Büchersaal,
dessen ovalrunde Kuppel im Lichten 92½′ lang,
57′ breit, 92½ hoch, auf 8 Säulen ruht. Die Decke
desselben ist von Daniel Gran vortrefflich gemalt,
doch sind die al fresco gemalten Rosetten der zur
Unterstützung der Kuppel gegen die beiden Seiten=
flügel des Saals errichteten Pilaster von Ant. Mau l=
b e r t sch. Die Statue Karl's VI. steht in der Mitte
des Saals, umgeben von 8 anderen Statuen. Die
der österr. Regenten verfertigte nicht Ant. Coradini,
sondern Paul und Dominik S t r u d e l. Der eigent=
liche Gründer der Hofbibliothek ist Kaiser Maximi=
lian I., der seines Vaters, Friedrich, vorgefundene
Büchersammlung 1493 ordnen ließ. Ihr erster V o r=
st e h e r war Konrad C e l t e s (gest. 1508); der erste
B i b l i o t h e k a r Hugo B l o t i u s (Bloß), er=
nannt durch das Dekret Maximilians II. vom 15.
Junius 1575.

Vermehrt wurde sie durch die Sammlungen Kö=
nigs Mathias Corvinus, des Cuspinianus, Bischofs
Johann Faber, des k. k. Gesandten Augerius Bus=
beck, des Wolfgang Lazius, durch die Bücher und
Handschriften des Tycho Brahe, der von Ambras
in Tyrol u. v. A. m. Unter Leopold I. zählte sie schon
über 80,000 der seltensten Handschriften und Bücher
aus allen Zweigen des Wissens; doch wurde sie erst
unter Karl VI. ein ö f f e n t l i c h e s Institut, und

fortwährend bereichert durch die Sammlungen des
Prinzen Eugen, mit der Peutingerischen Karte und
den alten Handschriften, welche Apostolo Zeno und
Alexander Riccard in Italien sammelten. Ähnliche
Vermehrungen erhielt sie von Maria Theresia, Jo=
seph II. und dem verewigten Kaiser Franz I.,
besonders an Manuscripteu aus Venedig und Salz=
burg.

Die Hauptsammlung von Büchern in allen Fächern
enthält etwa 320,000 Bände, die Handschriften sind
geordnet theils nach der Z e i t ihrer Entstehung,
ob vor oder nach Erfindung der Buchdruckerkunst,
theils nach dem M a t e r i a l, ob Pergament oder
Papier, theils noch I n h a l t und S p r a c h e. Die
Bibliothek besitzt.

Griechische Handschriften . . .	985
Occidentalische: auf Pergament	2789
— — —: auf Papier. .	11157
Hebräische	85
Orientalische	1000
Chinesische und Indische . .	60
	16076

Folgende vier xylographische Werke in Einem
Bande klein Folio wurden 1809 erkauft, mit illu=
minirten Holzschnitten Liber regum (noch ganz un=
bekannt); Historiae veteris et novi Testamenti
(Biblia Pauperum), Historia seu providentia
Mariae Virginis ex cantico canticorum und Ars
memorandi notabilis per figuras Evangelistarum,
wohl aus dem 15. Jahrhundert v o r Erfindung der
Buchdruckerkunst, also vor 1440.

172

Die musikalischen Sammlungen, enthaltend
Werke vom 15. Jahrhundert bis auf die heutige Zeit
werden in 15 Kasten aufbewahrt; der Kasten Nr.
XVI. enthält die musikalischen Autographen.
Außer diesen besteht noch eine Autographen=
sammlung von beiläufig 8000 Stücken, von Monarchen,
Fürsten, Ministern, Staatsmännern, Feldherren,
Generalen, Gelehrten Dichtern, Schriftstellern,
Künstlern; eigentlich eine Schöpfung des Präfekten
Moriß Grafen v. Dietrichstein.

Endlich hat die Bibliothek eine große Samm=
lung von Holzschnitten, Kupferwerken und Minia=
turgemälden, von denen weiter hin die Rede seyn
wird. (S. Kunstsammlungen.)

Die früher in der sogenannten Todtenkapelle
der Augustiner. Hofkirche gestandene weiße marmor=
ne Büste des Freiherrn Ger. van Swieten, die
Maria Theresia ihm setzen ließ, befindet seit dem
14. November 1833, restaurirt vom Hofbildhauer
Schaller, sich an der Mittagsseite des Saals der
k. k. Hofbibliothek.

Zum Ankauf neuer Werke sind der Hofbiblio=
thek seit dem Jahre 1820 jährlich 19,000 fl. K. M.
angewiesen. Die Eintrittsstunden sind von 9—2
Uhr festgesetzt, mit Ausnahme der Sonn= und Feier=
tage und der Ferialzeiten.*)

---

*) Vergl. G. Leon's, Beschreibung dieser Bibliothek.
Wien, Armbruster, 1820—1824 und besonders die
neueste und reichhaltige Beschreibung der k. k. Hofbi=
bliothek vom Hofrath v. Mosel, Wien. Beck, 1834,
aus welcher vorstehende Notizen zum Theil entlehnt
sind.

b) Die k. k. Universitätsbibliothek am Dominikanerplatz Nr. 672, in einem neuen geschmackvollen Gebäude, ist hauptsächlich zum Gebrauch der Studierenden bestimmt und hiernach ihr Inhalt und ihre fortschreitende Vermehrung bemessen. Dennoch hat sie kostbare und seltene Werke aus allen Fächern aufzuweisen und zum Anschaffen neuer Bücher über einen jährlichen Fond von 3200 fl. K. M. zu verfügen. Bis jetzt zählt sie etwa 80,000 Bände. Nach einer Bemerkung in dem Hauskalender für das österreichische Kaiserthum vom Jahre 1821 soll Johann von Gmunden, zuletzt Pfarrer in Laa in Niederösterreich diese Bibliothek gegründet haben und zwar im Jahre 1435. Dies könnte jedoch nur in Beziehung auf Handschriften gelten, da bekanntlich die Erfindung der Buchdruckerkunst in den Jahren 1436 — 1440 erfolgte. Celtes dagegen hinterließ bestimmt seine Büchersammlung der Universität und nicht der Hofbibliothek (v. Mosel a. a. O. S. 13.) Eintrittsstunden von 9 — 2 Uhr, mit Ausnahme der Sonn = und Feiertage und der Ferialzeiten.

B. Privatbibliotheken.

a) Die Handbibliothek Sr. Maj. weil. Kaisers Franz I. in der Hofburg. Treffliche Auswahl der vorzüglichen Werke in allen Zweigen der Naturgeschichte, kostbare Handschriften, Incunabeln, Prachtausgaben u. dgl. etwa 43,000 Bände. Ohne besondere Erlaubniß kein Eintritt. Hiezu

b) die Bibliothek Sr. jetzt regierenden Maj. Ferdinand I., die mit ersterer vereinigt werden soll.

c) Die Sr. k. Hoheit Erzherzogs Karl, Augustinerbastei Nr. 1160, zählt etwa 20,000 Bände von
Werken für Geschichte, Kriegskunst, Staatswissen-
schaft, Naturgeschichte, Kunst und klassische Literatur. Eintritt am Montag und Donnerstag von
9—12 Uhr.

Außerdem eine Handbibliothek für die Kriegs-
wissenschaft, 6000 Bände, mit einer sehr großen
Sammlung von Landkarten und Plänen.

d) Die weil. Sr. k. Hoheit Erzherzogs Anton
Victor, Singerstraße Nr 879, enthält vorzugsweise Werke über das Land Österreich ob und unter
der Enns, soll aber versteigert werden.

e) Die des Fürsten, Staatskanzlers von Metternich, am Ballhausplatz Nr. 19 etwa 20,000
Werke, sorgfältig ausgewählt: Klassiker, Prachtausgaben, Reisebeschreibungen u. a. Der Eintritt
muß nachgesucht werden.

f) Die Bibliothek des Fürsten Paul Esterhazy, Alservorstadt im rothen Hause Nr. 197,
enthält über 36,000 Bände, worunter die Prachtausgaben Didot's, Bodoni's sowohl, als andere
der lateinischen, italienischen, französischen und englischen Klassiker, ferner die kostbarsten naturhisto-
rischen Prachtwerke, malerische Reisen, die neuesten
Museen und viele Werke artistischen Inhalts.

g) Die des Fürsten Joh. Liechtenstein, Herrngasse Nr. 251, ungefähr 40,000 Bände, Incunabeln, Klassiker, Prachtausgaben, Kupferwerke und
andere.

Der Eintritt in beide letztgenannten Bibliotheken ist ohne unmittelbare Erlaubniß nicht gestattet.

h) Die des Fürsten zu Schwarzenberg, am neuen Markte Nr. 1054. Treffliche Ausgaben griechischer und lateinischer Klassiker, historische, staatswissenschaftliche, naturgeschichtliche u. a. Werke in mehr als 30,000 Bänden. Des Eintritts wegen meldet man sich beim Oberaufseher der Bibliothek im Gebäude selbst.

Es sind noch viele ähnliche Sammlungen vorhanden, deren Aufzählung aber an diesem Orte nicht nöthig scheint, da der Reisende kaum Zeit und Gelegenheit haben dürfte, den Eintritt zu erwirken.

C. Bibliotheken zum Privatgebrauch wissenschaftlicher und Kunstanstalten.

Dahin sind zu zählen: Die der Akademie der bildenden Künste; der k. k. Ambrasersammlung; des Antiken- und Münzkabinets; der Theresianischen Ritterakademie (40,000 Bände); des Löwenburgischen Konvikts (4000); der Akademie der orientalischen Sprachen; der Ingenieur-Akademie; des polytechnischen Instituts; der medizinisch-chirurgischen Josephsakademie (6000 Bände vorzüglicher Werke der Botanik und Anatomie); der Sternwarte über 1200 Werke; der Niederösterr. Herren Stände (2000 Bände genealogischen und topographischen Inhalts über Österreich unter der Enns); des Hofkriegs-Archivs (5000 Bände über Kriegskunst, zur Benutzung der k. k. Offiziere, Hofkriegsrathsbeam-

ten und Professoren der Militairanstalten; der Land=
wirthschaftsgesellschaft ; der Gesellschaft der Musik=
freunde; dann die Bibliotheken der P. P. Kapu=
ziner, Dominikaner, Mechitaristen, der barmherzi=
gen Brüder, der Serviten und der Benediktiner bei
den Schotten (etwa 12,000 Bände besonders im Bi=
belfach und in der Literaturgeschichte.)

Die meisten der hier genannten Bibliotheken
kann der Reisende bei Besichtigung der Anstalten in
Augenschein nehmen, oder den Eintritt unmittelbar
nachsuchen.

5. Naturalien = Präparate und eth=
nographische Sammlungen.

a) Die k. k. vereinigten Naturalien=
kabinete in der Burg, von welchen das Mine=
ralienkabinet den ersten Rang unter allen
Sammlungen dieser Art behauptet. Es enthält über
100,000 Stücke, unter diesen an 9000 Schaustücke
in 3 Sälen und in 67 Schränken. Die Sammlung
der Meteorstein = und Eisenmassen im ersten Saale,
und die kostbare Sammlung von Bildern (64) und
Tischen (4) von Stein = und Florentiner = Mosaik,
dann der Bilder (4) von Gyps=Mosaik im dritten
Saale (mit einem Ölgemälde von Mesmer und
Kohl) sind die reichsten. In letzterwähntem Zim=
mer ist auch ein Blumenstrauß aus Edelsteinen von
hohem Werth zusammengesetzt zur Schau ausgestellt.
Für das Publikum ist dieses Kabinet (im Augusti=
nergange der Burg) an jedem Donnerstage Vormit=
tag von 9—12 Uhr, Nachmittag von 3—5 Uhr für
Jedermann geöffnet; Reisende können es auch wohl

an andern Tagen sehen. (Näheres darüber: Das k. k. Mineralienkabinet in Wien von Paul Partsch. Wien, bei Heubner 1828. 12.)

In Verbindung mit demselben steht das zoologisch = botanische Kabinet, am Josephsplatz, mit 3 Stockwerken und 25 Sälen und Zimmern, enthaltend einen überaus großen Reichthum an Säugethieren, Vögeln, Fischen, Amphibien, Insekten ꝛc. Sehr sehenswerth sind die Herbarien von getrockneten Pflanzen aus allen Welttheilen, die Sammlung von Pflanze, Früchten und Schwämmen in Wachs, die auf eine andere Weise füglich nicht zu bewahren sind. Die hier befindliche Büste Sr. Maj. des Kaisers Franz I. von Carrarischen Marmor ist ein Werk Zauner's.

Öffentlicher Eintritt an jedem Donnerstag Vormittag. Die Karten dazu ertheilt der Portier. Für Gelehrte und Reisende steht es auch an andern Tagen offen. Man wendet im letzteren Fall sich an den Herrn Direktor oder Custos, welches auch geschehen muß, wenn man die botanische Abtheilung insbesondere sehen will, indem diese des beschränkten Raums wegen an öffentlichen Eintrittstagen geschlossen zu seyn pflegt.

b) Das k. k. Brasilianische Museum, in der Johannesgasse Nr. 972, im zweiten Stock, errichtet 1821, enthält naturhistorische Gegenstände (zoologische, botanische und mineralogische Sammlungen) aus Brasilien, die fortwährend vermehrt werden. Auch findet man daselbst eine bedeutende Sammlung von Waffen und Geräthschaften der Brasilianer,

Landschaften und Ansichten aller Art in 567 Blättern von dem Landschaftsmaler Thom. Ender, während seines zweijährigen Aufenthalts in Brasilien gefertigt, und mehr als 1000 Umrisse und Analysen brasilian. Pflanzen von Maler Sandler. Die vorzüglichsten derselben erschienen unter dem Titel: Plantarum Brasiliae icones et descriptiones hactenus ineditae. Cura Pohl, Vindob. 1827—32. 2 Tomi in fol. (Mit ausgemalten Abbildungen 240 fl.; mit schwarzen 40 fl. K. M.) Es ist sehr merkwürdig und am Samstage von 9—1 Uhr geöffnet. In außerordentlichen Fällen kann man im ersten Stock des Gebäudes Auskunft erhalten.

Von den damit verbundenen Kabinet ägyptischer Alterthümer wird weiter unten die Rede seyn.

c) Das naturhistorische Museum der k. k. Universität in der Schulgasse Nr. 757 im zweiten Stock, füllt zwei große Säle mit Säugethieren, Vögeln, Fischen, Amphibien, Insekten, Conchylien und Mineralien. Die Decke des ersten Saals ist von Pozzo gemalt. Im Nebensaal sieht man eine (von Prof. Ilg) präparirte Skeletensammlung mehrerer Säugethiere, Vögel, Amphibien ꝛc. Das natürliche Skelet eines arabischen Pferdes im Trabe nimmt vorzugsweise die Aufmerksamkeit in Anspruch. Der eigentliche Gründer dieses s. g. zootomischen Kabinets ist der Freiherr von Stifft, dessen Büste aus Marmor von Kießling gearbeitet hier aufgestellt ist.

Der Besichtigung wegen meldet man sich bei dem im Gebäude wohnhaften Saaldiener.

d) Die Naturaliensammlung der k. k.
Theresianischen Ritterakademie, Wie=
den Nr. 156, besteht aus Conchylien, Insekten,
Holzarten und Mineralien (letztere etwa 4000 Stü=
cke). Der Zutritt wird gern gestattet.

e) Die Sammlung ökonomischer Pflan=
zen der k. k. Landwirthschaftsgesell=
schaft, Heiligenkreuzerhof Nr. 676, enthält alle
Arten und Abarten von Cerallen, Pflanzen zur
Fütterung, Hülsenfrüchte, Gartengewächse ꝛc., ein
vollständiges Forstherbarium, eine Sammlung in=
ländischer Holzarten, verschiedene Sorten von Stein=
und Kernobst in Wachs geformt, und eine reiche
Sammlung von Mineralien.

Der Eintritt wird in der dortigen Gesellschafts=
kanzlei nachgesucht.

f) Die Naturalien=, Instrumenten=
und Präparaten=Sammlungen der k. k.
Josephinischen Akademie, Währingergasse
Nr. 221, bewahrt Produkte aus allen Naturreichen,
besonders in Beziehung auf Chemie und materia
medica; über 400 anatomisch=pathologische Präpa=
rate; chirurgische Instrumente, Maschinen und alle
Arten zu chirurgischen Operationen nöthiger Ban=
dagen (über 2000);' eine höchst wichtige pathologi=
sche Knochensammlung; eine Sammlung Skelete
von natürlichem und monstrosem Foetus nach allen
Perioden der Zeugung (von Sömmering und
Bering); Gehörpräparate des Menschen (von Dr.
Georg Jlg), der Vögel und Fische (von Herrmann);
die anatomisch=pathologischen Präparate (von Hu n=

c z o f l y) im Erdgeschoß, und im zweiten die be=
rühmten anatomischen Wachspräparate in 7 Sälen,
Meisterwerke des Kunstfleißes von Fontana und
Moscagni in Florenz.

Gelehrte, Ärzte und Wundärzte ha=
ben des Eintritts wegen sich Donnerstag bei dem
dortigen Prosector zu melden.

g) Die Sammlung der anatomischen
Präparate der Universität. (Siehe S. 151
und deren ausführliche Beschreibung in den medizi=
nischen Jahrbüchern der Wiener=Universität 1821),

h) Das anatomisch=pathologische Mu=
seum im allgemeinen Krankenhause,
Alservorstadt Nr. 195, hat ebenfalls theils trockene,
theils in Weingeist aufbewahrte merkwürdige Prä=
parate aufzuweisen. Am Vollständigsten dürften die
der Herz= und Gefäßkrankheiten, am Zahlreichsten
die Sammlung von Schädeln seyn. Der Eintritt,
gewöhnlich an einem Sonnabende von 10—12
Uhr Mittags, ist bei dem jedesmaligen Vorsteher
desselben anzusuchen und nähere Nachricht darüber
in dem Museum anatomico=pathologicum von
Dr. Biermayr, Wien 1816, zu finden.

i) Die Prohaska'schen mikroskopischen
Einspritzungen nach Lieberkühn werden wissen=
schaftlich gebildeten Männern von dem Primararzt
im allgemeinen Krankenhause Dr. Jos. Chr. Schiff=
ner vorgezeigt.

k) Die k. k. ethnographischen Samm=
lungen im untern Belvedere, auf dem Rennwe=
ge, theils von James Cock, bestehend aus Gö=

181

ßenbildern, Waffen, Mußkinstrumenten verschiede=
ner wilden Völkerschaften, und 1806 in London er=
kauft, theils vom Professor Gieseke, Seltenheiten
aus Grönland enthaltend. Diese Sammlungen sind
im Lokale der Ambrasersammlung aufgestellt und
mit derselben in Augenschein zu nehmen.

5. **Sammlungen zum Behuf der Phy=
sik, Mathematik und Technik.**

A. **Öffentliche, und zu wissenschaft=
lichen Anstalten gehörige Sammlungen.**

a) Die merkwürdigen technischen Samm=
lungen Sr. Maj. des regierenden Kaisers von
Österreich Ferdinand I. bestehen

1.) aus der eigentlichen technischen
Sammlung: rohe Verbrauchsstoffe in Fa=
briken und Manufakturen des Inlandes, Fa=
briks= und Manufakturerzeugnisse aus sämmt=
lichen Provinzen des österr. Kaiserstaates, ge=
gen 38,000 Stücke, im steten Fortschreiten;

2.) aus der technischen Sammlung des
k. k. Militärs: sämmtliche Waffen und Ge=
schützgattungen, Munition, Werkzeuge der ver=
schiedenen Militärbranchen, Fuhrwerk, Schiffe,
Schiffbrücken ꝛc. ꝛc. größtentheils in Modellen.

3.) Die technische Modellensammlung:
sämmtliche Bestandtheile der Maschinen, und
die Maschinen selbst, nach bestimmtem Maßstab
und aus demselben Material, wie im Großen.

Diese Sammlungen sind seit Kurzem von Sr.
Maj. dem Kaiser der öffentlichen Benützung gewid=

Der Fremde in Wien. 3. Aufl.   16

met, worüber die näheren Bestimmungen erwartet werden; sie stehen unter der Aufsicht und Leitung der Herren Stephan Ritter von Keeß und W. C. Wabruschek v. Blumenbach. Ersterer ist Direktor, letzterer Aufseher dieses Kabinets.

b) Die **physikalische** und **mechanische Maschinen-, Instrumenten- und Modellen-Sammlung der k. k. Universität**, im Gebäude derselben Nr. 756, ist theils in Glasschränken bewahrt, theils frei aufgestellt und zur Benützung bei wissenschaftlichen Vorträgen bestimmt. (Siehe S. 151.)

c) Die **Sammlung physikalischer und mathematischer Instrumente der Theresianischen Ritterakademie** enthält beinahe alles Vorzügliche, was im Gebiete der Geometrie, Mechanik, Hydraulik, Physik ꝛc. ꝛc. im In- und Auslande erschienen ist.

d) Das **physikalische und mathematische Museum des gräfl. Löwenburgischen Konvikts**, Josephstadt Nr. 135, eigentlich zum Gebrauch der Zöglinge, wird, wie die früher erwähnten, aber auch Fremden gezeigt.

e) Die **Sammlungen des k. k. polytechnischen Instituts** (Seite 162) und zwar

1) das **National-Fabriksproduktenkabinet**, zur Bezeichnung des Standpunktes der inländischen Industrie, durch Aufstellung charakteristischer Muster in möglicher Vollkommen-

heit, wovon gegenwärtig über 22,000 Stücke vorhanden sind. Damit in Verbindung steht

2) die Sammlung von mehr als 5000 Muster=werkzeugen, viele derselben aus England Behufs einer Vervollkommnung inländischer Werkzeuge.

3) Die Sammlung der Modelle für praktische Maschinenlehre, Land=, Wasser= und Brücken=baukunst (320).

4) Die Sammlung architektonischer Modelle (200).

5) Das physikalische und mathematische Kabinet, enthaltend physikalische Apparate und Vorrichtungen, Werkzeuge der praktischen Geo=metrie, Gewichte, Maße u. dgl.

6) Die sehr lehrreiche Sammlung für die kommer=zielle Waarenkunde im charakteristischen Zustande, und endlich eine Sammlung chemischer Präparate und Fabrikate, wie solche im Handel vorkommen.

Eintritt zur Besichtigung am Sonnabende (s. S. 164).

f) Endlich gehört hierher die von der k. k. Re=gierung verordnete Gewerbausstellung d. i. Ausstellung von Meisterstücken der Erzeugnisse aller Fabriks=Manufaktur=Gewerbszweige der gesamm=ten Monarchie. Die erste wird in Wien vom 1. Sep=tember 1835 an in der hiesigen, auf Staatskosten eingerichteten Hof=Winterreitschule am Josephs=platz Statt finden und die Wiederholung alle 3 Jah=re erfolgen. Sr. Maj. der Kaiser Ferdinand I.

184

hat bei dieser Induſtrial-Ausſtellung auch eine feierliche Vertheilung goldener, ſilberner und bronzener
Ehrenmedaillen für das Ausgezeichnetſte derſelben zu bewilligen geruht.

B. Privatſammlungen.

a) Das k. k. phyſikaliſch-aſtronomiſche
Kabinet, im Schweizerhofe der Burg, zum Ge-
brauch des allerhöchſten Hofes. Direktor iſt Herr
Kanonikus Chriſt. Stelzhammer, welcher in den
Wintermonaten Vorleſungen über Naturlehre, von
erläuternden Verſuchen begleitet, für Damen und
Herren zu halten pflegt.

b) Die Sammlung der landwirth-
ſchaftlichen Modelle der k. k. Landwirth-
ſchaftsgeſellſchaft, für die Ökonomie höchſt
wichtig, iſt ungemein reich an Land- und Haus-
wirthſchaftsgeräthen, an Ackerwerkzeugen und Maſchinen des In- und Auslandes, Abbé A. Harder
hat ſie zum Theil ſelbſt verfertigt, theils nach ſeiner
Angabe ausführen laſſen.

Der Eintritt wird in der Geſchäftskanzlei, Heiligenkreuzerhof Nr. 676, angeſucht.

6. Die botaniſchen Gärten gehören gleichfalls zu den Beförderungsmitteln der Lehranſtalten,
und es mag über dieſe das S. 129 u. f. Geſagte und
der Artikel Schönbrunn nachgeleſen werden.

185

XV.

Kunstbildungsanstalten.

A. Eigentliche.

1.) Die k. k. Akademie der vereinigten bildenden Künste, Annagasse Nr. 980. Sie wurde vom Kaiser Leopold I. 1704 gegründet und von dessen Nachfolger Joseph I. eröffnet. Peter Strudel war der erste Direktor, Johann van Schuppen sein Nachfolger. Beide sind die oft genannten Meister vieler Kirchengemälde. Bis auf van Schuppen bestand blos eine Maler= und Bildhauerschule. Dieser vermehrte sie mit der Architekturschule, und auf des Kupferstechers Jakob Schmutzer's Vorschlag errichtete die Kaiserin Maria Theresia 1766 eine Kupferstecher=, und 1767 eine Bossir= und Graveurschule, welche mit der Akademie vereinigt wurden. Letztere erhielt nun obigen Titel, wurde vom Kaiser Joseph II. aus dem Universitätsgebäude in das jetzige Lokal verlegt (1786) und vom Kaiser Franz I. durch neue Statuten fest begründet.

Diese Akademie als Kunstschule besteht aus vier Hauptabtheilungen. Jeder derselben steht ein Direktor vor. Die erste ist

a) die Schule der Maler, Bildhauer, Kupferstecher und der Mosaik. Die Lehrgegenstände sind: Anfangsgründe der historischen Zeichnung nach Originalhandzeichnungen; Zeich=

nung und Modellirung nach den vorzüglichsten
Büsten und Statuen des Alterthums; Knochen=
und Muskellehre nach dem Skelet, nach anato=
mischen Abbildungen und Präparaten; Zeich=
nung und Modellirung des menschlichen Kör=
pers nach der Natur, und mit dem Wurfe der
Gewänder; Landschaftszeichnung nach der Na=
tur und nach Originalzeichnungen; Blumen=,
Früchte= und Thiermalerei; die Bildhauerei in
Allem, was der Bildner als Stoff bearbeitet;
alle Arten der Kupferstecherei und die Mosaik.
Mit dieser Abtheilung ist die eigentliche Me=
dailleur= und Schneidekunstschule
vereinigt.

b) die Schule der Baukunst im weitesten Sinn.
Lehrgegenstände: Von den Anfangsgründen bis
zur höheren Baukunst; als Vorkenntnisse: Arith=
metik, Geometrie, Perspektive, Mechanik und
Hydraulik.

c) Die Gravirkunst. Lehrgegenstände: Stahl=,
Stein=, Edelsteinschneiden in erhobener und
vertiefter Arbeit, nebst Behandlung der Me=
talle, um sie zu formen. In dieser Schule die=
nen als Originalien 88 Gipsabdrücke der vom
k. k. Kammer=Medailleur Franz Xav. Würth
in Wien während seines Aufenthalts in Italien,
nach den in den Gallerien zu Florenz, Rom und
Neapel befindlichen Originalbüsten und Statuen,
in Messing geschnittenen und kopirten Abbildun=
gen der berühmtesten Personen und Gottheiten
des alten Griechenlands und Roms.

d) Zeichnung und Malerei in Anwendung auf verschiedene Zweige des Kunstfleißes, besonders der Kunstweberei und der feinen Kattundruckerei. Diese Abtheilung und die der Gravirkunst befindet sich im k. k. polytechnischen Institute, woselbst in der erwähnten Beziehung an Sonn= und Feiertagen für Lehrlinge und Gesellen einige Unterrichtsstunden gegeben werden.

Der große akademische Versammlungssaal ist mit den Portraits der regierenden Monarchen seit der Stiftung, und mit Kunstwerken akademischer Mitglieder geziert. Vier andere Säle enthalten abgeformte Meisterstücke der alten Kunst, antike und moderne Büsten, Modelle und Statuen. Außerdem besitzt die Akademie eine von Rudolf Fueßli 1800 angelegte Bibliothek aus dem Kunstfach, und als Vermächtniß des Grafen Anton von Lamberg eine mit Geschmack und Sorgfalt gewählte Gemäldesammlung aus allen Schulen. (S. unten.)

Die Akademie hat einen Kurator, Präses und einen beständigen Sekretair, 2 außerordentliche, 10 ordentliche Räthe, 4 Direktoren und mehrere Kunst= und Ehrenmitglieder. Die Zahl der Professoren und Korrektoren ist unbeschränkt und richtet sich nach den vorhandenen Lehrgegenständen. Gewählt vom akademischen Rathe, der aus einem Präses, einem beständigen Sekretair und den Räthen besteht, werden sie von dem Herrn Kurator (jetzt Fürst Metternich) bestätigt. Der Unterricht wird das ganze Jahr hindurch, mit Ausnahme der Monate September und Oktober, ertheilt. Für die besten Arbeiten der

Schüler sind jährliche Preise in Silber, und für größere Arbeiten alle zwei Jahre in Gold ausgesetzt. Ausgezeichnete Talente werden zur vollkommenen Ausbildung bei der Akademie, und im Auslande, wo Rom zum Aufenthaltsort vorgeschrieben ist, durch besondere Pensionen unterstützt.

Die Besichtigung der Akademie wird nach eingeholter Bewilligung von Seite des beständigen Secretairs derselben (jetzt der akad. Rath Herr Ludwig von Remy) gestattet.

2.) Die öffentliche Kunstausstellung findet seit 1816 in den Sälen der vorerwähnten Akademie Statt, und stellt jährlich im Monat April die vorzüglichsten Werke hiesiger akademischer Künstler und anderer Mitglieder zur Beschauung und auch zur Veräußerung auf. Diese Ausstellung wird sehr stark besucht und wer sie mit Bequemlichkeit sehen will, zahlt ein bestimmtes Eintrittsgeld. Ein gedruckter Katalog weiset die Anzahl und den Inhalt der Stücke nach. Leider sind die beurtheilenden Nachrichten darüber in öffentlichen Blättern bis jetzt nur sehr dürftig gewesen.

3.) Die Gesellschaft der Musikfreunde im österr. Kaiserstaate besteht seit dem Jahre 1813, und hat die Ausbildung der Musik in allen ihren Zweigen zum Zweck. Sie ist zusammengesetzt aus mitwirkenden, unterstützenden und Ehrenmitgliedern, hält eine Singschule und ertheilt durch 16 Professoren in allen Zweigen der Musik an mehr als 350 männliche und weibliche Zöglinge unentgeltlich Unterricht. Diese Professoren, worunter 2 Lehrer und 1 Lehrerin des Gesanges, bilden mit einem Vorsteher und Oberleiter das K o n s e r v a t o r i u m d e r M u s i k das von einem besonderen Comite unter Oberaufsicht des leitenden Ausschusses besorgt wird. Die Schüler haben nebst dem Unterricht zweimal die Woche Chor= und Orchesterübung, auch finden feierliche Prämienvertheilungen an sie, beste= hend in Medaillen oder Musikwerken, Statt. Fer= ner gibt die G e s e l l s c h a f t jährlich 4 K o n z e r t e von mehr als 200 Individuen im großen Redouten= saale, zu welchen die Mitglieder allein freien Eintritt haben und veranstaltet zu ihrem Vergnügen Abend= unterhaltungen und besondere Z ö g l i n g s k o n z e r= t e , von deren Ertrag Stipendien verliehen werden. Dann hat sie einen eigenen prachtvollen K o n z e r t= s a a l , der in Wien noch vermißt wurde, in dem Gesellschaftslokal unter den Tuchlauben Nr. 558 er= bauen lassen, der auch von fremden Tonkünstlern häufig benutzt wird. Der Plan ist vom Architekten Franz L ö ß l , die Malerei von G e y l i n g , die Skulptur von C e b e k . (Näheres darüber in der Schrift: Die Gesellschaft der Musikfreunde des österr. Kaiserstaates, Wien, bei Stöckholzer von Hirschfeld, 1831, 8. Von den Sammlungen weiter unten).

Gegen einen jährlichen Beitrag von 5 fl. K. M. erhält man die Aufnahme in die Gesellschaft, den unentgeldlichen Eintritt in die vier großen Gesell= schaftskonzerte, die Befugniß zu den Abendunterhal= tungen zu abonniren und den Zutritt zu einem Ge= sellschaftsball für sich, seine Familie und Freunde.

4.) Eine andere treffliche Anstalt, der Musik=

verein zur Verbesserung der Kirchenmusik auf dem
Lande und zur kirchlich-musikalischen Bildung der
Schulkandidaten als Chordirektoren, befindet sich
unter einem leitenden Ausschusse zu Skt. Anna,
Stadt Johannesgasse Nr. 980.

5.) Ein von F. X. Gebauer 1819 gegründeter
Verein von Künstlern und Dilettanten veranstaltet
während der Fastenzeit sogenannte Concerts spiri-
tuels zur Beförderung klassischer Musik im
Saale der N. Ö. Landstände, deren Ertrag zur An-
schaffung neuer vorzüglicher und seltener Musikwerke
verwendet wird. Die jetzigen Unternehmer haben
1835 für eine neue, noch nicht gehörte Symphonie
für das ganze Orchester 50 Dukaten in Gold ausgesetzt.

6.) Die Kirchenmusikvereine zur Beför-
derung der Kirchenmusik bestehen in verschiedenen
Vorstädten: Wieden, Schottenfeld, Leopoldstadt,
Alservorstadt zc. zc.

7.) Musik- und Singlehranstalten
sind in Menge vorhanden. Ich bezeichne hier nur
einige:

a) Die Lehranstalt für Musik des August
Swoboda, Rothenthurmstraße Nr. 725 lehrt
Generalbaß, einfachen und doppelten Kontra-
punkt, Imitation, Kanon, Fugenbau und In-
strumentirung. Das Honorar für einen Kurs
ist 6 fl. K. M. Außerordentlicher Unterricht wird
ertheilt im praktischen Orgelspiel, im Präam-
buliren und im Singen.

b) In der Harmonielehre ertheilt Unterricht

Joachim Hoffmann, im Bürgerspital, Hof 1, Stiege 7, Stock 4.

c) Die Sing = Musiklehranstalt des Michael Leitermeyer ist in der Alservorstadt, Hauptstraße Nr. 124, des Gregor Nagl, in der Leopoldstadt, große Pfarrgasse Nr. 304 u. s. w.

7.) Die Zahl der Privatlehrer in Musik und Gesang ist außerordentlich groß, und das Intelligenzblatt der Wiener=Zeitung enthält fast täglich empfehlende Ankündigungen.

8.) Die Zahl der in und um Wien lebenden bildenden Künstler beträgt gegen 600, die der Tonkünstler etwa 800. Ich verweise hier auf die, rücksichtlich der Schriftsteller S. 157 gemachte Bemerkung; indeß können die Namen der bekanntesten in Pezzl's Beschreibung von Wien nachgelesen werden. Auch ertheilen nöthigen Falls die hiesigen Kunsthandlungen bereitwillig Auskunft.

B. Uneigentliche Kunstbildungsanstalten.

Die Ärarialfabriken, welche sich den vorbenannten Anstalten wenigstens beziehungsweise zuzählen lassen, sind folgende:

1.) Die k. k. Porzellanmanufaktur, Vorstadt Rossau Nr. 137, war ursprünglich (1718) ein Privatunternehmen. Seit 1744 aber besitzt sie das Ärarium. Die Fabrik hat 42 liegende, und 2 runde Starkbrennöfen, 2 große Verglüh=, und 8 Emailöfen, beschäftigt gegen 500 Arbeiter, und theilt sich in die Fabrikation, Weißdreherei, Bild=

nerei und in die Malerei. In der Kunst hat sie Mei=
sterwerke geliefert.

Das Wiener. Porzellan ist wegen der Dauer,
Weiße und Schönheit der Form, wegen Malerei
und Vergoldung berühmt und hat sich eines bedeu=
tenden Absatzes, vorzüglich nach der Levante, nach
Polen und Rußland, zu erfreuen. Zur Bereitung
der schönsten grünen Emailfarbe dient das in Steier=
mark entdeckte Chromerz als Material. Auch kann
die Passauererde nach Umständen ganz entbehrt wer=
den, da die bei Znaim in Mähren aufgefundenen
Lager eine Erde geben, welche zur Anfertigung der
Geschirre eben so gut und feuerhaltig ist, als jene.

Besonders sehenswerth sind die Einrichtungen
aus neuester Zeit, namentlich der Bau des soge=
nannten Berlinerbrennofens, die Anwendung einer
Dampfmaschine von 4 Pferde Kraft zum Zerstampfen
der Kapselschroben und zum Feinmahlen des Fluß=
spaths, dann die Röhrenbeheizung der zur ebenen
Erde befindlichen Weißdreherei und der Malerei im
ersten Stock, wobei der von der Maschine abgehende
Dampf noch als Wärmemittel benutzt wird.

Die Erlaubniß zum Eintritte in die vielen Werk=
stätten wird von der Direktion im Gebäude der An=
stalt ertheilt.

Mit der Direktion der Porzellanfabrik ist die
der k. k. Spiegelfabrik verbunden. Diese befin=
det sich in der Schlegelmühle bei Glocknitz hinter
Neunkirchen und erzeugt Spiegel von 60 Zoll Höhe
und 30 Zoll Breite, auch noch darüber. Das hiezu
verwendete Spiegelglas wird gegossen, geschliffen,

193

polirt und dann mit Folio belegt. Gegoffene Spiegel in größeren Dimenfionen werden nur al= lein in diefer und in keiner andern Fabrik er= zeugt, weder im öfterreichifchen Kaiferftaate, noch in Deutfchland.

Das große und prachtvolle Verkaufsmaga= zin der Porzellangefäße und der Gußfpiegel ift in der Stadt auf dem Jofephsplatze Nr. 1155, und täglich von 8—12 Uhr, Nachmittag von 2—6 Uhr geöffnet.

2.) Die k. k. Kanonengießerei und die Kanonenbohrerei. Erftere, in der Favoriten= ftraße Nr. 317 auf der Wieden, wurde von der Kai= ferin Maria Therefia 1750 angelegt, und fteht un= ter der Aufficht mehrerer Artillerie = Offiziere. Die mit derfelben verbundene chemifche Lehrfchule befchäf= tigt fich mit Allem, was auf das Schmelzen der Me= talle Bezug hat. Die zur Stückgießerei nöthigen Werkzeuge und Mafchinen find in einem großen Fo= lianten genau abgezeichnet.

3.) Nach vollendetem Guße werden die Kanonen gebohrt. Die neue Bohrmafchine ift auf der Land= ftraße, Rabengaffe Nr. 486, am Neuftädterkanal. Die Bohrer liegen nicht vertikal, fondern horizon= tal, und die Kanonen drehen fich um folche vermöge einer eigenen mechanifchen Vorrichtung herum. Der Bau diefer Anftalt ift ein Meifterwerk und von dem berühmten Reichenbach aus München vollendet.

Zur Befichtigung der Gießerei und Bohrerei, befonders der letztern, ift eine befondere Erlaubniß nöthig, welche in der General = Artillerie = Direk=

17

tionskanzlei des Hofkriegsgebäudes im 4. Stock nach=
zusuchen ist.

4.) Die k. k. Feuergewehrfabrik, in der
Währingergasse Nr. 201, ist unter der Regierung
Kaisers Joseph II. 1785 entstanden und liefert die
meisten Schießgewehre für die österreichische Armee
und die Zeughäuser. Unter der früheren Oberdirek=
tion des k. k. Generals Natalis Bervaldo=Bian=
chini ist sie bedeutend erweitert, verbessert und mit
einem Büchsenmacher=Lehrlings=Institut
versehen worden. Zur Beförderung der Arbeit dienen
mancherlei künstliche Instrumente und Maschinen,
unter welchen die sinnreich konstruirte Bohrma=
schine der Gewehrläufe besondere Aufmerksamkeit
verdient. Erlaubniß zum Eintritt wird in der Di=
rektionskanzlei im Fabriksgebäude nachgesucht.

5.) Endlich dürfte hier füglich noch anzureihen
seyn: die Bronzewaarenfabrik von Jakob
Weiß, in der Alservorstadt, Florianigasse Nr. 86,
deren Erzeugnisse alles Lob verdienen, und die k. k.
privilegirte Bronze= und Eisengießerei von
Joseph Glanz auf der Wieden, Hechtengasse Nr.
568. Sie trat 1831 in Thätigkeit, verfertigt und
verkauft alle großen und feineren Gegenstände in
Bronze und Eisenguß, als: Damenschmuck, Arm=
bänder, Colliers, Sevignéketten u. dgl., Leuchter,
Uhrgehäuse, Schmuckträger, Schreibzeuge, Papier=
beschwerer, Büsten, Statuen und Portraits berühm=
ter Männer, Basreliefs von verschiedener Größe;
sie gießt auch Maschinen, hält Lager in Leipzig und
Hamburg, und macht Versendungen nach mehreren

deutſchen Staaten, ſelbſt nach Schweden, Däne=
mark und England. Der Eigenthümer, ein gebor=
ner Öſterreicher, verſteht die Formen zur Fabrika=
tion ſo zu ſichern, daß die Erzeugniſſe nie rauh wer=
den, die Bronze=Basreliefs ſo zu gießen, daß jede
Ciſelirung überflüßig iſt, und den feinen Eiſenguß=
arbeiten das täuſchende Anſehen zu geben, als wä=
ren dieſelben aus edlen oder andern Metallen (Gold,
Silber, Bronze, Kupfer) verfertigt. Dieſe Anſtalt
beſchäftigt bereits mehr als 50 Arbeiter.

XVI.

Beförderungsmittel der Kunſtbildungs= anſtalten.

1.) Der Privatverein zur Beförde=
rung der bildenden Künſte, entſtanden im
Jahre 1830, hat die Beſtimmung, durch Ankäufe
gelungener Werke lebender vaterländiſcher Künſtler
die Thätigkeit derſelben anzuregen, und die Theil=
nahme für die bildende Kunſt im Publikum zu ver=
breiten. Dieſem Vereine iſt auch eine ſehr große Theil=
nahme geworden, und ſein Fond durch Aktien à 5 fl.
K. M. jährlich für die Dauer begründet. Die an=
gekauften Kunſtwerke (von jeder Kunſtausſtellung
gegen 60) werden unter den Vereinsmitgliedern ver=
loſet, lithographirt u. ſ. w. Auf ſolche Weiſe wird
die Kunſt am Kräftigſten unterſtützt, denn ein blo=
ßes Ausſtellen der Werke, ohne ſichere oder doch

*

wahrscheinliche Hoffnung auf Gewinn, kann die Thä=
tigkeit der Künstler wenig fördern.

Die Statuten des Vereins sind gedruckt, und
zu haben beim Kunsthändler Müller am Kohlmarkte
Nr. 1147.

2.) Die akademische Kunsthandlung
und die sogenannte bleibende Kunstausstel=
lung, in der Annagasse Nr. 980, ist im Jahre 1835
aufgelöst worden. Da erstere aber nur eine Kunstmate=
rialwaarenhandlung war, so wäre beiläufig hier zu be=
merken, daß Joseph Heckmann und Sohn, Land=
straße, Rabengasse Nr. 484 ebenfalls alle für die
Ölmalerei erforderlichen Farben, Kopalfirnisse und
andere Polituren (eigene Fabrikate) verkaufen, auch
Unterricht ertheilen im Umdrucken von Kupfer=
stichen und lithographirten Bildern auf Holz, Por=
zellan, Glas u. dgl., dann Anleitung zur Schnell=
Kunst=Ölmalerei auf Glas und Leinwand
geben.

3.) Das topographische Bureau des
k. k. General=Quartiermeister=Stabes,
in dem Hofkriegsrathsgebäude am Hof Nr. 422, be=
schäftigt sich mit der Herausgabe von Landkarten,
besonders der speciellen von Österreich 2c., welchen
eine genaue trigonometrische Vermessung zum Grun=
de liegt. Das Verzeichniß der erschienenen Karten
ist im Verkaufsorte derselben, im k. k. Hof=
kriegsgebäude zu ebener Erde rückwärts in der Sei=
tergasse, einzusehen, woselbst auch die von dem geo=
graphischen Institut in Mailand herausgegebe=
nen Karten zu haben sind. Mit diesem Bureau ist

eine lithographische Anstalt verbunden, welche
Straßenkarten, Kulturkarten der Umgebungen Ba-
dens u. s. w. geliefert hat.

4.) Die Kunst-, Musikalien- und Land-
karten - Handlungen verkaufen Kupferstiche,
Zeichnungen, Gemälde, Büsten, Caméen, Vasen,
Landkarten, Musikalien, mathematische und optische
Instrumente, Bücher, deren Hauptbestandtheil Ku-
pfer sind, Farben, Stick- und Strickmuster.

Die Kunsthändler bilden ein Gremium und ihre
Verkaufsmagazine liegen ziemlich nahe an einander.
Am Michaelerplatz findet man Peter Mechetti;
an der Burg Nr. 2 Florian Mollo; am Kohlmarkte: Ed. Mollo; L. T. Neumann; Dominik Artaria und Komp. (viele Gemälde und Handzeichnungen); Heinrich Fried. Müller (Stickmuster, Bilderbücher für die Jugend, Kunstbillets u.
dgl.); David Weber Nr. 282 (ältere Gemälde
und Kupferstiche); im Seitzerhofe: Joh. Sigmund
Bermann, vormals Stöckel (großes Waaren-
lager von alten Kupferstichen, Zeichnungen ꝛc.); am
Graben im Trattnerhofe: Tobias Haslinger, k. k.
Hof- und priv. Kunst- und Musikalienhändler, mit
einem Verlag von mehr als 4000 Artikeln der ausgezeichnetsten Tonsetzer; Joseph Trentsensky,
Diabelli, A. Pennauer (vorzügliche Kupferstiche) und Jeremias Bermann (Kupferstiche,
moderne Gemälde, Stickmuster); am neuen Markte
Nr. 1064: Anton Paterno, und in der Kärntnerstraße Nr. 941 Anton Berka und Komp. (Kupferstiche und Ölgemälde.)

5.) Mit Antiquitäten und Gemälden
treibt Handel Joseph Giaccomini in der Herrngasse, und ein Verschleißgewölbe für Armatur-
gegenstände, Münzen und Antiken findet man
noch in der Jägerzeile Nr. 59 bei Franz Hieß-
mann.

6.) Die lithographischen Anstalten,
deren etwa 15 bestehen. Von diesen dürfte jetzt

a) die des Joseph von Trentfensky die aus-
gezeichnetste seyn. Der Verlagsort ist auf dem Graben, und auf dem Stephansplatz im Zwettelhof
Nr. 869 (zugleich in der Wollzeile.) Einige der ge-
lungensten Unternehmungen sind: die malerische
Darstellung der k. k. Armee, Wien's Umgebungen
heftweise á 1 fl. 36 kr., einzelne Blätter á 36 kr.
K. M., Steinbüchels archäologischer Atlas, 8 Lieferungen in Folio, nach echten zum Theil unedirten
Antiken, und die Modebilder des Auslandes.

b) Das lithographische Institut, in
der Herrengasse Nr. 252, woselbst sich auch die lithographische Druckerei befindet, liefert Landschaften, Portraits, historische Gegenstände und dergl.
Eine ausgezeichnete Leistung ist der Stammbaum
des Erzhauses Österreich; Wien's Umgebungen eben-
daselbst.

c) Die des Mansfeld und Komp. (Ludwig
Förster), Seitenstettengasse Nr. 464, welche Alt's
Donauansichten, und Kopien von Originalzeichnungen alter Meister aus der Sammlung des Erzherzogs Karl geliefert hat, nämlich 18 Hefte von Mei-

ſtern aus der italieniſchen, und 16 dergl. von der aus der deutſchen Schule, in Folio.

d) In der Auſtalt des Philipp v. Phillis= dorf, Gumpendorf, Hauptſtraße Nr. 194, werden Schriften in Stein vorzüglich gut beſorgt.

e) Joſeph Häußle lithographirt auf Stoffe und Papier, beſorgt alle lithograph. Kunſt= und Kanzleiartikel, in der Teinfaltſtraße Nr. 74 u. ſ. w.

7. Die Sammlungen von Alterthü= mern der Kunſt und Technik; Münzkabi= net, Zeughäuſer und diplomatiſch=he= raldiſche Sammlungen.

A. Öffentliche:

a) Die k. k. Schatzkammer im 1. Stock des Schweizerhofs in der Burg. Der ganze Schatz iſt in einer Gallerie und in vier Zimmern aufgeſtellt. Die koſtbarſten Stücke ſind: der florentiniſche Diamant, 133 Karat ½ Gran (sic) oder 582½ Gran ſchwer; ein ungewöhnlich großer Brillant in Form eines Hutknopfs; eine Garnitur Diamantknöpfe; der rei= che Familienſchmuck des kaiſerlichen Hauſes; die be= rühmte runde Schüſſel aus einem einzigen Achat im Durchmeſſer 2 Fuß 3 Zoll und das nicht minder be= rühmte Trinkgefäß aus einem einzigen Smaragd, mit dem Deckel an 3000 Karat ſchwer; überhaupt eine Menge durch Stoff, Kunſt und hiſtoriſche Be= deutung höchſt koſtbarer Gegenſtände. Unter dieſen: der Talisman aus Kryſtall mit dem Zeichen des Löwen, an welchen Wallenſtein ſein Schickſal gebunden glaubte, und die Wiege des Königs von Rom aus vergoldetem Silber, von Prudhon,

Rognet, Thomire und Odiot verfertigt; ferner die ehemalige Hauskrone, jetzt zu den öſterrei=chiſch=kaiſerlichen Inſignien beſtimmt, unter Rudolph II. in Prag verfertigt; die Inſignien des weil. heil. römiſchen Reichs, d. i. Karls des Großen Kaiſerornat, Krone, Zepter, Degen und Mantel; jene, die Napoleon bei ſeiner Krönung zum König von Italien trug; zwiſchen beiden Ornaten der Säbel Timur's, den der perſiſche Botſchaf=ter Mirza Abul Haſſan Chan bei ſeiner Sendung nach Wien 1819 Sr. Majeſtät dem Kaiſer Franz I. als ein Geſchenk ſeines Herrn überreichte u. ſ. w.

Eintrittskarten werden Donnerſtag von 10 - 2 Uhr vom Schatzmeiſteramt im Schweitzerhofe der Burg er=theilt. Die Anmeldung dazu geſchieht Montag vorher.

b) Das k. k. Münz= und Antikenkabi=net im Auguſtinergange der Burg, eine der reich=ſten und koſtbarſten Sammlungen von Alterthümern der Kunſt in Europa, iſt unter der Leitung Sr. Excellenz des Grafen Moriz v. Dietrichſtein in fünf Zimmern neu aufgeſtellt.

Im Eingangsſaale (A.) findet man ſämmtliche Monumente in Bronze: Idole, Hausgeräthe, Ge=fäſſe, Lampen, Helme und Anticaglien aller Art; im daran ſtoßenden Saale rechts, dem Vaſenſaale (B.), die reiche und gewählte Sammlung altgriechi=ſcher Vaſen, über 800 Stücke, wichtig für die Ge=ſchichte der Kunſt, für Mythologie und überhaupt für die Literatur des Alterthums; Figürchen in ge=branntem Thon (Terra cotta's), Reliefs, Lampen, römiſche Urnen, kleinere Gefäſſe (über 1200), Dip=

tycha, Monumente in Elfenbein, Urnen und kleine
Gefässe in Glas (etwa 200). Rückwärts über drei
Stufen ist die zum k. k. Kabinet gehörige ausge=
wählte Handbibliothek, besonders mit Werken
für Münz= und Alterthumskunde und die damit ver=
wandten Wissenschaften. — Links vom Eingangs=
oder Bronzensaale sind drei Zimmer, und in
den beiden ersten sämmtliche Münzen und Medail=
len, 150,000 Stücke ohne Doubletten. Das erste
von diesen, oder in der Zahl das dritte (C.), enthält
nämlich die mittelalterlichen und modernen
Münzen und Medaillen in 10 Kasten, wor=
unter viele Schaustücke von 60 — 360 Dukaten in
Gold, und eine alchymistische Medaille vom J. 1677,
wahrscheinlich die größte existirende von 2055 Duka=
ten, dann auch die orientalischen Münzen (etwa
2000). Im vierten Zimmer (D.) befinden sich die grie=
chischen, römischen und byzantischen Mün=
zen in 8 Kasten, von der Entstehung des Münz=
prägens, 600 vor Chr., bis zu Karl dem Großen
im Abendlande. An der Wand ist eine meisterhafte
Kopie der Vorderseite des berühmten Fuggerschen
Sarkophags mit dem Amazonenkampfe, gemalt vom
k. k. Kabinetszeichner und Kupferstecher Pet. Fendi.
Das fünfte Zimmer (E.) bewahrt die unschätzbare
und auf der Erde reichste Sammlung geschnitte=
ner Steine in den Fächern zweier großen Glas=
tische, nämlich 1170 antike, 591 moderne Caméen
und Intaglien, und 479 antike Pasten. Zu den erste=
ren (den antiken) gehören: die sogenannte Apo=
theose Augusts, das vollkommenste Meisterstück

dieſer Art, nach Maffei der Augapfel des Wienerka=
binets, vom Kaiſer Rudolph II. um 12,000 Dukaten
erkauft, eine Onyxplatte von 8¾ Zoll Durchmeſſer
in der Breite (Schmidl a. a. O. S. 178 hat fälſch=
lich 28½ Zoll), auf der 20 der ſchönſten menſchlichen
Figuren ſich mit der größten Harmonie in maleriſchen
Stellungen entwickeln. Ferner: Ptolemaeus Phila=
delphus mit ſeiner Gemalin Arſinoe; Jupiter auf dem
Viergeſpann; ein großer Adler; die Familie Clau=
dia; Auguſtus und Roma u. ſ. w. In zwei Wand=
kaſten unter Glas ſieht man 23 Gefäſſe, dann 43 Fi=
gürchen und Köpfe von Edelſteinen; die Achat=
ſchale von 28½ Zoll Durchmeſſer in der Breite
(von Schmidl nicht erwähnt) mit Handhaben, aus
dem Brautſchatz Maria's von Burgund und von un=
ſchätzbarem Werthe; eine andere ſilberne, ſchwer ver=
goldete Schale, mit antiken und modernen Cameen
reich beſetzt, angeblich einſt bei Kaiſerkrönungen als
Prachtgefäß gebraucht; zehn Gefäſſe und Schmuck=
ketten mit Edelſteinen, worunter eine Kette mit 49,
aus Muſcheln erhoben geſchnittenen, Bruſtbildern
öſterreichiſcher Regenten von K. Rudolph I. bis auf
K. Ferdinand III., mit 488 Rubinen geſchmückt. —
In zwei anderen gegenüberſtehenden Kaſten ſind die
antiken Schätze in edlen Metallen, und
zwar in Gold: größere Gefäſſe, Figürchen, Ge=
räthſchaften, 87 Stücke zu 3,912 Dukaten; Ringe,
Kettchen, Agraffen u. dergl. 119 Stücke, darunter
eine goldene Kette mit den verſchiedenartigſten Werk=
zeugen menſchlicher Induſtrie; in Silber: Gefäſſe,
Figürchen, Ringe u. dergl. 74 St., unter dieſen

eine überaus schöne Schale mit der Vorstellung, wie
Germanicus als Triptolemus der Ceres opfert, aus
Aquileja, und ein mit Halbmonden gezierter römi-
scher Pferdeschmuck. Zu beiden Seiten des Hauptein-
ganges sind verschiedene Denksteine, und römische
und ägyptische Alterthümer zu bemerken.

Der Eintritt wird am Montag und Freitag um
10 Uhr, nur nach vorläufiger Anmeldung
im k. k. Kabinete selbst, gestattet.

c) Das k. k. Kabinet ägyptischer Alterthümer, in der Stadt Johannesgasse Nr. 972
Stock 1, vereinigt in fünf Zimmern sämmtliche ägyptische Monumente, die früher in dem k. k. Antikenkabinet vorhanden waren oder durch spätern Ankauf
hinzu gekommen sind. In dem Durchgangszimmer
zwischen dem dritten und vierten ist ein großer rö-
mischer auf den Loygerfeldern bei Salzburg gefun-
dener Mosaikboden in vier Gemälden, die Sage von
Theseus und Ariadne vorstellend, befindlich. (Näheres
in der Beschreibung dieser Sammlung von A. v.
Steinbüchel, Wien bei Heubner.) Freier Eintritt an
jedem Sonnabende von 10—1 Uhr.

d) Die k. k. Ambraser-Sammlung, Rennweg, im untern Belvedere Nr. 642, genannt nach
dem Schlosse Ambras bei Innsbruck, in welchem
sie seit ihrer Stiftung von Ferdinand, Erzherzog
von Österreich und Grafen von Tyrol († 1595), aufbewahrt wurde. Im Jahre 1806 kam sie, als ein der
durchlauchtigsten kaiserl. Familie gehöriger Schatz,
nach Wien. Sie enthält 130 Originalrüstungen in
3 Sälen; im ersten besonders deutscher Kaiser und

öfterr. Erzherzoge, im zweiten von deutschen, und im dritten von italienischen und spanischen Herzogen, Fürsten und Rittern meistens aus den XV. und XVI. Jahrhunderte; über 1200 größere und kleinere Bild= niffe berühmter Männer jener und früherer Zeit; zwei große Stammbäume des Hauses Habsburg, um 1498 vollendet; naturgeschichtliche Gegenstände und Kunstwerke des Mittelalters; merkwürdiges altes Hausgeräthe, musikalische Instrumente, Handschrif= ten und Bücher; Pokale, Kostbarkeiten, Kleinodien, Caméen u. dergl. im sogenannten Goldkabinete. Ihr Hauptschmuck sind: das berühmte goldene Salzfaß von Benvenuto Cellini; das Bildniß Karls V. von Tizian, nebst dessen Schild, Armbrust und zwei De= gen; das Portrait Karls IX. von Frankreich, von Clouet; die Schnitzwerke von Albr. Dürer und Alex. Colin von Mecheln.

Die im großen Eingangssaale aufgestell= ten antiken Marmormonumente (Statuen, Büsten, Reliefs, 110 Stücke, kleinere Figuren, In= schriftsteine u. dergl. 130 St.) gehören zum k. k. Münz= und Antikenkabinet und haben gegenwärtig mit der Ambraser=Sammlung nur das Lokale gemein. In der Mitte steht der mit Recht in der Kunstwelt berühmte (s. g. Juggersche) Sarkophag mit der darauf vorgestellten Amazonenschlacht. Der untere Sarkophag mit den 9 Musen, Apollo und Minerva auf der einen, und dem das goldene Vließ nehmenden Ja= son auf der andern Seite ist ein römisches Denkmal. Ausgezeichnet sind ferner noch: die sterbende Amazone im alten aeginetischen Style; der Torso

eines geflügelten Amors; eine Jsispriesterin
in ihrem religiösen Costume aus der Villa Hadriani
in Rom; Paris mit dem Hirtenstabe; die große
Bronzestatue eines Mercurs(?), auf dem Zollfelde
bei Mariasaal in Kärnten 1503 gefunden; die Muse
Euterpe; die kriegerische Roma (Roma bella-
trix); der Kopf des Erstürmers von Syrakus, Mar=
cellus; dann der des Vitellius, Vespa=
sians, Geta's, Aelius Caesars und die
kostbare Marmorvase mit einem Bachanal. —
An den Wänden sieht man eingefügte Reliefs, als:
ein fragmentirtes Opfer (Taurobolium) aus Aqui=
leja; ein Mithrasopfer, bei Mauls in Tyrol gefun=
den; eine seltene Mosaik in erhobener Arbeit aus
Pompeji, die drei Horen vorstellend, u. s. w., und
Oben aufgestellt: die kolossale Maske des Jupiter
Ammon, kleinere Statuen, Büsten u. s. w.

Die Ambraser=Sammlung ist von Aloys Pri=
misser (Wien, 1810. 8.) meisterhaft beschrieben
und der von ihm selbst gefertigte Auszug (Wien,
Wallishausser, 1825. 8. 12 kr. K. M.) jedem Besu=
chenden unentbehrlich. Für werthlos erklärt ist A. F.
Richters neueste Darstellung dieser Sammlung,
Wien, bei C. Haas, 1835. Über die ethnogra=
phischen Sammlungen siehe S. 180. Öffentlicher
Eintritt: Dienstag und Freitag, und zwar von 24.
April bis 30. September von 9 — 12und von 3 — 6
Uhr; vom 1. Oktober bis 23. April von 9 — 2Uhr,
ohne vorläufige Anmeldung; für Gelehrte, Künstler
und ausgezeichnete Personen auch an jedem anderen
Wochentage.

18

206

c) Das k. k. große Zeughaus, in der Renn=
gasse Nr. 140, von Maximilian II. 1569 gegründet,
von Leopold I. vollendet, wurde von ihm und sei=
nen Nachfolgern mit allen Waffenarten und Kriegs=
geräthschaften ausgestattet. Mehr als 100,000 Ge=
wehre sind in einer Reihe von Sälen des ersten
Stocks in der Form massiver Brustwehren aufge=
stellt, und die Zwischenräume mit andern Waffen
zierlich und symmetrisch ausgeschmückt. Zahlreiche
kostbare und seltene Rüstungen von berühmten Krie=
gern 2c. machen dieses Zeughaus besonders sehens=
werth. Die Brustbilder Kaisers Franz I., der Maria
Theresia und des Fürsten Wenzel von Liechtenstein
sind sämmtlich von Metall. Als geschichtliche Merk=
würdigkeiten erblickt man viele Siegestrophäen der
österreichischen Heere, merkwürdige Rüstungen, als
die des Gottfried von Bouillon und das Koller von
Elendshaut, welches Gustav Adolph an seinem To=
destage (6. Nov. 1632) in der Schlacht bei Lützen
trug. Im Hofe findet man nebst vielen alten, gro=
ßen und seltenen Feuerschlünden auch die lange ei=
serne Kette, mit welcher die Türken (1529) bei Ofen
die Donau sperren wollten. Sie hatte 8000 Glieder,
jedes von 20 Pfund Schwere, mithin betrug ihr Ge=
wicht 160,000 Pfund.

Freier Eintritt am Donnerstage, für Gesell=
schaften aber auch an einem Montage, jedoch muß
dieserhalb das frühere Ansuchen bei dem Zeugwart
im Gebäude selbst geschehen.

Das Guß= und Zeughaus, Seilerstatt Nr. 958.
ist lediglich eine Werkstätte für den Bedarf der Artil=

lerie, wie das k. k. Ober= und Unterarſenal, im ſogenannten Elend Nr. 183 bloß Belagerungs=geſchütz und fertige Artillerie=Erforderniſſe aufbewahrt. Neben denſelben beſteht die große Proviantbäckerei für die Wiener Garniſon, deren Rücktheil gegen die Schottenbaſtei ausläuft.

f) Das bürgerliche Zeughaus am Hof Nr. 332, ein ſchönes, von der hieſigen Bürgerſchaft 1732 errichtetes Gebäude, mit einer von dem Hofbildhauer Lorenz Mathielly verzierten Façade. Den Bau leitete der Stückhauptmann und Zeugwart Anton Oſpel; der Hof iſt 156 Schuh lang, 145 breit. Den Springbrunnen im Hofe ziert eine Statue der Bellona.

Nach den gründlichen und intereſſanten Andeutungen zur Geſchichte und Beſchreibung dieſes Zeughauſes von J. Scheiger (Beiträge zur Landeskunde Öſterreichs unter der Ens. Bd. III. Wien, Beck, 1833) begann die noch jetzt beſtehende Aufſtellung der Waffen im Jahr 1797 und wurde 1802 vollendet. Dem Inventarium von 1810 zufolge werden hier etwa 16,000 Waffenſtücke aufbewahrt, deren Mehrzahl ein oder einige Jahrhunderte alt iſt. Darunter, nach beiläufiger Schätzung, 500 gezogene und 5,000 glatte Feuerwaffen, 7,000 Stangengewehre, 2,000 Schwerter und ähnliche Stich=und Hiebwaffen, 1,000 Harniſche und Küraſſe, 700 Helme und Bickelhauben. Dieſe Zahl iſt wohl bis jetzt wenig vermehrt worden und ſie bezeugt am Beſten die Unrichtigkeit der bisheri=

*

gen Angabe, daß hier Waffen für 24,000 Mann
Bürgermilitair vorhanden sind. Der, auch in
das zweite Stockwerk hinaufreichende Waffensaal hat
an jeder der beiden Langseiten 162 Schuh und im
Mitteltrakt 96 (zusammen 410 Schuh) uud begün=
stigt vermöge seiner Höhe und doppelt übereinander
stehenden Fensterreihe ungemein die Beschauung.
Man findet hier viele Alterthümer der Armatur und
türkische Waffen aller Art, aber keine türki=
sche Rüstungen, wie v. Sickingen versichert.
Die Büsten des Grafen Rudolph von Wrbna, des
Erzherzogs Karl, des Prinzen Ferdinand v. Wür=
temberg, Sr. Majestät Kaisers Franz I., des Gra=
fen Saurau und des Feldmarschalls Loudon, theils
aus carrarischem Marmor, theils aus Metall sind
von Zauner und Fischer verfertigt.

In einem Seitensaal wird unter Andern eine
1684 eroberte türkische Blutfahne, ein Halbmond
von Messing (95 Pf. schwer), der ehemals die
Spitze des Stephanthurms bildete, eine berühmte
chronologisch = astronomische Uhr von Christoph
Schener zu Augsburg 1702 verfertigt*) und der
Kopf und das mit Sprüchen aus dem Koran ver=
zierte Todtenhemd des Großveziers Kara Mustapha,
der die letzte Belagerung von Wien leitete, aufbe=

---

*) Auf dem Hauptzifferblatte besagt indeß eine lateini=
sche Inschrift, daß im Jahre 1702. R. D. (reveren-
dus dominus?) Carl Graff S. Crucis in Augsburg
dieses Planetarium gemacht habe. Näheres bei Schei=
ger a. a. Ort, S. 63.

wahrt. Die Erklärung der Inschriften auf diesem talismanischen Hemde hat der k. k. Hofrath Joseph v. Hammer im fünften Bande seiner Geschichte der Osmanen (Pesth bei Hartleben 1829. 8.) geliefert.

Die der Bürgerschaft vom Kaiser Franz I. im J. 1810 geschenkten 6 schönen Kanonen sind gleichfalls hier aufgestellt.

Eintritt am Montag und Donnerstag; für Jedermann, für Fremde und Gesellschaften auf Ansuchen das. auch an anderen Tagen.

B. Privatsammlungen:

a) Das Museum von Kunstgegenständen der Gesellschaft der Musikfreunde im österr. Kaiserstaat. Es enthält, außer einer Bibliothek von mehr als 1200 Bden. theoretischer und historischer Werke über die Tonkunst, an Werken der ausgezeichnetsten Tonsetzer über 8,000 Nummern, so daß sie hauptsächlich durch die aus dem Nachlasse des Erzherzogs Kardinal Rudolph überkommenen musikal. Werke die größte in Europa ist; eine Sammlung von etwa 80 musikalischen Instrumenten verschiedener Nationen, 640 in Kupfer gestochene oder lithographirte Portraits inländischer ausgezeichneter Männer in der Tonkunst und musikalischen Wissenschaft, 42 Stück in Oel gemalte Bildnisse, mehrere Gipsbüsten und auf Tonkünstler geprägte Medaillen, 190 Handschriften der berühmtesten Komponisten, eine reiche Sammlung von in- und ausländischen Volksliedern und 200 größtentheils selbst verfaßte Biographien der berühmtesten Meister.

Der Eintritt wird erbethen in der Gesellschafts=
kanzlei, unter den Tuchlauben Nr. 558.

b) Die genealogisch = heraldische und
die Siegelsammlung des k. k. Kämmerers
Joseph Freiherrn v. Bretfeld=Chlumczans=
ky ist unter allen ähnlichen Sammlungen vielleicht
die bedeutendste. Eben so gehört dessen

c) Sammlung von mehr als 30,000 Münzen
und Medaillen aller Zeiten und Länder zu den
vorzüglichsten dieser Residenz. Wissenschaftlich gebil=
deten Personen werden diese Sammlungen in dem
Hause des Besitzers, Wasserkunstbastei Nr. 1191
gern vorgezeigt.

d) Das ehemalige v. Schönfeld'sche Mu=
seum, jetzt im Besitze des Freiherrn v. Dietrich
(Obere Bäckerstraße Nr. 673) hat einen seltenen
Reichthum von Kupferstichen, Holzschnitten, Hand=
zeichnungen, Ölgemälden, Handschriften, Gold=, Sil=
ber und Kupfermünzen, von Erzeugnissen der Kunst
und Industrie aus dem Mittelalter u. dgl.

e) Viele Privaten besitzen noch reichhaltige und
merkwürdige Münz=und Medaillensamm=
lungen, z. B. jene des Karl Megerle von Mühl=
feld, in der Burg Nr. 1., Frau Johanna Edle v.
Dikmann, Kohlmarkt Nr. 270 (ungemein seltene
Thaler=Stücke), Dr. Joseph Salesius Frank, in
der Naglergasse Nr. 298 u. s. w.

8. Gemälde= und Kupferstichsamm=
lungen:

1.) Die k. k. Gemälde=Gallerie, eigent=
lich gegründet von Ferdinand III., der zu diesem

211

Zweck einen großen Theil der Gemälde an sich brach=
te, welche Karl II. von England ehemals besessen,
ansehnlich vermehrt vom K. Karl VI., vom Kaiser
Joseph II. aus dem ehemaligen Kabinet in dem
Burggraben gegen die Bastei, wohin sie früher aus
der Stallburg gebracht war, in das obere Belvedere
versetzt (1777), enthält mehr als 2,000 größere und
kleinere Stücke. Beim Eintritt befindet man sich in
in einem Marmorsaal, dessen architektonische Neben=
werke von Chianini und Fanti, die allegori=
schen Freskogemälde der Decke von Carlo Carloni
verfertigt sind. Die Portraits: Maria Theresia und
Joseph II. malte Anton Maron; das von Karl
VI. Franz Solimena und Gottfried Auerbach;
das des Erzherzogs Leopold Wilhelm der Hofmaler
Johann van der Hoecke.

Dieser Saal theilt das Gebäude in zwei Theile,
deren jeder 7 Zimmer und 2 Kabinette hat. In den
Zimmern rechts sind die Gemälde der italienischen
Schule nach ihren Abtheilungen, in den Zimmern
links sieht man nur Gemälde der niederländischen
Schule. Die im dritten Zimmer rechts stehende Büste
Kaisers Franz I. ist von Pacetti, das Deckenge=
mälde des siebenten Zimmers rechts von Paul Vero=
ronese. In den Eckkabinetten des Gebäudes, wo=
von 3 das weiße, grüne und goldene genannt wer=
den, sind viele kleine Kabinetsstücke verschiedener
Meister, im goldenen aber auch das Brustbild des
Fürsten von Kaunitz=Rittberg aus carrarischen Mar=
mor von Joseph Cerachi, und Füger's allego=

212

risches Bild auf die Rückkehr Kaisers Franz I. im
Jahre 1814; das vierte Kabinet ist eine Kapelle.

Das obere Stockwerk, gleichfalls in zwei Theile
getheilt, enthält auf jeder Seite 4 Zimmer. In den
zur Rechten sind Gemälde aus der e r st e n Epoche
der altdeutschen Schule, aus der altrheinländischen,
altitalienischen, altflammändischen und aus der
z w e i t e n Epoche der deutschen Kunst; in den Zim=
mern zur Linken findet man Gemälde italienischer
Meister aus verschiedenen Epochen und der neuern
Zeit, Stücke von niederländischen Meistern des Mit=
telalters und von einigen deutschen Malern neuerer
Zeit, Werke deutscher, besonders österreichischer und
auch flammändischer Künstler.

Der ungeheure Reichthum der Gallerie gestattet
nicht, hier das Vorzüglichste aufzuzeichnen. Verlangt
doch überhaupt alles Schöne der Kunst und Natur
einen unmittelbaren Verkehr, wenn Genuß und Er=
hebung der Seele bezweckt wird. Der Kenner ge=
winnt durch das A n s ch a u e n sehr leicht einen Über=
blick; der bloße Liebhaber wird den Besuch der
Sammlung wohl öfter wiederholen. Doch will ich
letzteren auf die herrlichen und vielen Gemälde von
Tizian, Rubens, Van Dyck, Albr. Dürer, wie auf
die von Rafael und Correggio aufmerksam machen.
Die Namen der Meister aller in einem Zimmer vor=
handenen Gemälde sind auf Täfelchen verzeichnet und
in der Nähe des Fensters der Wand angeheftet. Diese
zwar nicht sehr bequeme Einrichtung gibt doch noth=
dürftige Aufklärung. Eigentliche Kataloge der Gal=
leriegemälde nach ihrer jetzigen Aufstellung sind nicht

angefertigt und demnach die beiden ältern von Me-
chel und von Rosa (Wien 1783 und 1796) nur schwer
zu benützen *). Bisher hat auch die Aufstellung der
Gemälde häufige Abänderungen erfahren und die
endliche bleibende Anordnung und die Besorgung eines unumgänglich nothwendigen Katalogs scheint der
Einsicht und dem Kunstsinn des jetzigen Direktors
Paul Peter Krafft vorbehalten zu seyn.

Die im Erdgeschoße befindlichen Gemälde füllen
sechs Zimmer und einige Kabinette; sie gehören allen
Schulen an, sind aber noch nicht geordnet und verzeichnet. Unter vielen trefflichen Stücken sieht man
hier auch Hickl's Englisches Parlament mit 95
Portraits.

Das in der Karl Haas'schen Buchhandlung
hieselbst erschienene Kupferwerk über die k. k.
Bildergallerie enthält eine Auswahl vorzüglicher Gemälde in verkleinertem Maßstabe nach den
trefflichen Zeichnungen des Kustos Sigism. v. Perger. Es besteht aus 60 Heften, jedes mit 4 Kupfern

---

*) Diese Kataloge waren dem Berichterstatter: »über
einige der bedeutenderen Kunstschätze in der fürstlich
Esterhazyschen, fürstl. Liechtensteinschen und der kais.
Gallerie zu Wien« im Tübinger Kunstblatte 1833 Nr.
47 u. f. völlig unbekannt. Von einer Beschreibung
der k. k. Bildergallerie im Belvedere, v. Hier. Rigler
erschienen 3 Hefte, 8. Wien (Stahel in Würzburg)
1786—87. Über Rafaels Werke im Belvedere lieferte Albrecht Krafft in der österr. Zeitschrift für
Geschichts- und Staatskunde, Juni—Juli 1835 höchst
interessante Nachrichten.

W.

und dem Text in deutscher und französischer Sprache. Das Heft kostet 3 fl. K. M. und seit Kurzem sind auch einzelne Kupfer zu haben.

Die Gallerie kann vom 24. April bis 30. September am Dienstag und Freitag Vormittags von 9 — 12 Uhr, Nachmittags von 3 — 5 Uhr, vom 1. Oktober bis 23. April, an den nämlichen Tagen von 9 Uhr Früh bis 2 Uhr Nachmittags frei in Augenschein genommen werden.

2.) Die Kunstsammlung der k. k. Hofbibliothek, in der Mitte des großen Büchersaals, entstand unter der Aufsicht des großen Kunstkenners Mariette und wurde mit Fleiß und Umsicht fortgebildet von dem Hofrath Adam v. Bartsch, dessen vortrefflicher Katalog vereinigt mit seinem Peintre graveur über den Inhalt dieser Sammlung die lehrreichste und gründlichste Auskunft ertheilt. Den Werth der Kupferstichsammlung, deren Hauptgrundlage die des Prinzen Eugen ist (im Ankauf von ihm mit 500,000 franz. Thaler bezahlt), schätzte Bartsch auf 3 Millionen K. M. Sie ist nach Schulen geordnet und eine der berühmtesten in Europa durch die meisten Blätter älterer Meister in trefflichen Abdrücken und Vollständigkeit einiger Künstlerwerke. Hofrath von Mosel (Beschreib. d. k. k. Hofbibliothek) klassifizirt die Sammlung also:

478 gr. Foliobände Kupferstiche, verschiedene Gegenstände darstellend;

14 Portefeuilles Blätter, welche das Größenmaß der Bände übersteigen;

215

81 Bände nach Materien, als Thiere, Blu=
men, Feste, Kleidertrachten, Ornamente u. dgl.;

245 Cartons, Portraite in Folio; und

479 Bände verschiedenen Formats, Kupfer=
werke mit und ohne erklärenden Text, als
Gallerien, Kabinete u. s. w., eigentliche
Druckwerke mit Kupfern nicht mitbegriffen;
wozu noch die Sammlung von Miniaturen
und Handzeichnungen in 122 Bänden kom=
men dürfte.

3.) Die Privatsammlung der Kupfer=
stiche und Handzeichnungen Sr. Maj.
Ferdinand I. als eine Abtheilung der Handbiblio=
thek enthält gegen 1000 Portefeuilles, worunter etwa
20,000 Portraits, dann über 3000 Landkarten u.
a. m., die öffentlich nicht vorgezeigt werden.

4.) Die Sammlung der Kupferstiche
und Handzeichnungen des Erzherzogs
Karl, im zweiten Stockwerke des Pallastes auf
der Augustinerbastei. Die der Kupferstiche übersteigt
die Zahl von 150,000 Blättern, welche in beinahe
900 Portefeuilles aufbewahrt werden. Albrecht Dü=
rer's Werke sind hier vollständig in den besten Ab=
drücken vorhanden, auch findet man hier und sonst
nirgend Tomaso Finiguera's berühmtes, um
3,500 Franks in Paris erkauftes Blatt: Maria
auf dem Thron von Engeln und Heiligen
umgeben, und einen von den beiden Abdrücken
avant la lettre der heiligen Familie nach
Rafael, auf Befehl Ludwigs XIV. in Kupfer gesto=

chen von Edelink, und in der königl. Bibliothek
zu Paris aufbewahrt. Der zweite Abdruck wurde
erst kürzlich dem Herzog von Buckingham in London
um 2,500 Franks abgekauft. Die Sammlung der
Zeichnungen besteht aus mehr als 14,000 Stü=
cken der besten Meister; darunter 36 von Michael
Angelo, 20 von Andrea del Sarto, 122 von Ra=
fael, 132 von Albrecht Dürer, dergl. von Rubens,
Rembrand, Poussin, Claude Lorain u. a. bis auf
die neueste Zeit.

Kunstkennern und Kunstfreunden ist der Eintritt
Montag und Donnerstag Vormittag gestattet.

5.) Die Sammlungen der Gemälde,
Kupferstiche und Handzeichnungen des
Fürsten Paul Esterhazy von Galantha,
im Sommerpallast zu Mariahilf Nr. 40.

Die Gemäldegallerie ist nach Schulen geordnet,
von welchen hier die spanische sehr bedeutend,
und die französische die reichste ist. Das Ganze
bilden etwa 700 Gemälde in 15 Zimmern. Es ist
schwer unter dem vielen Vortrefflichen etwas auszu=
zeichnen. Doch darf in der Gallerie selbst auf ein
Meistergemälde von Rembrand: Pilatus wäscht
die Hände, und auf die im Gartengebäude (Mu=
seum) befindliche Sammlung hingewiesen werden,
woselbst auch überaus schöne Statuen von Canova,
Schadow, Laboureur, Tartolini, Torwaldsen u. A.
aufgestellt sind.

Ein Gesammtkatalog erschien deutsch und fran=
zösisch, Wien, bei Rohrmann und Schweigerd, 1835.
8. Preis 20 kr. K. M.

Drei Zimmer neben der Gallerie bewahren die
Sammlungen der Kupferstiche und Handzeichnungen.
Erstere gleichfalls nach Schulen geordnet zählt über
50,000 Blätter, letztere über 2000 (nicht 200, wie
Schmidl a. a. O. S. 201 angibt) Stücke von den
besten Meistern aller Nationen.

Freier Eintritt am Dienstag und Donnerstag -
Vor- und Nachmittag.

6.) Die Gemälde- und Kupferstichsammlung des Fürsten von Liechtenstein. Der
Eintrittssaal der Gallerie, in der Vorstadt Rossau
Nr. 130, wird von 18 marmornen Säulen gestützt.
Den Plafond, die Apotheose des Herkules, malte
der Jesuit Pozzo, die Deckengemälde in den andern
Zimmern verfertigten Peluzi und Franceschi-
ni. Die Gallerie enthält über 1200 Gemälde der berühmtesten Meister aus der italienischen, flamän-
bischen, der alten und neuen deutschen Schule, deren größerer Theil in einem hier 1780 gedruckten
Katalog beschrieben ist. Außer jenen von Leonardo
da Vinci, Beccafumi (eine sehr schöne Herodias),
Giorgione, Andrea del Sarto (die trefflichste heilige
Familie dieses Meisters), Luini, Pietro Perugino
(die Madonna mit dem Kinde), Rafael, Correggio,
Guido Reni, Carlo Dolce, Tizian, Lukas Cranach,
Albrecht Dürer u. a. verdienen aufmerksame Beachtung sechs große Gemälde von Rubens (die Geschichte des Decius) und das Portrait des Herzogs von Friedland, Wallenstein, und einer
Prinzessinn Este, gemalt von Anton van Dyk, dann
jene im ersten Zimmer befindliche flache Schale, in

Der Fremde in Wien. 3. Aufl. 19

Durchmesser etwa 2 Schuh, am Rande verziert mit den herrlichsten elfenbeinernen Basreliefs aus Roms ältester Geschichte.

Der Eintritt ist an Wochentagen in den Vor= mittagsstunden gestattet; man wendet dieserhalb sich an den Aufseher des Pallastes.

Die reiche und ausgezeichnete Sammlung der Kupferstiche ist in dem Wohnhause des Fürsten, Herrngasse Nr. 251, aufbewahrt und wird ohne be= sondere Erlaubniß nicht vorgezeigt.

7.) Die Gemäldesammlung des Grafen Czernin in der Wallnerstraße Nr. 263, besteht aus ungefähr 300 Ölgemälden ausgezeichneter Mei= ster der französischen, italienischen, spanischen und besonders der niederländischen Schule. Ein kleines aber herrliches Thierstück von Paul Potter ist eine Hauptzierde dieser schönen Sammlung.

Des Eintritts wegen hat man sich blos an den gräflichen Haushofmeister zu wenden.

8.) Die Gemäldesammlung des weil. Grafen Lamberg (s. S. 187) im Akademiege= bäude zu Skt. Anna, Annagasse Nr. 980, eröffnet im Frühjahr 1835, enthält treffliche Gemälde alt= deutscher Meister, dann von Paul Potter, Claude Lorrain, Terburg u. a. m. Der Eintritt ist gestattet am Samstage Vor= und Nachmittag. Die Karten dazu werden daselbst zur ebenen Erde einen Tag früher gegen Angabe des Namens und der Perso= nenzahl verabfolgt. Man beliebe diese schriftlich bei der Anmeldung einzureichen.

9.) Unter den zahlreichen Sammlungen anderer Privaten wird hier nur noch die des Grafen von Schönborn-Buchheim, in der Stadt Renngasse Nr. 155, woselbst der Eintritt unschwer zu erlangen ist, und die der eigenen Gemälde des Kustos der k. k. Bildergallerie Karl Ruß, größtentheils aus der Geschichte des österreichischen Kaiserhauses, erwähnt, welche von dem braven Künstler im obern Belvedere Nr. 544 gern vorgezeigt wird.

10.) Wer endlich Bildnisse der Schauspieler liebt, besuche die Gallerie der Hofschauspieler, welche sich neben dem Kassabureau des k. k. Hoftheaters nächst der Burg befindet. Die meisten Portraits sind von Hickl gemalt. Das Merkwürdigste in der ganzen Sammlung ist die eigenhändige Unterschrift, mit welcher Kaiser Joseph II. das Bildniß der Katharina Jaquet beehrte und verewigte.

XVII.

Anstalten der Wohlthätigkeit und Humanität.

1.) Das k. k. Versatzamt oder Leihhaus, in der Dorotheergasse Nr. 1112, wurde im Jahre 1707 errichtet. Es leiht nur auf solche bewegliche Güter, die dem Zerbrechen und Verderben nicht unterworfen und deren Aufbewahrung leicht ist. Die Pfänder können 1 Jahr 2 Monate darin belassen werden; nach Ablauf dieſer Zeit und vorhergegangener Erinnerung werden ſie öffentlich verſteigert. Nach Abzug der Pfandſumme und der Zinſen, 12 pr. Ct. von Prätioſen, 10 von Effekten jährlich, erhalten die Eigenthümer den verbleibenden Überſchuß des Erlöſes zurück.

Das Amt iſt an allen Wochentagen, Sonnabend ausgenommen, von 8 — 2 Uhr offen.

2.) Penſionsinſtitute zählt Wien 16 und zwar: Das k. k. Penſionsinſtitut für Staatsbeamte nach einem vom Kaiſer Joſeph II. eingeführten Normale; das allgemeine zur Verſorgung für Witwen und Waiſen; das der Witwen von Mitgliedern der juridiſchen, und das der mediziniſchen Fakultät; das zur Verſorgung mittelloſer und gebrechlicher Doktoren der juridiſchen Fakultät und Advokaten in Wien; das chirurgiſche Witweninſtitut; die Penſionsgeſellſchaft der bildenden Künſtler, und das Penſionsinſtitut der Tonkünſtler; das für die Arbeiter in den k. k. Hofgärten; die Witwenkaſſe der bürgerlichen Gold=, Silber= und Galanteriearbeiter; das Witwen= und Waiſeninſtitut herrſchaftlicher Wirthſchaftsbeamten in Niederöſterreich; jenes für die herrſchaftlichen Hausoffiziere; für die Witwen und Waiſen der k. k. Leiblakeien und Kammerbüchſenſpanner; das der herrſchaftlichen Livreebedienten in Niederöſterreich; der Witwen und Waiſen der Trompeter und Pauker und das für Witwen und Waiſen der Lehrer in Trivialſchulen.

3.) Sparkaſſen beſtehen in Wien 2; die erſte öſterreichiſche und die damit vereinigte allgemeine

Verforgungsanſtalt in der Stadt am Pe=
terSplaß Nr. 572, und die Sparkaſſe im Alſer=Po=
lizeibezirk. Das Intereſſentenkapital der erſten Kaſſe
betrug am 31. December 1834: 12,617,445 fl. K. M.
und das der Verforgungsanſtalt an dem nämlichen
Tage 2,815,783 fl. K. M. Der Reſervefond beſtand
aus 814,100 fl. K. M. in 5% StaatSobligationen.
Die Statuten der Anſtalt ſind im Druck erſchienen.

4.) Stiftungen zur Ausſtattung ar=
mer Mädchen zu 100 — 800 fl. ſind in Wien
mehrere vorhanden, und über 40 bedeutende Stipen=
dien für Studierende an der hieſigen Univerſität,
außerdem gegen 200 minder bedeutende Stipendien.
Zu gleichem Zweck werden die Kollegiengelder
verwendet.

5.) Prämien für Dienſtboten, die treu
und fleißig 25 Jahre in Wien und während dieſer
Zeit 10 Jahre in einer Familie gedient haben, ver=
theilt die Landesregierung. Die Zahl ſolcher Prä=
mien beträgt jährlich 10, eine jede zu 150 fl.

6.) Die Geſellſchaft adeliger Frauen
zur Beförderung des Guten und Nützli=
chen bildete ſich im Jahre 1811 und hat jetzt einen
großen Wirkungskreis. Sie unterhält eine unent=
geldliche Unterrichtsanſtalt in weiblichen Arbeiten,
Seilerſtatt Nr. 804, hat in der Stadt Baden das
Marienſpital geſtiftet und verwendet jährlich über
70,000 fl. K. M. zur Unterſtützung der Zöglinge des
Taubſtummen= und Blindeninſtituts und anderer
Anſtalten, der Spitäler und Verforgungshäuſer, der
dürftigen Wöchneriunen, einzelner dürftiger Fami=

lien, der Zöglinge in verschiedenen Unterrichtsan=
stalten, für Prämien an 10 verdiente Dienstboten
(à 100 fl. K. M.) u. s. w. Die Gesellschaftskanzlei
ist im Bürgerspital Nr. 1100, Hof 8, Stiege 13,
Stock 1.

7.) Das k. k. Invalidenhaus, vor dem
Stubenthor zu Anfang der Landstraße, mit der In=
schrift: Patria laeso militi, errichtet 1750, erhielt
seine jetzige Einrichtung vom Kaiser Joseph II. Es
hat außer dem Erdgeschoß 2 Stockwerke, einen ge=
räumigen mit Bäumen bepflanzten Hof, eine Haus=
kapelle mit einer Kreuzabnahme auf dem marmornen
Altar von Rafael Donner und eine kleine Hand=
bibliothek. Im großen Saale des ersten Stocks ist
eine Reihe von Büsten berühmter österreichischer Hel=
den, vom Hofarchitekten Klieber verfertigt, auf=
gestellt, welcher in neuerer Zeit zwei große herrliche
Gemälde von dem jetzigen Gallerie=Direktor Peter
Krafft sich anschlossen, die denkwürdigen Schlach=
ten von Aspern und Leipzig darstellend. Sämmtliche
Köpfe sind Portraits.

Die Zahl der hier befindlichen Invaliden beträgt
gegen 600. Das Filial=Invalidenhaus im Neuler=
chenfeld hat deren mehr als 20, und außer dem
Hause werden noch über 1800 s. g. Patental=Inva=
liden jährlich mit Beiträgen unterstützt. Dem großen
Publikum steht der Eintritt frei am 14. Oktober,
dem Siegestage der Verbündeten bei Leipzig. Frem=
den wird die Besichtigung der Anstalt auch an an=
dern Tagen gestattet.

8.) Das k. k. Waisenhaus, Alservorstadt,

Karlsgasse Nr. 261, mit einem Bad und Garten
versehen, ist bestimmt: Kinder zu bürgerlichen Ge-
schäften, zu Handwerken und Künsten vorzubereiten.
Allgemein werden die Normalschulen nach eingeführ-
ter Vorschrift gelehrt. Fähigere Kinder erhalten Anweisung zum Handzeichnen, und vorzügliche Talente
die Erlaubniß zum Besuch der Akademie der bildenden Künste oder der lateinischen Schulen. Den Mädchen wird Unterricht in weiblichen und häuslichen Arbeiten ertheilt. Die Zahl dieser Waisenkinder beträgt
etwa 300 und jedes hat sein eigenes Bett. Mehr als
8000 sind auf das Land an Ziehältern vertheilt, welche von der Anstalt Beiträge erhalten; darunter auch
solche Kinder, die keinen Anspruch auf Stiftungsplätze haben und für welche eine bestimmte Kost- und
Unterrichtssumme bezahlt wird. Die Wahl des künftigen Standes bestimmen Anlage und Neigung der
Stiftlinge. Das Aufsichts- und Lehrpersonale besteht
aus 18 Individuen.

 9.) Das k. k. Taubstummen-Institut,
Wieden Favoritenstraße Nr. 162, von Maria Theresia 1779 gestiftet, erhielt eine wesentliche Veränderung vom K. Joseph II. und seine heutige verbesserte Einrichtung von Franz I. Es ist zur unentgeldlichen Aufnahme armer taubstummer Knaben und
Mädchen bestimmt, jedoch keines v o r erreichtem
s i e b e n t e n und n a c h vollendetem v i e r z e h n t e n
Jahre *). Die Versorgungszeit ist auf 6—8 Jahre fest-

---

*) Irrthümlich gibt S ch m i d l a. a. O. S. 254 die Auf-
nahmzeit von 7 — 12 Jahr an. — Einen trefflichen Auf-

stellt; über das zwanzigste Jahr aber darf Niemand in demselben verbleiben. — Das Institut hat 2 geräumige Schlaffäle, deren einer 50 Betten für Knaben, der zweite 20 Betten für Mädchen enthält, 2 lichte Lesezimmer, einen großen Prüfungs= (zugleich Lehr=) Saal, 1 Speise= und 1 Zeichnungssaal, 2 Krankenzimmer, 1 Hauskapelle, Hofraum und Garten. Unterricht wird ertheilt in der deutschen Sprache, im Schreiben und Rechnen; Mädchen erhalten auch Anweisung in gewöhnlichen weiblichen Arbeiten. Größere Knaben werden zur Bandweberei, kleinere zum Flachsspinnen verwendet. Privatperfonen, welche ein taubstummes Kind in diese Anstalt geben, zahlen jährlich eine ausgemessene Summe (150 fl. K. M.). Die Portraits Joseph's II. und Franz I. im Prüfungssaale sind von einem Taubstummen A. Karner gemalt. — Für diejenigen, welche sich mit der Methode des Taubstummen=Unterrichts bekannt machen wollen, werden von dem Institutsdirektor unentgeldliche Vorlesungen gehalten. Übrigens bestehen im österr. Kaiserstaate noch neun ähnliche Institute.

Freier Eintritt ist an jedem Sonnabende von 10—12 Uhr Vormittag, ausgenommen im August und September.

10.) Das k. k. Blinden=Institut, in der Josephstadt Nr. 188, seit 1808 eine Staatsanstalt, nimmt Kinder beiderlei Geschlechts von 7—12 Jah=

---

satz über dieses Institut von Leop. Chimani lieferte die Neue theologische Zeitschrift (Wien); Jahrg. V. Heft 6. S. 273.

ren auf. Vermögliche Ältern zahlen ein verhältniß-
mäßiges Kost- und Unterrichtsgeld, und ihre Kinder
erhalten nicht bloß, wie die ärmern, Unterricht in
der Religion, im Lesen, Schreiben, Kopfrechnen
und in verschiedenen mechanischen Arbeiten, sondern
auch in der Geographie, Geschichte, Mathematik,
Musik und in fremden Sprachen.

Der an jedem Donnerstage von 10-12 Uhr Statt
findenden Prüfung kann Jedermann beiwohnen.

Mit diesem Institut ist jetzt verbunden

11.) Ein Privatverein zur Unterstützung erwachsener Blinden, deren jetzt über
30 sich dort befinden. Der Versorgungs- und Be-
schäftigungssaal kann in dem Gebäude des Blinden-
Instituts täglich in Augenschein genommen werden.

12.) Die Versorgungsanstalt für er-
wachsene Blinde weiblichen Geschlechts,
Altlerchenfeld Nr. 91, neben dem vorbemerkten Verein, wurde am 4. November 1832 eröffnet.

13.) Das Armen-Institut, vom Kaiser Joseph II. 1783 errichtet, steht unter der Oberleitung
der niederösterreichischen Regierung. Alle wahrhaft
Armen haben darauf Anspruch und erhalten nach
Verhältniß täglich 12, 8, 6 oder 4 kr. Der Pfarrer des Bezirks und ein Armenvater aus dem Bür-
gerstande beurtheilen und klassifiziren die Armen,
deren an 5000 im jährlichen Durchschnitt die erwähnte Unterstützung empfangen.

Zum Fond des Instituts-Vermögens werden
freiwillige Beiträge verwendet, Sammlungen angestellt und von allen Verlassenschaften, deren Be-

trag 100 fl. übersteigt, ¹/₂ Percent abgegeben. Der Hauptbezirk der Anstalt ist in der Kärntnerstraße Nr. 1043.

14.) Das Bürgerspital und das Versorgungshaus zu St. Marr (Markus), auf der Landstraße Nr. 490, wurde aus einem Privat=Eigenthum eine öffentliche Anstalt und besonders unter Kaisers Joseph II. Regierung bedeutend erweitert. Als Versorgungshaus erhielt es die Bestimmung: verarmte, kränkelnde und abgelebte Bürger und Bürgerinnen, deren Söhne und Töchter, welche auf keine Unterstützung von Verwandten zu rechnen haben, zu verpflegen.

In diesem Spital befinden sich über 300 Personen in 32 Zimmern. Jeder Pfründner hat täglich 7 kr. K. M. zu verzehren und kann nach Maßgabe seiner Kräfte durch Arbeit noch etwas nebenbei verdienen. Die Arzneien für die Kranken liefert die Apotheke zum h. Geist im städtischen Bürgerspital, und für die Heilung sind 1 Arzt und 2 Wundärzte angestellt.

Seit dem Jahre 1818 ist die Anstalt auch mit einem trefflichen Bade versehen. Außer dem Hause erhalten aus dem Spitalfond etwa noch 900 Personen tägliche Unterstützung von 18 kr.

15.) Andere Versorgungshäuser sind vorhanden: in der Alservorstadt, Währingergasse Nr. 271; am Alserbach (gewöhnlich genannt: zum blauen Herrgott); in dem sogenannten Langenkeller auf dem Neubau; (Privatanstalten): für arme Dienstboten auf der Landstraße Nr. 268; für dergleichen

auf der Wieden Nr. 183 und in der Leopoldstadt
Nr. 621; ferner das Gemeindearmenhaus daselbst,
und die Vorstadt= und Grundspitäler im Lichtenthal,
Gumpendorf, Mariahilf und im Altlerchenfeld.

16.) Als sonstige wohlthätige Vereine
bestehen: der Privatverein zur Unterstützung ver=
schämter Armen; die Leichenvereine in den Vorstäd=
ten Schottenfeld und Leopoldstadt; der Hülfsverein
im Schottenfeld und der Verein zur Unterstützung
würdiger aber dürftiger Studenten.

17.) Eine Versorgungsanstalt für un=
heilbare stille Geisteskranke und Blöde,
gegen billige Bezahlung für Kost und Wohnung,
errichtete im Jahre 1830 Franz Peltzel, Wund=
arzt und Geburtshelfer, Josephstadt, Langegasse
Nr. 64.

18.) Das Findelhaus. Siehe den folgenden
Artikel

19.) Das Handlungsverpflegsinstitut.
S. ebendas. Handlungskrankeninstitut.

XVIII.

Sanitätsanstalten.

Ungemein zahlreich und zweckmäßig sind die
Sanitätsanstalten in Wien. Es gehören hierher
folgende:

1.) Das k. k. allgemeine Krankenhaus
(Universalspital), Alservorstadt Nr. 195, vom Kai=
ser Joseph II. 1784 Saluti et solatio aegrorum
errichtet, und seit 1807 mit einem Civiloperateurs=

inſtitut verſehen, iſt ein ungeheures Gebäude mit
7 Höfen, 111 geräumigen und hohen Krankenzim=
mern, wovon 61 dem männlichen und 50 dem weib=
lichen Geſchlechte gewidmet ſind. Es iſt auf mehr
als 2000 Betten berechnet, eines von dem andern
2¼ Fuß entfernt. Außer jenen Zimmern ſind noch
einige für beſondere Krankheitsfälle beſtimmt, und
die Zahl der hier jährlich aufgenommenen Kranken
beträgt in der Regel über 20,000.

Es beſtehen hier 4 Aufnahmklaſſen. In
der erſten wird eine monatliche Vorausbezahlung
von 40 fl. K. M. geleiſtet, wofür der Kranke nebſt
Verpflegung und Arznei ein eigenes Zimmer, einen
eigenen Wärter und ein vollſtändiges gutes Bett
erhält. In der zweiten Klaſſe werden monatlich
25 fl. 30 kr. entrichtet und dafür alles wie in der
erſten, nur kein eigenes Zimmer gegeben. In der
dritten bezahlt der Einwohner Wiens täglich
18 kr., der Fremde 32 kr. Für einen kranken Dienſt=
boten werden täglich 18 kr. bezahlt. Die Aufnahme
in die vierte Klaſſe iſt bei erwieſener Armuth un=
entgeldlich. Kleidung und Wäſche muß der Kranke
mitbringen. Das Haus hat eine eigene gut einge=
richtete Apotheke, ein Materialienbehältniß, eine Bad=
anſtalt und eine Todtenkammer.

Das im erſten Hofe freiſtehende geräumige Ne=
bengebäude iſt für die praktiſche Lehrſchule
beſtimmt. Der Unterricht wird hier am Bette der
dahin gebrachten Kranken ertheilt. Es befinden da=
ſelbſt ſich auch die Sektionszimmer mit allen nöthi=
gen mediziniſchen und chirurgiſchen Geräthſchaften.

Diese treffliche und großartige Anstalt hat einen Ober- und Vizedirektor, 4 Primarärzte, 8 Primarwundärzte, 8 Sekundarärzte, 8 Sekundarwundärzte und 20 chirurgische Praktikanten, wovon 10 besoldet sind.

Gebildeten Fremden wird der Eintritt gern gestattet.

2.) Das Institut für Augenkranke, im dritten Hofe des allgemeinen Krankenhauses, wurde 1816 errichtet, und enthält außer dem großen Lehr- und Operationssaal zwei ungemein reinlich gehaltene Krankenzimmer mit genauer Berücksichtigung aller Bedürfnisse des Auges.

3.) Die k. k. Irrenheilanstalt (Irrenhaus, auch Narrenthurm genannt), in der Nähe des allgemeinen Krankenhauses mit 509 Betten, ist ein rundes Gebäude mit 5 Stockwerken und mit 28 Zimmern in jedem derselben. Die Aufseher wohnen in der Mitte; die Wärme wird im Winter durch Röhren verbreitet. Zur eigentlichen Heilung ist das Lazareth in der Währingergasse gegen den Alserbach bestimmt und zur Erholung der Genesenden dient ein um dieses Gebäude angelegter Garten.

Die Aufnahme geschieht nach Klassen, wie im allgemeinen Krankenhause, unter dessen Direktion die Anstalt selbst steht. Die Zahl der jährlich eintretenden Kranken beträgt über 200.

Erlaubniß zum Eintritt muß bei der Oberdirektion nachgesucht werden.

4.) Das k. k. Gebärhaus, in einem abgesonderten Lokale des allgemeinen Krankenhauses,

20

erhielt feine dermalige Einrichtung vom Kaifer
Joseph II. (1784). Es ist beständig verschlossen,
doch finden Schwangere auf ein Zeichen mit der
Glocke zu jeder Stunde des Tags und der Nacht,
verschleiert oder nicht, Eingang. Um Namen und
Stand wird keine Person befragt, jede aber hat
beim Eintritt ihren wahren Tauf= und Familien=
namen in einem versiegelten Zettel verzeichnet zu
überreichen, welcher Zettel, nachdem die Nummer
des Zimmers und Bettes vom Geburtshelfer darauf
bemerkt ist, in ihrem Besitz bleibt und beim Aus=
tritt mitgenommen, oder im Sterbefall geöffnet wird.
Es hat 240 Betten.

Diese Anstalt hat in drei Abtheilungen
eben so viele Klassen. In der ersten wird von
der Eintretenden, die ein eigenes Zimmer erhält,
der Betrag für 4 Tage mit 5 fl. 20 kr. K. M. ent=
richtet. Nur der Geburtshelfer, die Hebamme und
die Wärterin dürfen das Zimmer betreten. In der
zweiten Klasse sind in einem Zimmer zwar meh=
rere Betten, die Schwangeren jedoch von den be=
reits Entbundenen abgesondert. Der beim Eintritt
zu erlegende Betrag für 6 Tage à 51 kr. ist 5 fl. 6 kr.
In der dritten Klasse bezahlt die Person für acht
Tage à 18 kr. 2 fl. 24 kr. K. M.; doch werden auch
bei erwiesener Armuth Schwangere unentgeldlich
aufgenommen, in welchem Fall, und wenn sie dazu
tauglich sind, sie einige Zeit als Ammen im Findel=
hause dienen müssen. Für die Armen sind 210 Bet=
ten, für Zahlung leistende 30 Betten bestimmt. Es
werden hier jährlich über 3000 Geburten gezählt.

5.) Das k. k. Findelhaus, in der Alservor=
stadt Nr. 108, nimmt sowohl Findlinge gegen Ent=
richtung gewisser Gebühren, als auch unentgeldlich
auf. Die Aufnahmtaxen sind 1 fl. K. M. für
Kinder, welche von Müttern außerhalb Niederöster=
reich geboren sind, mithin aus einer andern erb=
ländischen Provinz oder vom Auslande in die hiesige
Findelanstalt gebracht werden; 50 fl. wenn die Müt=
ter in der ersten Abtheilung des Gebärhauses, oder
sonst in Wien oder in einer andern Stadt Nieder=
österreichs entbunden werden, und 20 fl. für ein in
der zweiten und dritten Abtheilung oder auf dem
Lande in Niederösterreich gebornes Kind, in so fern
die Mutter sich ausweisen kann, daß sie die höhere
Aufnahmtaxe zu bezahlen nicht im Stande sey. Eben
so hoch (20 fl.) ist auch die Aufnahmtaxe für Kin=
der zahlungsunfähiger Mütter in Niederösterreich
au ß e r den Linien Wiens, und es wird dieselbe auf
sämmtliche Gemeinden umgelegt. Unentgeldlich auf=
genommen werden Kinder, deren Mütter im Ge=
bärhause entbunden wurden, und die viermonatlichen
Ammendienst im Findelhause selbst verrichteten; fer=
ner Kinder, die innerhalb der Linien in Häusern
oder auf Straßen niedergelegt, oder auch solche,
deren Mütter unvermuthet entbunden sind und Zeug=
nisse gänzlicher Armuth beibringen.

Bald nach der Aufnahme werden die Findlinge
gegen einen bestimmten Verpflegungsbetrag vom In=
stitut in die Vorstädte oder auf das Land in Ver=
pflegung gegeben. Ihre Zahl beläuft sich über 18,000.
Nach erreichtem 22. Jahre steht es dem Findlinge

*

frei, entweder bei feinen Ziehältern zu bleiben, oder
anderwärts feinen Unterhalt zu fuchen. Wollen die
wahren Ältern einen folchen früher zurücknehmen,
dann haben fie die ausgelegten Koftgelder zu erfeßen
und die Ziehältern für den Verluft der Vortheile zu
entfchädigen, die ihnen der Findling durch feine Ar=
beit bis zum 22. Jahre hätte gewähren können.

In Verbindung mit dem Findelhaufe ftehen:
a) Das S ä u g a m m e n i n ft i t u t. Gegen Ent=
richtung von 20 fl. K. M. fucht die Verwaltung
des Findelhaufes auf Verlangen eine zum Am=
mendienft vollkommen tüchtige Perfon im Ge=
bärhaufe aus, oder läßt die außer diefem Haufe
entbundene, zur Amme beftimmte Perfon rück=
fichtlich ihrer Gefundheit unterfuchen. O h n e
e i n f o l c h e s G e f u n d h e i t s z e u g n i ß d a r f
k e i n e A m m e in D i e n ft t r e t e n.
b) Das k. k. S c h u ß p o c k e n = H a u p t i n ft i t u t
für alle Findlinge und die Kinder unbemittel=
ter Leute unentgeldlich.

6.) Das e r ft e I n ft i t u t f ü r a r m e k r a n k e
K i n d e r und öffentliche Kuhpockenimpfung fteht als
eine Privatanftalt jeßt unter der Direktion des Dr.
Löbifch, Spänglergaffe Nr. 426. Es ordinirt und
vertheilt Arzneien unentgeldlich für kranke Kinder
aller Mütter, die mit richtigen Armuthszeugniffen
verfehen find; für alle Militairs gegen Zeugniffe ih=
rer Vorgefeßten, und für alle Findlinge gegen Vor=
zeigung der Findelhausurkunde. Die Schußpocken=
impfung beginnt im Monat Mai.

Öffentliche Kuhpockenimpfung werden auch von

andern Ärzten, namentlich von Dr. Braun, ver= richtet, und der Zeitpunkt öffentlich bekannt ge= macht.

7.) Das Priesterkrankenhaus, auf der Landstraße in der Ungergasse Nr. 433, ist errichtet seit dem J. 1780 durch bestimmte Beiträge freiwillig eintretender Mitglieder, die Weltpriester aus der Stadt und den Vorstädten, oder aus den Wiener= kirchsprengeln vom Lande sind. Im Institutsgebäude erhält der Kranke Wohnung, Bett, Wäschzeug, Kost, Wartung, ärztliche Hülfe und Arzneien; kranke Mit= glieder in Wien aber, die ihre Wohnung nicht ver= lassen wollen, werden von der Anstalt mit einem Arzt oder Wundarzt und mit Arzneien versehen.

8.) Das Spital und das Rekonvales= zentenhaus der barmherzigen Brüder (aufgenommen in Wien vom Kaiser Mathias 1614). Das Spital, in der Leopoldstadt Nr. 229, ist für 114 Kranke eingerichtet; es werden aber jährlich gegen 3,000 unentgeldlich aufgenommen und ver= pflegt. Für gewisse Handwerke und Innungen sind Stiftungsplätze vorhanden, alle übrigen Plätze neh= men arme, reisende Handwerksburschen und andere Leute, ohne Unterschied der Nation und Religion, ein. Auch dient es zur Versorgung wahn= sinnig gewordener Geistlichen.

Das Rekonvaleszentenhaus des Ordens, auf der Landstraße Nr. 290, stiftete die Frau Maria Theresia, Herzogin von Savoyen und Piemont, ge= borne Fürstin von Liechtenstein und Nikolsburg, am 6. Hornung 1756 vermittelst 5 Betten, welchen

1757 noch 9 andere hinzugefügt wurden. In eben diesem Jahre hatte auch die Kaiserin Maria Theresia 2 Betten mit 4000 fl. angewiesen, weßhalb sie, und der Namensgleichheit wegen, gewöhnlich als die Stifterin bezeichnet wird. Es hat eine treffliche Lage und ist zur Aufnahme der Genesenden aus dem Spital bestimmt, wodurch in letzteres der Eintritt neuer Kranken erleichtert wird.

9.) Das Handlungskranken= und Verpflegsinstitut. Ersteres besteht seit dem J. 1745 und letzteres seit 1795. Das Krankeninstitut nimmt die kranken, des Vermögens und der Unterstützung beraubten Mitglieder des Handelsstandes auf, und das Verpflegsinstitut bezweckt die Versorgung derjenigen, die ihres Alters oder körperlicher Gebrechen wegen zu fernerem Erwerb ganz unfähig geworden sind. Es befindet sich jetzt in einem schönen Gebäude der Alservorstadt Nr. 280, hat einen geräumigen Garten und eine eigene vom Architekten J. Schaden erbaute Kapelle. Den Altar verfertigte Rösner, das Altarblatt malte Kuppelwieser.

10.) Das Krankenhaus der Elisabethinernonnen, auf der Landstraße Nr. 356, ist für 60 Personen weiblichen Geschlechts berechnet, die kein Vermögen besitzen, während der Krankheit ärztliche Hilfe erhalten, und von den Nonnen mit großer Sorgfalt bedient und verpflegt werden. Die Zahl der aufgenommenen Kranken beträgt jährlich über 360. Es erhält jetzt einen großen Zubau.

11.) Das Institut der barmherzigen Schwestern wurde mit a. h. Entschließung vom 12. November 1831 in Wien zu errichten gestattet. Es befindet sich in Gumpendorf Nr. 195 und ist von Zams (nicht Stams, wie irrig Schmidl sagt) in Tyrol hierher verpflanzt. Der Hauptzweck desselben ist: Wartung der Kranken beiderlei Geschlechts ohne Unterschied der Religion und des Vaterlandes, in und außerhalb des Klosters, auch der unentgeldliche Unterricht der weiblichen Jugend. Doch ist die a. h. Genehmigung vorläufig nur auf die Krankenpflege beschränkt. Die ersten Novizinnen wurden hier am 12. Juli 1833 eingekleidet und die Dauer des Noviziats ist auf 2 Jahre festgesetzt*). Vom 1. November 1833 bis dahin 1834 wurden in diesem Institut bereits 316 Kranke unentgeldlich verpflegt. Vorsteher ist Karl Graf v. Coudenhofen.

12.) Die Privatheilanstalt für Gemüthskranke, in Oberdöbling Nr. 168, verdankt ihre Entstehung dem Dr. M. Bruno Goergen. Die Behandlung der Kranken erfolgt mit gleicher Sorgfalt und Zweckmäßigkeit, aber die Verpflegung ist nach 3 Klassen verschieden. In der ersten werden täglich 5 fl., in der zweiten 4 fl., in der dritten 3 fl. K. M., und für weniger Bemittelte nach einem zu treffenden Übereinkommen ein monatlicher Betrag von 50—80 fl. K. M. entrichtet. Über die

---

*) Näheres über dieses Institut in der neuen theolog. Zeitschr. Jahrg. V. (1833). Heft 6. S. 574.

Anstalt selbst hat der Stifter in einer hier gedruck=
ten Schrift ausführliche Nachricht gegeben.

13.) Das k. k. Militärspital, in der Wäh=
ringergasse Nr. 221, ist auf etwa 1000 Kranke ein=
gerichtet, und mit einer Apotheke, einem chemischen
Laboratorium und einer klinischen Schule ausge=
stattet. Es hat vier Abtheilungen für Kranke und
steht in Verbindung mit der Josephinischen chirur=
gisch=medizinischen Akademie.

14.) Das Arrestantenspital (Inquisiten=
spital) im Strafhause Leopoldstadt Nr. 231, dient
zur Aufnahme kranker Züchtlinge und derlei Arre=
stanten aus den andern Stadtgefängnissen, mit Aus=
nahme der wegen Schulden Verhafteten, und hat
einen eigenen Arzt. In der Folge wird dasselbe sich
im neuen Kriminalgebäude, Alservorstadt, befinden.

15.) Das Spital der Israeliten, in der
Rossau Nr. 50, nimmt jährlich mehr als 100 arme
kranke, einheimische sowohl als fremde, Juden zur
Heilung und Verpflegung auf.

16.) Die Rettungsanstalt für Tod=
scheinende wurde 1803 errichtet, und die nieder=
österreichische Landesregierung bestreitet die Kosten
derselben. Sie bezweckt die Rettung von Menschen,
die ertrunken, erstickt, erhängt, erfroren, oder
durch ähnliche Unglücksfälle getödtet scheinen. Es
werden daher von den Professoren der Arznei und
Wundarznei in dieser Beziehung Vorlesungen ge=
halten, über deren Besuch die neu zu kreirenden
Ärzte sich zuvor ausweisen müssen. Außer den Ge=

sellen und Lehrlingen der Wundärzte sind auch die. Fischer und Schiffer angewiesen, sich in dem Rettungsgeschäft unterrichten zu lassen.

Um die Wiederbelebung der Verunglückten möglichst schnell zu befördern, sind mehrere sogenannte Nothkasten, mit Rettungswerkzeugen und Arzneien versehen, in der Stadt bei der Polizei=Oberdirektion, bei den Wundärzten in den Vorstädten, bei jedem Richter daselbst, in der Wohnung eines jeden Polizeidirektors, dann an den beiden Ufern der Donau an 10 verschiedenen Plätzen vertheilt.

17.) Das Todtenbeschreibungs=Amt, in der Stadt Nr. 177, empfängt vom Ärzte des Verstorbenen eine schriftliche Anzeige von dem Tauf= und Familiennamen, vom Alter und der Krankheit, durch welche der Tod erfolgt ist, und ordnet alsdann zur Besichtigung des Gestorbenen den Todtenbeschauer ab. Der Zweck dieser Todtenschau ist theils die Ermittelung, ob etwa wegen einer ansteckenden Krankheit Gefahr vorhanden, oder der Tod nicht auf eine gewaltsame Weise herbeigeführt sey.

Das Verzeichniß der in der Stadt und in den Vorstädten Gestorbenen erscheint theils in der k. k. priv. Wienerzeitung, theils in dem sogenannten Todtenzettel, der täglich ausgegeben wird und auch in den meisten Kaffehhäusern zu finden ist.

18.) Kirchhöfe und Begräbnisse. In beträchtlicher Entfernung von der Stadt sind auf freiem Felde 5 große Kirchhöfe angelegt, und jedem derselben gewisse Pfarren in der Stadt und in den Vorstädten zur Beerdigung ihrer Todten angewie=

fen. Diefe Kirchhöfe, mit Mauern umgeben, haben keine Kapellen, und Grabmäler können in der Regel nur an der Kirchhofsmauer errichtet werden.

In neuerer Zeit find die Begräbniffe ziem= lich einfach geworden. Doch betragen die Koften bei Verftorbenen in der Stadt mehr, als in den Vor= ftädten. Es beftehen dieferhalb drei Klaffen, ver= fchieden im Betrage nach dem größern oder min= dern Glockengeläute, dem Gefange u. f. w. Wer die Beforgung eines Begräbniffes nicht felbft über= nehmen will, wendet fich an die Kirchendiener der Pfarren oder an die Leichenkonduktan= fager, welche in der kleinen Schulenftraße im Trienterhof zur ebenen Erde Nr. 846 zu finden find.

Ungemein zahlreich werden die Kirch= höfe befucht am 2. November des Jahrs, am Allerfeelentage.

Dritter Abschnitt.

Die Umgebungen von Wien.

Sehr reich ist Wien an reizenden, schönen und großen Umgebungen, die von Einheimischen zahlreich besucht werden und von Fremden gesehen zu werden verdienen. Gewöhnlich aber schränken Letztere sich auf eine Fahrt nach irgend einem bekannten Lustort ein, halten sich selbst da nur an der Oberfläche des Sehenswerthen und verlieren, indem ihnen die Verbindung der Ortschaften fremd bleibt, einen bedeutenden Theil der Zeit, den sie zweckmäßiger hätten verwenden können. Deßhalb ist in der folgenden Erwähnung jener Umgebungen immer ein Hauptpunkt angenommen, von welchem wieder mit Bequemlichkeit ein Ausflug zu machen ist. Zur Bezeichnung dessen, was des Beachtens werth schien, habe ich mich bloß der Schlagworte bedient, die vielleicht am besten geeignet sind, die Aufmerksamkeit anzuregen. Ausführliche und verläßliche Beschreibungen liefern: die Umgebungen von Wien, beschrieben von Weidmann (X Hefte in 16. bei Karl Armbruster). Freilich wird

der Fremde kleine Fußreisen, Zeit und Kostenauf=
wand nicht zu scheuen haben; allein in andern viel=
gepriesenen Ländern ist dieß auch der Fall und doch
trifft man selten dort nur einen Theil jener Reize
vereinigt, die hier in reicher Fülle, fast im Ange=
sichte der Residenz, dem Forschenden sich darbieten.
Wer davon sich überzeugen will, verweile nur einige
Tage z. B. in Rabaun, und besuche die Thäler von
Kaltenleutgeben und Breitenfurt, die Anhöhen von
Gießhübel, Hochrotherd und von der Sulz; die
Waldpartien von Laab und weiterhin nach Weid=
lingau und Hütteldorf. Er wird hier eine kaum ge=
ahnte Welt finden, deren Bewohner durch weite
Länderstrecken von jenem Punkte geschieden zu seyn
scheinen, auf welchem die Hauptstadt sich ausbreitet.
Dagegen hat städtischer Ton und Sitte in andern
sogar entfernten Umgebungen sich schon herrschend
gemacht und jene stille abgeschiedene Welt gleichsam
umlagert, ohne auf sie Einfluß üben zu können. Die=
ser Kontrast ist höchst anziehend und der Aufmerk=
samkeit eines Reisenden vorzugsweise zu empfehlen.

Des leichtern Auffindens wegen sind die sehens=
werthen Umgebungen Wien's in alphabetischer
Folge aufgeführt. Fast nach allen Punkten gehen
Stell= oder Gesellschafts=Wagen ab, de=
ren der Fremde sich ohne großen Kostenaufwand
bedienen kann. Die Standorte derselben wechseln
zwar, doch ist darüber beim wilden Mann in der
Kärntnerstraße, beim Schwan am neuen Markte,
beim goldenen Ochsen in der Seilergasse, am Pe=
ter, am Hof und beim römischen Kaiser an der

Freiung leicht Auskunft zu erhalten. Ein Verzeich=
niß dieser Stellwagen und ihrer Fahrten, das nach
dem Gesagten einer öftern Erneuerung bedürfen
wird, ist indeß beim Kunsthändler Bermann am
Graben um 20 kr. K. M. zu haben.

Fein kolorirte Ansichten von den Umgebun=
gen Wiens findet der Liebhaber bei Mollo am Kohl=
markte Nr. 253., bei A. Paterno am neuen Markt
Nr. 1064 und bei Jos. v. Trentsensky Graben Nr. 1134.
Treffliche Karten von denselben hat das k. k. topo=
graphische Bureau des General=Quartiermeister=
Stabes geliefert (Verkaufsort im Hofkriegsgebäude);
auch ist eine sehr brauchbare topographische Karte
der Gegenden um Wien, von Fried, bei Artaria
auf dem Kohlmarkt Nr. 1151 à 2 fl. K. M., und
eine andere bei Bermann am Graben zu resp.
48 kr. bis 1 fl. 30 kr. zu haben.

1. Baden, landesfürstliche Stadt, etwa zwei
Posten von Wien. Gasthöfe: der goldene Schwan,
der goldene Hirsch, das Fuchs'sche Haus, der Sauer=
hof. Erzeugnisse: treffliche Rasirmesser und die
in Wien beliebten Badner=Kipfel. Merkwürdig=
keiten: Ausgesuchte Prachtexemplare der vorzüg=
lichsten Blumengewächse im Garten weil. Sr. k. H.
Erzherzogs Anton; die Bäder; der Park, Haupt=
sammelplatz der schönen Welt in den Mittags= und
Abendstunden, sehr glänzend im Juli und August;
Doppelhofs Garten mit einer Bad= und Schwimm=
anstalt; der Ursprung (der Bäder); die von Lang=
schen Anlagen und als Fortsetzung derselben, die

21

· der Gräfinn Alexandrowitsch und des Ritters von Schönfeld; das Helenenthal und in demselben: die kleine Helenakirche mit einigen schönen Altargemälden und einem wackern uralten Bildwerke der heiligen Dreieinigkeit, aus Gyps, welches die göttlichen Personen einander ganz ähnlich darstellt und sie nur durch Attribute unterscheidet (S. 66). Dieses Bildwerk ist eigentlich eine künstliche Töpferarbeit und befand sich im vorigen Jahrhundert auf dem von der Hafnerzunft errichteten Altare der Kirche zu Skt. Stephan in Wien. Im Helenenthal bemerke man ferner: den Holzrechen mit den Abzugskanälen; das dem Erzherzoge Karl zugehörige Schloß Weilburg, erbaut von Jos. Kornhäusel, mit den vereinigten österreichisch-nassauischen Wappen aus Sandstein gebildet vom Direktor Joseph Klieber, Einfachheit und Eleganz im Innern des Schloßes, um dasselbe eine schöne englische Anlage, eine treffliche Sammlung Neuholländer-Pflanzen und die größte Rosenflora in ganz Deutschland. Es waren nämlich im J. 1833 vorhanden 500 Arten indischer Rosen, 800 Arten Hybriden mit Einschluß der Pyramid- und Climendenrosen (R. reclinata), und 1000 Arten Landrosen, überhaupt also 1800 Species (Vergl. S. 133) Darunter die seltensten: Rosa bullata alba, R. Sabine, R. Laure Davoust multiflora, R. Thouin, R. Claris, Glorie des Hybrides u. a. Die Laube unfern der Schwimmschule ist von der R. reclinata rosea ganz überdeckt und gibt ein ungemein schönes Blumenbild.

Nicht minder beachte man den malerischen Weg

nach Rauheneck und den Wartthurm mit einer be=
zaubernden Aussicht von demselben über 80 Dorf=
schaften; die Königshöhle; die Ruinen von Scharfen=
eck; die Anlagen auf dem Gemßsteige; die Haus=
wiese als Sammelplatz der schönen Welt in den Nach=
mittagsstunden; die Antonsbrücke; das Felsenthor
am Urthelstein und die Burg Rauhenstein mit ei=
ner herrlichen Aussicht von der Zinne des Wart=
thurms.

Wer entferntere Gänge liebt, gehe von der
Antonsbrücke links nach den Krainerhütten, oder
über den Bach nach dem Wasserfall, der schönen
Heiligenkreuzer Wiese und nach der schönen Aussicht.

Ausflüge von Baden: In Gumpolds=
kirchen verdient angesehen zu werden die Seiden=
filanda von Joseph Kick; in Vöslau das Mine=
ralbad und der herrschaftliche Garten; in Merken=
stein die Burgruinen, die Garten=Anlagen, das
Schweizerhaus u. s. w.

Von Baden ist der Weg nach dem Schnee=
berg, 6497 Pariser Fuß hoch, anzutreten. Zu
Puchberg, am Fuße desselben, sorgt Ignaz
Gschmeidler Nr. 9, für Fuhren und Reitpfer=
de, Träger und Führer zur Besteigung des Ber=
ges. Ferner gelangt man auf einem guten Fahr=
wege von Baden nach dem Stifte Heiligenkreuz,
dann nach der Briel und über Mödling nach
Wien zurück.

Das reizende Thal, welches hinter Baden
von den steirischen Hochgebirgen in die Ebenen Un=
garns auslauft, ist besonders in Beziehung auf

*

Industrie und Manufakturen merkwürdig und wird
daher auf das Interesse vieler Reisenden Anspruch
haben. Sechs Flüsse: die Leitha, Fischa, der kalte
Gang, die Schwechat, der Reissen, und der Piestin=
ger (Triesting) Bach durchschneiden dieses Thal mit
einer in jeder Jahreszeit gleichen Wasserstärke und
begünstigen dadurch, wie durch die Nähe der Haupt=
stadt selbst, vorzugsweise die Errichtung von Wer=
ken, die einer Triebkraft bedürfen.

Sehenswerth sind hier: die Sammtbandfabrik
des C. Fried. Bräunlich in Wiener=Neustadt;
die Zits= und Kattunfabrik des Fried. Du Pas=
quier in Neunkirchen, wegen des Walzendrucks,
der Schönheit und Echtheit der Farben; die Baum=
wollen=Garngespinnst=Fabrik von Ernst Odersky
in Felixdorf bei Wiener = Neustadt; die treffliche
Zwirnerei für Baumwollen = Strickgarne des Jo=
nathan Thornton in Ebenfurt, zwei Stunden
von Wiener=Neustadt; die Papiermanufaktur des
Vinz. Sterz im Markte Pitten bei Wiener=Neu=
stadt, wo das Papier ohne Ende erzeugt wird;
die Baumwollspinnerei und die Maschinenweberei
des Seidenfabrikanten Karl Hornbostel in
Leobendorf bei Günseldorf; die Baumwollgarnge=
spinnst=Fabriken in Pottendorf, Solenau, Thees=
dorf, in Steinabrückel, Möllersdorf bei Traiskir=
chen, und in Ebergassing.

Ferner findet der Reisende nahe bei dem Städt=
chen Ebenfurt zwei Stunden von Wiener=Neu=
stadt zwei Werke von Braunkohle, die häufig auf
die in der Nähe Wien's bestehenden Ziegelbrenne=

reien verführt werden, wobei der zu Tage einge=
hende, in eine bedeutende Tiefe geführte Bau merk=
würdig ist, indem derselbe die Hölzer nach ihren
ganzen Lagen und wahren Textur wahrnehmen läßt;
in Neuhirtenberg bei Skt. Veit das mit einem Streck=
werke verbundene Kupferhammerwerk des Al. Jos.
S a r t o r y; in Nadelburg bei Wiener=Neustadt die
Messing= und Nadelwaaren=Fabrik des Ant. H a i =
n i s c h, und zu Oed am kalten Gang die Fabrik
der Gebrüder R o s t h o r n, worin alle Gattungen
Tafel= und Rollmessing, Tombak, Kupfer= und
Zinkdrähte erzeugt werden.

Außer dem Stellwagen (in der Kärntnerstraße
beim Erzherzog Karl und zum wilden Mann) ist
auch seit 1830 für die Dauer der Badzeit eine
E i l f a h r t nach Baden eingerichtet. Die Aufnah=
me findet Statt bei dem Oberamt der Stadt=Post
in der Wollzeil, und die Person zahlt hin oder zu=
rück 40 kr. K. M.

  B e r t h o l d s d o r f (Petersdorf) siehe Ra=
   daun.

  B r e i t e n f u r t, siehe Radaun.

  B r i e l, siehe Mödling.

  B u r k e r s d o r f, siehe Hütteldorf.

  C o b e n z l b e r g, siehe Kahlenberg.

  D o r n b a c h, siehe Herrnals.

  G a b l i ß, siehe Hütteldorf.

  G e r s t h o f, siehe Währing.

  G r e i f e n s t e i n, siehe Nußdorf.

  G r i n z i n g, siehe Kahlenberg.

  H a d e r s d o r f, siehe Hütteldorf.

Habersfeld, siehe Nußdorf.

Hainbach, siehe Hütteldorf.

Heiligenstatt, siehe Kahlenberg.

Heiligenkreuz, siehe Mödling u. Baden.

2. Herrnals, außerhalb der Herrnalser-Linie. Die Kirche und der Kalvarienberg werden am zahlreichsten in der Fastenzeit an Sonntagen und zur Zeit der Kirchweihe, 24. August, besucht. Das Grabmal des Grafen Clerfait ist eine Zierde des Kirchhofs. Dem Kalvarienberge gegenüber steht das Gebäude des Erziehungs-Instituts für Offizierstöchter (S. 158).

Jenseits des nach Süden befindlichen Ackergrundes liegt Neulerchenfeld mit zahlreichen Bier- und Weinhäusern; ein bekannter und von niederen Ständen zahlreich besuchter Versammlungs- und Belustigungsort.

Durch Herrnals zieht sich der Weg nach dem stillen Dornbach. Links am Ende des Dorfs erhebt sich das Schloß Neuwaldeck, von einem großen Park umgeben. Der Mittelsaal des Schlosses ist ungemein freundlich und die Schloßkapelle sehr anziehend.

Der Park wurde vom Grafen Lacy angelegt; sein Umfang beträgt mehr als eine deutsche Meile. Des Stifters Grabmal befindet sich in einer kleinen von dunkelem Tannengehölz verdeckten Kapelle und neben demselben das des Grafen von Browne. Dieser Ort heißt Morizruhe. Das Gebiet des Spiegelteiches bildet eine der reizendsten Stellen

im Park; am Ufer desselben ist eine schöne Statue
des sterbenden Fechters, nebenbei ein botanischer
Garten. Andere Partien sind: das Jägerhaus, die
Fasanerie (Gold = und Silberfasane), der von allen
Seiten offene Dianatempel mit der Aussicht über
den Park und gegen Wien, an dessen Rückseite auf=
wärts das h o l l ä n d i s c h e D ö r f c h e n (Hameau)
mit dem Marschallszimmer (dem eigentlichen P u n k t e
g r o ß a r t i g e r F e r n s i c h t), dessen Malerei von
E i c h i n g e r herrührt. Vom Holländerdörfchen führt
ein sehr bequemer Weg nach dem H e r m a n n s k o=
g e l. Beim Abwärtssteigen bemerke man als Stand=
punkte: den Regenschirm, chinesischen Sonnenschirm,
neben diesem eine treffliche Statue des Gladiators,
und das chinesische Lusthaus, einen achteckigen Pa=
villon. In der Mitte der angränzenden herrlichen
M a r s w i e s e sieht man unter einer lieblichen Baum=
gruppe die Bildsäule des ruhenden Mars.

Dornbach hat gute Gasthäuser. Ein reizender
Weg führt von hier nach P ö z z e l s d o r f, dann
über G e r s t h o f, die Türkenschanze vorbei, W e i n=
h a u s und W ä h r i n g nach Wien zurück.

H e z e n d o r f, siehe Schönbrunn.

3. H i e z i n g, gränzt an den Schönbrunner=Gar=
ten und ist ein Lieblingsort der Wiener. Die Ge=
mälde auf den beiden Seitenaltären der Kirche sind
von N o t t m a y e r, beachtenswerth die beiden mar=
mornen Grabmäler. Auf dem Leichenhofe ruht Clery,
Ludwigs XVI. letzter Diener; er starb am 27. Mai
1809. Hiezing hat ein artiges Schauspielhaus und
mehrere Gärten, unter welchen jener des Baron

von Hügel ausgezeichnet ist (S. 187). Dommayers Casino daselbst ist allbekannt und befriedigt jede Erwartung; das Gasthaus zum weißen Engel ist auch gut besorgt. Hiezing ist noch ein Hauptpunkt für weitere Ausflüge. Auf der nördlichen Seite gelangt man über den Wienfluß sogleich nach Penzing. Hier besitzt Herr Johann Mayer, Chef des Großhandlungshauses Stametz und Comp. bei seinem Landhause einen trefflich angelegten und kultivirten Garten mit den edelsten Pflanzen, worunter ein köstliches Exemplar der Araukaria Cuninghamia (Altingia·excelsa), und mit einer Sammlung von einigen tausend Exemplaren der schönsten und seltensten Pelargonien. Herr J. Seidel aber hat seinen Pflanzenvorrath und besonders Camellien zum Verkauf in Nr. 19 und 20.

Das Grabmal einer Frau von Rottmann in der uralten Jakobskirche, sinnig entworfen und kühn ausgeführt, ist angeblich ein Werk von Canova, sicherer wohl von Antonio Finella, einem Bildhauer aus Florenz. Viele und ausgezeichnete Monumente bewahrt der Kirchhof. Von Penzing kann man nach Baumgarten, Hütteldorf, Mariabrunn, Weidlingau ꝛc. gelangen.

In gerader Richtung von Hiezing führt ein schöner Weg nach Skt. Veit, von hier abwärts nach Hacking und dann nach Hütteldorf ꝛc. Südwestlich von Hiezing sieht man die reizende Anlage des Künigl= (Kaninchen=) Berges; links von derselben kommt man nach Lainz (Lanz), einem bekannten Wallfahrtsorte der Umgebung. Höchst an=

genehm und überraschend iſt hier der Wechſel länd=
licher Scenen und ein Rückblick auf Skt. Veit. Über
S p e i ſ i n g zieht der Weg ſich am k. k. Thiergar=
ten nach dem Orte M a u e r hin, woſelbſt das Pres=
byterium der Pfarrkirche noch aus einem Reſte der
Schloßkapelle der Babenberger beſteht. In dem ehe=
maligen Garten der Jeſuiten, die von 1609—1773
im Beſitz dieſer Herrſchaft waren, auf dem ſchönſten
Standpunkte des Orts, wurde im Sommer 1833 eine
Badanſtalt errichtet. Die alten Schlöſſer aber ſind
in Militärkaſernen verwandelt. Ein Mauerwein, 40
—50 Jahr alt, iſt vortrefflich.

Von Mauer kehrt man entweder auf geradem
Wege, oder über R a d a u n, L i e ſ i n g und A tz=
g e r s d o r f nach Wien zurück. Von Mauer nach
Radaun kann man über das Weingebirge bequem
nur zu Fuß gelangen.

H i m m e l, ſiehe Kahlenberg.

H o c h r o t h e r d, ſiehe Radaun.

4. Hütteldorf. Das dortige Bräuhaus
wird ſtark beſucht. Aufmerkſamkeit verdienen: das
Grabmal des Dichters D e n i s und die Gärten der
Fürſtinnen L i e c h t e n ſ t e i n und P a a r; das blaue
Haus im letztern bietet die reizendſte Ausſicht über
die Gegend dar.

In Hütteldorfs Nähe befindet ſich der Au h o f,
der Sitz eines k. k. Forſtmeiſters, und der k. k.
T h i e r g a r t e n von einer 10,000 Wr. Klafter lan=
gen Mauer eingeſchloſſen, Berge, Hügel, Waldun=
gen und Wieſenplätze enthaltend. Die ganze Gegend
iſt maleriſch. Eine Gruppe ländlicher Häuſer (die

Holzhackerhütten) wird auch gern besucht.
Hier oder schon in Hütteldorf nehme man einen
Führer nach den Brunnenstuben der Albertischen
Wasserleitung (S. 85) zur hohen Wand und
der Bäckerwiese (Schanzwiese), quer über die=
selbe zum Eingange des Waldes. Auf diesem
Punkt ist die Aussicht überraschend und
erhebend. Durch den Holzschlag abwärts kommt
man nach Haimbach, von den Wienern gelobt
und geliebt, auch nach dem abgeschiedenen Stein=
bach, und durch einen dichtbelaubten Wald nach
Mauerbach. Ein anderer anziehender Weg führet
von der hohen Wand nach Scheiblingstein ꝛc.

In Mauerbach stand einst eine Karthause. Vom
Leichenhofe, ehemals der Karthäusergang genannt,
überblickt man ein herrliches Thal. Ein reizender
Fußpfad geht von hier nach Dornbach. Über die
Anhöhe des Königswinklerberges gelangt
man von Mauerbach nach Gablitz und dem gro=
ßen Bräu= und gut eingerichteten Gasthause daselbst
an der Poststraße. Einen Führer braucht man zu
den Waldhüttlern am Tulnerbach und zum
hohen Trap= (Traub= oder Tropp=) Berge
mit seiner unendlich lohnenden Aussicht. Diese er=
streckt sich über alle Gebirgskuppen vom Schneeberg
bis zum Ötscher, über die Bergkette des Wiener=
waldes und die Windungen der Donau, und gewährt
zugleich einen Überblick der Hauptstadt und des gan=
zen Cethischen Gebirgstockes, der von diesem Stand=
punkte betrachtet in einer ganz eigenthümlichen Form
erscheint. In der äußersten Ferne zeigen sich noch

der Haimburger Berg, die kleinen Karpathen bis Preßburg, die Ebenen an der March und die böh= misch = österreichischen Grenzgebirge. Um diesen Berg= prospekt besser genießen zu können ist seit 1833 ein tüchtiges Gerüste auf dem Gipfel des Trapberges er= richtet. Die Höhe des Berges ist 1701 Schuh.

Der Rückweg berührt B u r k e r s d o r f. Zwei Stunden südwestlich von da entfernt ist das Dorf P r e ß b a u m (zum Taferl, Dannering, Tanne= rinn), sehenswerth des reizenden Wechsels der Wald= und Gebirgspartien wegen. Durch den Wolfsgraben kann man nach H o c h r o t h e r d und B r e i t e n = f u r t ꝛc. kommen. Auf Burkersdorf aber folgt am Hauptwege nach Wien unmittelbar W e i d l i n g a u mit dem Schloßgarten, dem Gasthause und den ein= ladenden Anhöhen hinter dem Garten desselben. Der beste S t a n d p u n k t daselbst zur Übersicht der Ge= gend ist die M a r i a b r u n n e r = B a n k. Durch die Anlagen geht ein Weg nach H a d e r s d o r f und dessen Park, worin L o u d o n s Grabmal, dann über M a r i a b r u n n (Forstlehranstalt und forst= botanischer Garten) nach Hüttelsdorf zurück.

J o h a n n e s s t e i n, siehe Mödling.

J o s e p h s b e r g, siehe Kahlenberg.

5. Der K a h l e n b e r g, und der angränzende L e o p o l d s b e r g. (Siehe: Der Kahlenberg und dessen Umgebungen, von Groß. Wien, 1831, 12.)

Auf dem Kahlenberge, 1629 J o s e p h s b e r g genannt, bemerke man: Die schöne Aussicht; die Brunnen vor dem ehemaligen Kamaldulenser=Kloster dessen Gruft jetzt geschlossen ist, 76 Fuß tief, und vor

dem Gasthause 108 Fuß tief; dann das Gasthaus
mit seiner Terrasse und dem großen Keller. In dem
am Sommersalon stoßenden Kabinet soll Mozart an=
geblich die Zauberflöte komponirt haben. Sehens=
werth ist auch der Kirchhof mit den Grabmälern.
Die Höhe des pflanzenreichen Berges beträgt 1060
Fuß über den Wasserspiegel der Donau.

Der Weg von hier nach dem Leopoldsberg,
834.37 F. über den Spiegel der Donau, ist schattig
und angenehm. Die Kirche zu h. Leopold zeichnet sich
durch gefällige Form aus; den h. Leopold als Al=
tarblatt malte Christian Sembach, die andern
Altarblätter sind von Icensius und Lerey. In
dem Gebäude am Berge eine kleine aber interessante
Gemäldesammlung. Die Donaugegend gewährt,
wie die Stadt Wien in der Entfernung, einen
herrlichen Anblick. Absteigen kann man nach dem
Kahlenbergerdörfl, und über Nußdorf nach
Wien zurückkehren, oder den Rückweg nach dem
Kahlenberg nehmen und dann folgenden Ausflug
machen.

Auf dem nahen Bergrücken gelangt man näm=
lich unschwer zu dem reizenden Cobenzlberge
mit einer trefflichen englischen Anlage. Das Gast=
haus ist gut; Höhe des Berges 973 Fuß über die
Donau. Will man sich nicht nach dem lieblich schat=
tigen Krapfenwäldchen wenden und über Grin=
zing nach Wien heimkehren, so begebe man sich nach
dem sogenannten Himmel, einem der anziehend=
sten Punkte der Umgebung zur Übersicht der Haupt=
stadt, und bemerke: den Park mit dem Blumenplatz

zur Seite der Schloßterraffe, den chineſiſchen Schirm, den großen Teich, kleinen Prater u. dgl.

Abwärts bei einem bedeutenden Steinbruch liegt das Dorf S i e v e r i n g mit einer uralten, angeb= lich vom heil. S e v e r i n (438) erbauten, auf einer Anhöhe ſtehenden, Steinkirche. Obſt= und Weinbau ſind hier ſehr beträchtlich. Von Sievering kommt man auch unſchwer nach dem 1712.16 Schuh hohen H e r m a n n s k o g e l auf dem Wege nach W e i d = l i n g, wozu jedoch ein Führer erforderlich iſt, ferner nach G r i n z i n g, ſeines Weines wegen berühmt und beſucht. Der Fremde überſehe nicht die g r o ß e W e i n t r a u b e n = A n l a g e i m ſ o g e n a n n t e n L ö s h o f Nr. 28 — 31, die weit über tauſend Va= rietäten deutſcher, ungariſcher, franzöſiſcher, ſpani= ſcher, italieniſcher und Trauben aus den dalmatini= ſchen und griechiſchen Inſeln, von der Inſel Cy= pern, ſelbſt vom Berge Libanon zählt, mithin die berühmten Sammlungen des Grafen Chaptal zu Paris und im Garten der Londoner Horticultural-Society um das Doppelte und Sechsfache übertrifft. Von Grinzing geht man auf einem angenehmen Pfade nach H e i l i g e n ſ t a t t. Die Kapelle des hei= ligen Severin im Pfarrhof zum heil. Jakob ſtammt aus dem V. Jahrhundert. Gaſthaus, Garten und Badhaus ſind gut beſorgt. Vom Kaffehhauſe genießt man eine ſchöne Ausſicht. Der nahe Nußberg lie= fert einen trefflichen Wein. Die zahlreichen Spazier= gänge ſind anmuthig und ſchön, auf mehreren Punk= ten die Fernſichten überraſchend. Von Heiligenſtatt kehrt man über D ö b l i n g nach Wien zurück.

Der Fremde in Wien. 3. Aufl.   22

Der hier bezeichnete Weg ist abwechselnd zu Fuß und Wagen wohl in einem langen Sommertage zu machen. Man fährt entweder zum Kahlenbergerdörfl, besteigt von dort aus den Leopoldsberg, begibt sich über den Kahlenberg nach dem Cobenzlberg und weiter in der angezeigten Richtung nach Grinzing oder Heiligenstatt, um nach Wien zu fahren; oder man fährt bis Grinzing, geht über Sievering nach dem Himmel, Cobenzl=, Kahlen = und Leopoldsberg, steigt, wie früher gesagt, abwärts ins Kahlenbergerdörfl und fährt über Nußdorf nach der Hauptstadt. Ich ziehe den erst erwähnten Weg vor.

Vom Himmel gelangt man auch auf einem reizenden Wege nach dem Gallizinberge bei Dornbach und weiter nach Hütteldorf.

Kahlenbergerdörfl, siehe Kahlenberg und Nußdorf.

Kalksburg,
Kaltenleutgeben, } siehe Radaun.
Kammerstein,

Kierling, } siehe Nußdorf.
Klosterneuburg,

Krapfenwäldchen, siehe Kahlenberg.

Laab, siehe Radaun.

6. Lachsenburg. Merkwürdigkeiten daselbst: das Neuschloß; sechs herrliche Gemälde von Canaletto im Bibliothekzimmer I. Maj. der Kaiserin; die Bildsäule Meleagers aus reinem carrarischen Marmor von Beyer; der schöne Hochaltar in der Pfarrkirche, vom Hofarchitekten Joh. Zobel, das Altarblatt zur Linken von Ludw. Kohl, jenes ur

Rechten von Ant. van Dyk und Seghers, beide von hohem Kunſtwerth; die Franzensburg (Ritter= burg) am öſtlichen Ende des Parks, deren geſammte Einrichtung aus Kunſtwerken des Mittelalters be= ſteht, die Glasgemälde von dem leider zu früh ver= ſtorbenen Maler Mohn theils reſtaurirt, theils neu verfertigt; bezaubernde Ausſicht von dem Thurm; die prächtigen uralten Malereien im Empfangsſaal 2c.; ferner in dem nach mittelalterthümlichen Styl aufgeführten Zubau: der Waffenſaal, der ungari= ſche Krönungs = und Habsburgerſaal mit 17 Mar= morſtatuen, die Stammreihe des Hauſes Habsburg darſtellend, und der Lothringerſaal im erſten Stock mit hiſtoriſchen Glasgemälden, Momente aus dem Leben der im Saale als Portraits befindlichen Fa= milienglieder des nun mit Habsburg vereinten Kai= ſergeſchlechts der Lothringer enthaltend, und vier Landſchaften verſchiedener Punkte auf den kaiſ. Fa= miliengütern. Das Portrait Sr. M. Kaiſers Franz I., von Friedr. Amerling gemalt, verdient in mehr= facher Hinſicht volle Beachtung. Im Park ſelbſt: der große 72,000 Quadratklafter haltende Teich; der Turnierplatz; die über 600 Jahre alte Ritter= ſäule; die Meierei mit der koſtbaren Herrnwohnung; die Rittergruft mit altdeutſchen Gemälden an den Wänden und einem trefflichen Glasgemälde im Hin= tergrunde; das ſchöne Luſthaus im Eichenhain (vor= mals das Haus der Laune); das alte Schloß, ne= benbei der Dianatempel (grüne Luſthaus) mit einem Kuppelgemälde von Vincenz Fiſcher und einer nach allen Seiten freien Ausſicht; das Fiſcherdörfchen

256

mit der großen Fischerhütte, eine der reizendsten Parkanlagen; der Pavillon (chinesisches Lusthaus) in romantischer Lage; der Tempel der Eintracht, dessen Bau Muretti und die Stuckaturarbeit Köhler besorgten; die Löwenbrücke mit ihren beiden trefflichen Löwenbildern aus Stein, von Beyer gearbeitet; der kleine Prater mit dem Schaukelplatz und der Schnellwage, dem Gartensalon, Vogelschießen und den Wirthshütten.

Außerdem befindet sich hier im Kaisergarten eine ausgezeichnete Sammlung von ausländischem Gehölz, eine ganz besonders große und vorzügliche Baumschule von exotischen Sträuchen und Bäumen, auch zum Verkauf nach dem Preiscourant, eine Rosenanlage von mehr als 400 Sorten, und der Obstgarten Sr. Maj. des jetzt regierenden Kaisers.

Der Garteneintritt ist täglich gestattet und ein ziemlich unterrichteter Führer anwesend. Von Weidmann's Beschreibung der Umgebungen Wiens wird das Heft über Lachsenburg, ungeachtet der neuen Vermehrungen in der Ritterburg, dem Fremden vorzügliche Dienste leisten. Von dem nämlichen Verfasser erschien 1832 eine sehr ausführliche und anziehende Schilderung des Rittergau's im Park zu Lachsenburg in den Beiträgen zur Landeskunde Österreichs unter der Ens, die einen besonderen Abdruck verdient.

Lainz (Lanz), siehe Hiezing.

Leopoldsberg, siehe Kahlenberg.

Mariabrunn, siehe Hütteldorf.

Mauer, siehe Hiezing.

284

Meidling, siehe Schönbrunn.

Merkenstein, siehe Baden.

7. Mödling, eine reizende Schweizergegend, von Wien im Fahren in einer guten Stunde zu erreichen. Gleich in der Nähe der Residenz am Wienerberge ist ein Denkmal von Stein, die Spinnerin am Kreuz genannt, mit den Bildnissen der Heiligen Chrispin und Crispinian, der beste Standpunkt, die Stadt Wien und ihre Umgebungen zu überblicken. Die Hauptstraße führt über Inzersdorf. Bei Mödling, dicht an der Straße, sieht man einen Leichenhof, und in dessen Kapelle ein herrliches Gemälde von Scheffer, einem jungen ausgezeichneten, bereits gestorbenen Künstler. In Mödling betrachte man: das Schauspielhaus; die Pfarrkirche und deren unterirdischen Gewölbe; einen sehr alten Grabstein, doch nicht auf Heinrich Jasomirgott oder seinen Sohn zu deuten; den Dachstuhl der Kirche, ein Meisterwerk der Zimmerei; die Ägidi- oder Spitalkirche, das älteste Baudenkmal in Mödling; und das Badhaus. Als Gasthof ist der zum Hirschen zu empfehlen; Brunner- und Gumpoldskirchnerwein sind daselbst vorzüglich.

Von Mödling durch den alten Thorbogen, einen Überrest des Klausenthors, betritt man eine höchst romantische Gegend und das Dorf Klausen. Darin sind: Anlagen des Fürsten Liechtenstein auf dem Felsengebirge rechts und links; die vordere Briel; im Vordergrund derselben die Ruinen der Burg Mödling; dann das runde Thal; das fürstliche Lustgebäude; die Meierei; das Gasthaus zu den zwei

Raben; der Tempel des Ruhms mit einer unbegränz=
ten Aussicht; die Karlsburg; das Kienthal mit den
romantischen Eschenbäumen; die hintere Briel
und Hilperichs Mühle.

Von der Mühle am Anfange der vorderen Briel
geht ein trefflicher Fahrweg nach dem alten Schloße
Liechtenstein, schöne Überreste ehemaliger Ritter=
herrlichkeit enthaltend. Dahin gehören: der Ritter=
saal (Prunksaal) mit alten Familiengemälden, die
alte Kapelle, das Burgverließ u. dgl. Neben an:
das neue Schloß, der Park, der Perlhof; in den
Anlagen das Amphitheater, und auf dem Rückwege
nach Mödling der rothe Thurm auf einem Felsen=
rücken beim Eingang in die Klause.

Für Fremde, die vorzugsweise die Briel zu be=
suchen pflegen, will ich noch einige anziehende Punkte
näher bezeichnen zur beliebigen Auswahl.

Außer dem Frauenthor zu Mödling gelangt
man auf einem ebenen, sehr angenehmen Wege in
¾ Stunden auf den Eichkogel, wo man einer
weiten herrlichen Umsicht genießt.

Ober der Schießstatt, gleichfalls außer dem
Frauenthor, führt am Fuße des Innikerberges, dicht
an einem Steinbruch vorüber, ein bequemer Weg in
das Windthal, durch welches man in den Schu=
berthof gelangt, wo Milch und Butter zu haben
ist; ein minder bequemer Weg aber über die soge=
nannte goldene Stiege zur breiten Föhre, von
der man auf dem sogenannten alten Postweg ins
runde Thal der Briel, zur Schweizerhütte,
Meierei u. s. w. kommt.

Durch das Dorf Klausen und die vordere Briel,
dem Hause Nr. 18 gegenüber, zeigt sich unfern der
Fahrstraße rechts ein Fußweg, auf welchem man
neben einer Mühle nach dem Wirthshause an der
neu gebauten Kirche in der hinteren Briel, dann
aufwärts nach der Ruine und weiter nach dem
Hundskogel gelangt. (In der Mappe ist es
so genannt, sagt die Inschrift). Hier befindet
man sich ganz eigentlich in der Mitte eines überra=
schenden Rundgemäldes.

Der höchstens ¾ Stunden lange Weg von der
vordern Briel nach Weissenbach bietet einen sehr
angenehmen Spaziergang dar. In dem dortigen, zum
Stift Heiligenkreuz gehörigen Meierhofe kann man
zu Mittag essen, und auch Nachmittag mit Kaffeh,
Milch ꝛc. bewirthet werden.

Gleich zu Anfang des von Mödling durch die
Briel eine Stunde entfernten Marktes Gaden führt
links an einem Jägerhause vorüber ein bequemer
Fußweg durch einen Buchenwald auf den großen
Aninger. Dieser Weg ist in 1¼ Stunde leicht zu=
rückzulegen. Die Anhöhe gewährt eine eben so groß=
artige als mannigfaltige Aussicht nach dem Schnee=
berg und seinen Umgebungen, nach dem Leithagebir=
ge, Marchfeld und der Kaiserstadt, ohne der näher
gelegenen Ortschaften, wie Baden, Traiskirchen,
Mödling, Enzersdorf, Petersdorf, Radaun u. a. m.
zu gedenken. Doch ist es rathsam, aus einem der
ersten Häuser von Gaden einen Führer mitzunehmen.

Rechts hinter Hilperichs Mühle, auf dem Wege
nach Gaden, zieht sich der Weg nach Sparbach in

lieblicher Lage, dann nach Johannesstein und Sittendorf. Hinter dem Försterhause in Johannesstein fängt der große Thiergarten an. Den herrlichen Anblick der Felsenburg empfängt man am Besten vom Uferrande des zweiten Teichs. Die Ruine ist nicht bedeutend groß, aber kühn im Bau. Zwei Gemächer sind bewohnbar, die Aussichten entzückend, wie vom Tempel auf dem Heuberge, der mit den Anlagen in Verbindung steht. Von Sparbach gelangt man über Sittendorf, das Schloß Wildeck vorbei, nach Heiligenkreuz; doch ist dieser Weg nur Fußgehern zu empfehlen. Mit einem Wagen nimmt man den Rückweg nach Gaden, und fährt dann auf der großen Straße nach Mödling, oder nach Heiligenkreuz.

In Heiligenkreuz beachte der Fremde: den Kalvarienberg; den Stiftshof; die herrliche Façade der Kirche; das Kapitelhaus; den Kreuzgang; den figurenreichen Brunnen aus Blei; die Fürstengruft der Babenberger; das Dormitorium; die Grabstätten des Malers Altomonte und des Bildhauers Giuliani, Lehrers Rafael Donner's, beide am Eingange der Kirche; das Hochaltarblatt und die Gemälde der beiden Seitenaltäre von Rottmayer; die der vier andern Altäre von Altomonte; zwei Kirchenstühle mit merkwürdig eingelegter Holzverzierung; die treffliche Orgel; das Schnarrwerk oder die Windorgel im Stiftsthurme; die Sakristei und die meisterhafte Holzmosaik an den Wandschränken, wie auch die große Kreuzpartikel mit der kostbaren Fassung (20,000 fl. K. M.); das Sommerrefektorium mit dem herrlichen Gemälde von Altomonte; die Schatzkammer und die Bibliothek.

Von Heiligenkreuz führt ein trefflicher Weg nach Baden (S. 241), ein anderer über die Sulz u. s. w. nach Wien zurück; auch kann man von da den Schneeberg besteigen, oder auf einem anziehenden Wege nach Lilienfeld, und von dort nach Mariazell gelangen. Wer den letztern wählt, unterlasse nicht, die Stahl = und Eisenwaaren = und Feilenfabrik des Daniel Fischer zu Skt. Ägidi, nächst dem Stifte Lilienfeld an der Traisen, zu besuchen. Sie erzeugt Gußeisen in solcher Dehnbarkeit, daß es wie Schmiedeisen gehämmert werden kann, alle Gattungen Feilen, damascirte Säbelklingen und den bekannten Meteorstahl, der zu den feinsten Schneidewerkzeugen, besonders zu chirurgischen Instrumenten und Rasirmessern, verwendet wird.

Ähnliche und nicht minder sehenswerthe Werke, dem Oberstlieutenant Fischer aus Schafhausen gehörig, befinden sich in Hainfeld.

Wird der Ausflug von Wien auf Mödling, die Briel und deren nächste Umgebung beschränkt, dann wähle man den angenehmen Rückweg über Enzersdorf, Brunn am Gebirge und Bertholdsdorf nach Wien.

8. Nußdorf. Daselbst: das Kaffehhaus; das Gasthaus zur Rose (Fische und Krebse); Anfang des Wienerkanals; große Weinkeller; Kirchlehner's ausgezeichnete Gemäldegallerie in der k. k. priv. Le=

derfabrik; des Fischhändlers Ant. Hofeneders
Teiche und Behälter für Fische, welche im Sommer
nur in Gebirgswassern leben; die große Schön= und
Schwarzfärberei des Ignaz Hackhoffer, wegen
ihrer Ausdehnung und zweckmäßigen Einrichtung.
Von Nußdorf geht man über Heiligenstatt und
Döbling nach Wien zurück, oder weiter aufwärts
nach dem Kahlenbergerdörfl (S. 254), nach
Weidling und Klosterneuburg. Weidling,
links vom Hauptweg ab, hat eine herrliche Lage,
üppige Vegetation, ein gutes Gasthaus und ange=
nehmen Garten. Echter alter Weidlinger ist ein be=
liebter Wein. Der Wagenfabrikant Sim. Brand=
mayer von Wien hat in Weidling eine sehens=
werthe Dreherei für Wagenachsen. Die eine Stunde
weiter im Thal befindliche Meierei in Weidling
am Bach wird stark besucht; überall ist Reichthum
an Naturschönheit. Gleich schön liegt Kierling im
jenseitigen Thale zwischen Weidling und Klosterneu=
burg, auch berühmt des trefflichen Obstes wegen.

Von Weidling führen mehrere Fußwege nach
der Stadt zurück: über den Kahlenberg und
Grinzing; über einen Theil des Hermanns=
kogels, oder über den Cobenzl nach Grin=
zing, Heiligenstatt und Döbling ꝛc. Je=
der Weg hat seine eigenthümliche Farbe; lohnend
ist jeder.

Auf dem obern Klosterneuburgerwege erreicht
man von Weidling in einer kleinen Stunde Klo=
sterneuburg. Von hier aus ist die Ansicht des

263

Thals entzückend. In Klosterneuburg sind der Merkwürdigkeiten viele. Unter diesen: der k. k. Schiffbau-
hof (Pontonstadel); das Stift (überraschender Anblick
desselben vom Kirchenplatz); ober dem Eingange zum
Kirchhofe eine Steingruppe: die schmerzhafte Mutter
Gottes, von Rafael Donner; das große Wein-
faß (999 Eimer) im Hofe der Binderei; der Kreuzgang und in demselben: das Modell zur schmerzhaf-
ten Mutter von Donner, zwei merkwürdige Wand-
bilder aus Stein gearbeitet vom Jahr 1519, und
das große aus Holz geschnitzte uralte Christusbild in
einer Kapelle. In der Schatzkammer (Leopoldska-
pelle) befinden sich die irdischen Überreste des heiligen
Leopolds (gest. 1136) und in den Schränken die Kostbarkeiten des Stifts, goldene und reich verzierte Kir-
chengefäße, der kleine Reisealtar des heiligen Leopold,
ein Theil des Schleiers der Markgräfin Agnes, seiner Gemalin, welchen der Wind entführte, als Beide
am 8. Mai 1106 unter dem Bogen des Leopoldsber-
ger Schlosses über die Stiftung eines Klosters rath-
schlagten, das auf der nämlichen Stelle, wo der
Schleier später gefunden wurde, aufgebaut ist; der
Herzogshut und viele andere Kostbarkeiten. Ungemein merkwürdig daselbst ist noch der Altar von
Verdün, den Probst Wernher verfertigen ließ, als
Kunstgebilde einzig, kaum dem Prachtaltar in der
Markuskirche zu Venedig nachstehend, 1181 der Jungfrau Maria geweiht.

In der Stiftskirche sind die geschnitzten Chorstühle beachtungswerth; das Hochaltarblatt, Mariä
Geburt, malte Kuppelwieser, den h. Leopold:

Drexler. Von den acht andern Altargemälden sind
4 von Peluzzi, und 4 von Strudel; das De=
ckengemälde von Domenico, die große Orgel mit
den Pfeifen, sämmtlich aus Zinn, von Freund aus
Passau. In der Sakristei werden die Ornate auf=
bewahrt.

Im sogenannten Neugebäude ist zur ebener
Erde die Stiftsbibliothek, mit etwa 30,000 Bänden
und 400 Handschriften, worunter das Psalterium
des heil. Leopold; dann der Stammbaum der Ba=
benberger und sieben Fenster mit Glasgemälden,
sicher aus dem XIV. Jahrhundert. Im ersten Stock
befinden sich die Kaiserzimmer mit prachtvollen Gob=
belins, im großen Saal ein schönes Deckengemälde
von Daniel Gran. Eine Sammlung alter Ge=
mälde, eine österreichische Kunstschule im Mittelal=
ter andeutend, wird an einem schicklichen Orte des
jetzt durch einen Anbau erweiterten Stiftsgebäudes
aufgestellt werden. Zur Besichtigung dieser Merk=
würdigkeiten hat man sich im Stifte oder beim Sa=
kristan zu melden.

Der Klosterneuburger Wein ist seiner Güte we=
gen altberühmt. (Gute Sorten werden im Stifts=
keller ausgeschenkt.)

Wer von Klosterneuburg seine Fahrt weiter
fortsetzen will, muß vorher nicht in Nußdorf ver=
weilen, oder Weidling besuchen. Er gelangt dann
über Kritzendorf und Höflein nach Grei=
fenstein. Der Obstbau in Kritzendorf ist be=
trächtlich; Höflein lieferte die Steine zum Bau

des Stiftes Neuburg und des Stephansthurms in
Wien. In Greifenstein findet man nothdürftige
Bewirthung im Gasthause an der Donau. Die Burg
auf einer steilen Anhöhe gewährt eine reiche Aus=
sicht. Was hier von der Gefangenhaltung des Ri=
chard Löwenherz erzählt und gezeigt wird, ist eine
Fabel. Sein Gefängniß war im Schlosse Düren=
stein bei Krems.

Von der Höhe bei Hadersfeld, eine Stunde
aufwärts von der Burg, ist aber die Aussicht eine
der großartigsten und unbegränztesten in Österreich.
Diesen Gipfel schmückt ein Obelisk auf einem, in
vier Hallen abgetheilten, mit Sitzen versehenen Ge=
wölbe. Seine Erhöhung über den Spiegel des adria=
tischen Meerbusens beträgt 239 $^{16}/_{100}$ Wiener Klafter.
Gute Bewirthung im Gasthause zu Hadersfeld. Der
Fremde, welcher Greifenstein besucht, wird wohl
thun, sich sogleich von der Burg nach Hadersfeld
zu begeben, um daselbst das Mittagsmahl einzu=
nehmen.

Ein angenehmer, obgleich ziemlich langer Weg
(2—3 Stunden) führt von Hadersfeld durch den
Wald über Kierling und den Aschhof (Harsch=
hof) nach Weidling, wohin man den Wagen von
Greifenstein zurückschicken kann. Die Fahrt nach
Klosterneuburg und Greifenstein, über Kierling nach
Weidling und von da über Nußdorf nach Wien zu=
rück, ist in Einem (Sommer=) Tage zu machen.

Neustift, siehe Währing.

Penzing, siehe Hiezing.

23

Petersdorf (Bertholdsdorf), siehe Ra=
daun.

Pözzelsdorf (Pötzleinsdorf), siehe Wäh=
ring.

9. Radaun. Die Straße dahin geht über Atz=
gersdorf und Liesing. Lieblich und schön ist die Ge=
gend an der rechten Seite des Weges. Schloß und
Kirche in Radaun liegen auf einer Anhöhe; die Aus=
sicht von der Schloßterrasse ist groß und reizend. Das
Badhaus im Orte hat 16 Zimmer, einen Speisesaal
und rückwärts einen geräumigen Garten. Hier und im
Gemeindegasthause findet man gute Bewirthung.

Von Radaun kann man sich nach allen Seiten
wenden und in der schönen Natur überall auf ho=
hen Genuß rechnen. Ganz in der Nähe liegt Kalks=
burg mit einer prachtvollen Kirche, vom Baumei=
ster Zobel gebaut. Das Hochaltarblatt ist ein Mei=
sterwerk Maurer's, das Plafondgemälde von
Koller, des Hofjuweliers Franz von Mack (Stif=
ters der Kirche) Denkmal von Käßmann trefflich
gearbeitet. Der große Park ist sehenswerth, der Ein=
tritt aber in der Regel nicht gestattet.

Von Kalksburg führt eine Straße nach Ro=
thenstadel, einem Belustigungsorte im Reiz stil=
ler Abgeschlossenheit. Von hier geht ein malerischer
Fußpfad, ohne Führer leicht zu verfehlen, nach Laab.
Verfolgt man aber den geraden Weg von Rothen=
stadel, so gelangt man nach Breitenfurt und
weiter hin auf der Anhöhe zu dem unbedeutenden
Wirthshause in Hochrotherd. Am Ende der
Häuserreihe links beim Einbiegen zu einem Triftweg,

erblickt man n seiner ganzen Größe den S ch n e e= b e r g, den Ö t s ch e r und das A l p e n g e b i r g e d e r S t e i e r m a r k. Zurück nach dem Wirthshause zeigen sich in schönen Gruppen die Waldberge, ein Theil der Hauptstadt und der Vorstädte, und über diese hinaus treten dem Blicke noch das Marchfeld und die Gebirge bei Preßburg entgegen.

Von Hochrotherd kann man über S t a n g e n a u und S u l z nach Radaun zurückkehren. Der Weg ist schön, aber etwas beschwerlich.

Eine andere Wanderung von Radaun ist fol= gende: Man besteigt hinter der Schloßanhöhe links am Wege nach Kaltenleutgeben eine sanft aufstei= gende Höhe, auf welcher sich, bereits im Walde, die Überreste der Burg K a m m e r s t e i n befinden. Mehrere Punkte auf diesem bequemen Wege gewäh= ren schöne Fernsichten. Eine der herrlichsten aber hat man auf der Höhe des G e i s b e r g e s, zu welcher man auf einem Seitenwege südwestlich von der Rui= ne Kammerstein unschwer gelangt. Doch ist es rath= sam, von Radaun einen Führer zu nehmen. Neben dem Geisberge zieht sich nördlich ein sehr malerischer Weg nach K a l t e n l e u t g e b e n, ein anderer ost= südlich nach B e r t h o l d s d o r f (Petersdorf) hinab. Die Kirche in letzterm Orte, zu dem man auch un= mittelbar von Radaun gelangt, ist durchaus von Quadersteinen gebaut, die Bauart großartig, die Orgel schön, die unterirdische Kirche sehr merkwür= dig; sie ist durch die Munificenz der Frau Barbara T u s ch k e restaurirt worden; das Altarblatt, Jo= hannes der Täufer, ist von S ch n o r r; an der

außern Mauer der Kirche nach Norden ein schönes
altes Steinbild. Der Thurm ist 180 Fuß hoch, die
Aussicht von der Gallerie entzückend. Auf der andern Seite der Kirche stehen die Ruinen der alten
herzoglichen Burg. Auf dem Leichenhofe sieht man
die schöne Familiengruft des Gottfried Lipp, deren
Skulptur Klieber verfertigte, und den Grabstein
des Sprachforschers Popowich. Auf dem Rathhause
sind die alten Gemälde sehenswerth.

Andere Ausflüge kann man von Radaun ma-
chen nach der Briel über Bertholdsdorf, Brunn,
Enzersdorf und Mödling; oder über das Dorf
Gieshübel nach der Briel und Mödling; oder
durch das Thal von Kaltenleutgeben nach der
Sulz, von hier nach Heiligenkreuz und Briel (siehe
Sulz); oder auch über Mauer, Lainz, Hiezing
nach Wien zurück u. s. w.

Rothenstadel, siehe Radaun.

10. **Schönbrunn.** Der Besichtigung des,
ursprünglich von Maximilian II. 1570 gegründeten,
Schloßes wegen wendet man sich an den Schloß-
hauptmann. In den drei ersten Zimmern findet man
15 Gemälde von Joseph Rosa; in einem Nebensaal 5 von Martin von Meytens, sämmtliche Figuren Portraits. Das Deckengemälde im Haupt-
saal ist von Guiglielmi; sehenswerth noch: das
runde, das blaue Kabinet und das Toilettenzimmer
der Kaiserin Maria Theresia.

Das Hochaltarblatt der Hofkapelle im Seitengebäude ist von Paul Troger, die kleinern Figuren und die heilige Dreifaltigkeit über demselben von

Donner, das Deckengemälde von Daniel Gran.
In diesem Gebäude befindet sich auch der Schau=
spielsaal.

Im Schloßgarten, der täglich offen steht, ver=
fertigte Jos. Wilh. Beyer die Bildsäulen aus Ty=
rolermarmor. Auch entwarf derselbe die Modelle
zur Gruppe in dem großen Bassin. Mit Vergnügen
wird man bemerken: den schönen Brunnen (daher
Schönbrunn) mit der Statue der Egeria, Beyer's
Meisterwerk; die Ruine; den Obelisk und die Glo=
riette mit der bezaubernden Aussicht von der Höhe.
Den Plan zu den drei letztgenannten Bauwerken
entwarf Hohenberg. Neben dem Garten ist die
Menagerie, welche Fremde täglich sehen können,
für das größere Publikum aber nur an gewissen Ta=
gen offen steht.

Am Ausgange des Schloßgartens nach Hie=
zing ist links der Eingang zum botanischen
Garten. Die zweckmäßigen Gewächshäuser ent=
halten schöne, seltene und große Exemplare, beson=
ders von Palmen, die ein eigenes Haus haben; sehr
seltene und prachtvolle Pflanzen aus Brasilien; das
Parasiten= (Schmarotzerpflanzen=) Haus, ent=
haltend die größte Sammlung der in Gärten äu=
ßerst seltenen Pflanzen aus der Familie der Aroi=
deen, sinnreich und belehrend gruppirt im üppigsten
Wachsthum, eine der vorzüglichsten botanischen Merk=
würdigkeiten des Kontinents. Die Sammlung der
Neuholländerpflanzen vermehrt sich täglich, und für
die Alpengewächse ist seit 1830 eine besondere An=
lage gemacht. Vorzügliche Aufmerksamkeit verdient

der Vermehrungskasten für exotische Gewächs=
se. Der große Obstgarten mit seinen trefflichen
Sorten liegt östlich neben dem Schloßgarten; ihm
gegenüber ist das Hauptgebäude der Orangerie,
600 Fuß lang. Hofgartendirektor ist der k. k. Rath
Herr Bredemayer, Hofgärtner Herr Schott.
Unweit von der erwähnten Orangerie in der Woh=
nung des, durch seine ausgezeichneten Blumenge=
mälde berühmten, leider vor einigen Jahren zu früh
verstorbenen, k. k. Kammermalers Johann Knapp be=
findet sich ein herrliches von demselben zum Anden=
ken des verstorb. Freiherrn Nikol. Joseph v. Jaquin
gefertigtes Blumenstück, welches jeder Fremde in
Augenschein zu nehmen sich bemühen soll. Herr Jo=
seph Knapp, Sohn des Verblichenen und jetziger
Kammermaler wird diesfällige Wünsche nach Mög=
lichkeit gern befriedigen.

An den Schönbrunner Schloßgarten östlich
gränzt Obermeidling, worin am sogenannten
grünem Berge Nr. 32 im Jahre 1830 ein neuer
Belustigungsort »Tivoli« entstanden ist, mit ei=
nem Garten, einer großen Säulenhalle, Kreisfahr=
bahn und einer vollständigen guten Restauration.

Von Schönbrunn aus können die bei Hiezing
bemerkten Ausflüge gemacht werden.

In der Nachbarschaft Schönbrunns liegt He=
tzendorf. Im k. k. Schlosse daselbst findet man
ein chinesisches Kabinet; im großen Saal ein köstli=
ches und kostbares Deckengemälde von Daniel Gran,
der während der Arbeit täglich 100 Dukaten von
Kaiser Joseph II. empfing; in der Hofkapelle ein

schönes Deckengemälde von Widon. Der Garten
ist im französischen Geschmack angelegt. Des Gar=
tens des Freiherrn von Pronay geschah schon frü=
her Erwähnung (S. 137).

Südlich von Schönbrunn in Altmannsdorf
hat Herr Camilla fünf artesische Brunnen ge=
bohrt, die ihm das reinste Wasser für eben so viele
Teiche liefern, in welchen er die Blutegel, die zu
Millionen nach Frankreich und England ausgeführt
werden, zieht und pflegt. Beiläufig bemerkt sind
dergleichen Brunnen in Österreich bereits seit an=
derthalb hundert Jahren gebräuchlich, wogegen 1833
der erste artesische Brunnen in Dresden ge=
bohrt wurde, der zugleich der erste in ganz
Sachsen war.

Von Hetzendorf gelangt man über das soge=
nannte Gatterhölzl nach Unter=Meidling. Das
Theresienbad und das kleine Schauspielhaus im
Schloßgebäude, das Pfannische stark besuchte Mi=
neralbad und die damit vereinigte Trinkkuranstalt,
mit niedlichen Gartenpartien, sind der Beachtung
werth.

Sievering, siehe Kahlenberg.

Sittendorf,
Sparbach,   } siehe Mödling.

Speising, siehe Hiezing.

Steinbach, siehe Hütteldorf.

11. Sulz. Man fährt nach Rodaun und in das
belebte Thal von Kaltenleutgeben. Von der Wald=
mühle erhebt sich auch ein, aber beschwerlicher Weg
nach der Ruine von Kammerstein (S. 267). Bei die=

fer Mühle fängt jedoch das eigentliche Thal an; es
führt nach dem Dorfe selbst, welches eine der schön=
sten Landkirchen in Österreich besitzt, deren Erbauer
Jakob Oekl gewesen seyn soll. Ihre Lage auf ei=
ner reichen Wiese im Süden des Dorfs ist malerisch;
der Hauptaltar besonders schön. Einen trefflichen
Punkt zum Überblick der Gegend gewährt ein nack=
ter, etwas vorspringender Felsenkogel.

Außerhalb Kaltenleutgeben ist die Straße den
Ridelberg aufwärts trefflich. Auf demselben, be=
sonders an der kleinen Kapelle, öffnen sich herrliche
Aussichten auf die Bergketten bis zum überragenden
Schneeberg, und rückwärts nach Nordosten auf
Wälder und Bergschluchten bis nach Wien hin und
nach Ungarn.

In der Tiefe liegt das Dorf Sulz, gleichsam
von einem ungeheuren Park umgeben, und doch
wieder frei genug, um Fernsichten zu gewähren und
Ausflüge zu gestatten. Man kann sich über Hoch=
rotherd, Breitenfurt und Rothenstadl
nach Rabaun, oder auf den Gießhübel,
oder über Heiligenkreuz und durch die Briel
nach Mödling ꝛc. begeben. Die Wege sind gleich
schön und mannigfaltig im Wechsel der Wald= und
Landpartien.

Das Wirthshaus in Sulz bietet zwar keinen
Überfluß, aber doch das Nothdürftige dar.

Sankt Veit, siehe Hiezing.

Böslau, siehe Baden.

12. Währing, fast unmittelbar an die Wäh=
ringerlinie gränzend. Der weitere Weg nach Wein=

haus erscheint ziemlich einförmig, doch zieren ihn schöne Gartenanlagen. Währing und Weinhaus werden häufig besucht. Nordöstlich hat man auf der Türkenschanze einen herrlichen Überblick der Gegend und der Stadt. Im nahen Gersthofe ist ein hübscher Garten; rund umher reiche Fluren. Auf dem Leichenhofe zeigt eine Inschrift auf einfachem Stein den Ort an, wo Heinrich Joseph von Collin begraben ist.

Von Gersthof führt eine vortreffliche Straße nach Pözzelsdorf (Pötzleinsdorf) und in den Park. Das Monument Alxinger's steht hier in einer Rotunde, von Gebüsch und belaubten Bäumen umgeben. Von den Anhöhen zeigen sich der Kahlen- und Leopoldsberg sehr malerisch. Besondere Aussichtsplätze sind: der Badetempel, von Pieringer erbaut, und das Schweizerhaus, dort nach Osten, hier nach Süden, und zum Überblick der Hauptstadt in ihrem ganzen Umfange. Den Eintritt in das Schweizerhaus sucht man an Wochentagen im Schloße oder in der Meierei nach, an Sonntagen ist es geöffnet; der Garten aber steht täglich offen.

Das Wirthshaus liegt der Kirche gegenüber; die Gemälde des Hoch = und Seitenaltars in dieser sind von Steiner.

Nordwestlich von Pözzelsdorf liegt Neustift, von Bergen und Rebenhügeln umschlossen. Der hier wachsende Wein ist von vorzüglicher Güte.

Auch nach Dornbach kann man von Pözzels-

274

dorf gelangen, und von dort den Heimweg über Herrnals nach Wien machen.

Weidling und Weidling am Bach, siehe Nußdorf.

Weidlingau, siehe Hütteldorf.

Weinhaus, siehe Währing.

Vierter Abschnitt.

Schlußbemerkungen und Erinnerungen, die Abreise von Wien betreffend.

I.

Empfehlenswerthe Erzeugnisse der Gewerbs-Industrie.

Ueber die hiesige Gewerbs-Industrie sind bereits früher einige Andeutungen gegeben (S. 106); an diesem Ort aber werden gewisse Artikel derselben in so fern noch namhaft gemacht, als sie die besondere Aufmerksamkeit im Allgemeinen ansprechen oder den Reisenden veranlassen können, etwas Ausgezeichnetes von Wien in die Heimat zu bringen. In dieser Beziehung sind empfehlenswerth:

1.) Ackerbauwerkzeuge, sowohl ökonomische als zur Statik, Dynamik und Hydraulik gehörige Maschinen von Burg und Sohn, auf dem Schaumburgergrund in der Favoritenstraße Nr. 73.

2.) **Bettdecken**, wollene und seidene, bei Michael Pichler, Kohlmarkt Nr. 1149, und bei Franz Keselhofer, am alten Fleischmarkt Laurenzerberg Nr. 716.

3.) **Blechwaaren**, lakirte, bei Christ. Kaufmann, Kohlmarkt zur grünen Lampe Nr. 1151, in der Fabrik des B. Toscani, Mariahilf Nr. 16 zum grünen Kranz; in der Niederlage Bischofsgasse Nr. 637 bei August Becker et Comp., ausgezeichnet schöne engl. u. französ. Tassen, wie auch mehre andere lakirte Blech= und Holzwaaren. Die Fabrik ist auf der Landstraße, Rauchfangkehrergasse Nr. 94.

4.) **Blond= und Zwirnspitzen** in der besten Qualität bei Ant. Kersa, Bauernmarkt, zum Pilger, dann bei Joseph Timar, Sailergasse Nr. 1093 zur weißen Fahne (s. S. 107).

5.) **Bronzewaaren**, in der Niederlage des J. Danninger, Stadt Eck der Schaufler= und Herrngasse Nr. 25; echte Mailänder Bronzewaaren, Stockuhren, Vasen, Leuchter, Schreibzeuge bei J. F. Rozet, Kohlmarkt Nr. 253; patentirte dergl. Lampen bei K. Demuth, Kohlmarkt Nr. 1152, und dergl. Waaren aller Art bei Jak. Weiß, Alservorstadt, Florianigasse Nr. 86.

6.) **Buchbinderarbeiten** werden vortrefflich geliefert von Heinrich Buchholz, im Schottenhof Nr. 136, von C. G. Müllner jun., Galanterie= und Futteral=Arbeiter, in der Kärntnerstraße Nr. 1053, und von Joseph Drechsler, zugleich Meister im Reinigen beschmutzter

Druckwerke, in der Leopoldstadt, Herrngasse Nr. 235.

7.) Drechslerwaaren, siehe Galanterie=Drechslerwaaren.

8.) Eisengußwaaren, Geschmeide, Uhr=ketten u. dgl. in der Fabrik des Jof. Glanz, Wieden, Hechtengasse Nr. 508. (Vergleiche darüber das früher Gesagte S. 194.)

9.) Fortepiano's; die trefflichsten bei Konrad Graf (k. k. Hof=Fortepianomacher) Wieden, nächst der Karlskirche zum Mondschein Nr. 102, dessen Vorräthe, Werkstätte und Fournierschneide=maschine sehenswerth sind; bei A. Stein, Erdberg im Rasoumovskyschen Gebäude, in Streicher's Fortepianofabrik, Landstraße Ungergasse Nr. 413; Wilh. Leschen (Hof=Fortepianomacher), Wieden Alleegasse Nr. 93 u. a. Noch verdienen genannt zu werden Seuffert und Seidler, Landstraße zum goldenen Engel Nr. 56, welche auch aufrecht=stehende Fortepiano's und Pedale verfertigen.

10.) Galanterie=Drechslerwaaren von ausgezeichneter Güte und zu billigen Preisen bei Christoph Dreher, große Schulenstraße Nr. 863, nämlich: Barometer und Thermometer, Billiard=kugeln von Kernbein, Damenbret= und Domino=spiele, feine Elfenbein= und Perlmutter=Arbeiten, Jagdsachen, Malerplatten, doppelte und einfache Perspektive, Schachspiele, Spielmarken alle Gat=tungen Spazier= und moderne Stöcke mit Schach=spiel, mit Fächer= Blas= und Pfeifenröhren, sehr zierliche und dauerhafte Zündmaschinen, Mundstücke

24

278

aus trefflichem Vernstein u. s. w.; ferner alle dergl.
Artikel bei Franz Demel, (k. k. Hof= und bürgl.
Kunstdrechsler) Kärntnerstraße Nr. 941.

11.) Galanterie=Stahlwaaren bei An=
ton Orth in der Kothgasse Nr. 82 zum Unter=
kämmerer, und in seinem Verschleißgewölbe in der
Stadt, Bognergasse Nr. 311; bei Karl Rupprecht
auf dem Breitenfeld, Magazingasse Nr. 84, und
vorzüglich bei Wilhelm Turiet auf dem Graben
im Trattnerhof Nr. 618 zum goldenen Degen.

12.) Glaswaaren, besonders schön bei Franz
Rohrweck, (k. k. Hof= und bürg. Glaser) am Gra=
ben Nr. 511, in der Handlung am Kohlmarkt Nr.
1152; bei Jos. Lobmeyr am Eck der Weihburg=
gasse Nr. 940.

Feine Malerei und trefflicher Vergoldung auf
Gläser liefert Anton Kothgaßner, Alservorstadt,
Währingergasse Nr. 275.

13.) Erzeugnisse aus gesponnenem Gummi=
Elastikum, als Schnürriemen, Hosenträger,
Kniebänder, Handschuhe, Damenmieder 2c., Erfin=
dung von Reithofer und Komp., in der Nieder=
lage, Herrngasse Nr. 253. (Vergl. S. 109.)

14.) Handschuhe, französische. Die besten
verfertigt Georg Jaquemar zn Mariahilf, Haupt=
straße Nr. 14 zum rothen Handschuh; dann Gustav
Autenrieth am Kohlmarkt Nr. 1150, Mart. Ja=
nitsch, Stadt Plankengasse Nr. 1061 und Charles
Chartrousse auf der Landstraße Nr. 107.

15.) Juwelierarbeiten s. S. 110.
16.) Kämme aus Elfenbein und Schild=

306

Kröte liefert ganz ausgezeichnet in mannigfaltiger Form die Grätzer Kammfabrik des Franz Straßfinger, deren Niederlage in der Kärntnerstraße Nr. 904 ist; dann Viktor Valadier am Kohlmarkt Nr. 257.

17.) Kappen, hier Kappel (Mützen) für Herren und Kinder reich und geschmackvoll mit Gold, Silber oder Seide gestickt, zum Gebrauch auf Reisen, auf dem Lande, im Zimmer, in der größten Auswahl bei Joseph Hiltner, Bischofsgasse Nr. 637, zur Krone, der Wollzeil gegenüber.

18.) Die Kinderspielerei= und Holzwaaren=Niederlage am alten Fleischmarkt Nr. 707 bietet nette Sachen, sogenannte Berchtesgadner Waaren, zum Verkauf und übertrifft an Reichthum bei weitem jene einst sehr berühmte Wallner'sche Niederlage bei Berchtesgaden selbst.

19.) Mathematische, optische und physikalische Instrumente bei Frz. Voigtländer in Gumpendorf, Hauptstraße Nr. 118; bei Gerhard Sadtler, Kärntnerstraße im Bürgerspital Nr. 1043; bei Wiedholdt, Leopoldstadt, Pratergasse Nr. 518, Karl Dietzler, Wieden, Hauptstraße Nr. 26, und in größter Vollkommenheit bei G. S. Plößl, Wieden, Feldgasse Nr. 215, Eck der Schmöllerlgasse, der seine Arbeiten sogar nach England versendet.

20.) Mechanische Arbeiten aller Art, insbesondere die von Davy erfundenen Grubenlaternen und künstliche Magnete von außer=

ordentlicher Kraft, liefert gut und billig der Mecha=
niker Eckling, Landstraße Erdberggasse.

21.) Muschelarbeiten, oder verschiedene
Geräthschaften, besonders für Damen, zusammen=
gesetzt oder verziert mit fremden Muscheln (eine ar=
tige Erfindung) sind billig zu haben am Stephans=
platz, Eck der Schulenstraße Nr. 871 im ersten
Stock und in der Niederlage, Kohlmarkt Nr. 1151.

22.) Nürnbergerwaaren von ausgezeich=
neter Schönheit und in großer Auswahl bei Joseph
Sauerwein am Eck der Bognergasse Nr. 309,
Joh. Bapt. Markhart am Graben Nr. 916, und
bei Seltenhammer und Pointner, Bischofs=
gasse Nr. 634.

23.) Packfong = Metall = Waaren aller
Art in Frank's Niederlage im von Pachnerschen
Hause am Graben Nr. 1133; Eingang in der untern
Breunerstraße.

24.) Papiertapeten, schön und geschmack=
voll, in der Fabrik von Spörlin und Rahn,
zu Gumpendorf Nr. 368, Niederlage in der Stadt
Kärntnerstraße Nr. 1043. Diese Herren besitzen auch
eine sinnreich eingerichtete Maschine zur Erzeugung
des endlosen Papiers bis zu einer Breite von
5 Schuh, täglich etwa 80 Rieß. Endlich verfertigen
sie die schönsten gefärbten, gedruckten und gepreßten,
vergoldeten und versilberten Papiere.

25.) Parapluies, siehe: Regenschirme.

26.) Parfümeriewaaren in vorzüglicher
Güte liefert Wenzel Storch in der Wollzeile Nr.
771, Mart. Friedfey, Weihburggasse Nr. 908,

Joh. Kleinschnitz, Singerstraße Nr. 878; Ant.
Mittrenga, Jungfergäßchen am Graben Nr.
613 zur Venus.

27.) Pedalharfen, ausgezeichnete, verfer=
tigt Franz Brunner, Kothgasse Nr. 82.

28.) Perlmutterarbeiten, feine, in der
Fabrik des Schmid, auf der Laimgrube Haupt=
straße Nr. 184.

29.) Pfeifenköpfe aus Meerschaum wer=
den nirgend besser und wohlfeiler als in Wien ge=
kauft, und zwar bei Heinrich Lütge in der Prater=
gasse Nr. 521, auch am Graben Nr. 619 am Eck
der Schlossergasse, dann bei Gottfried Lütge auf
dem Graben Nr. 1134, bei Sidon Nolze daselbst
am Eck der Spiegelgasse, mit bester Bohrung, Jos.
Dillinger, Kohlmarkt zum Türken Nr. 1152,
und bei Ignaz Prükner, Laimgrube, Hauptstraße
Nr. 171.

30.) Von (Silber=) plattirten Waa=
ren hält das reichste und sehenswertheste Lager
Stephan Mayerhofer am Kohlmarkt Nr. 253,
und zunächst J. Machts und Comp. Laimgrube,
Hauptstraße Nr. 184.

31.) Porzellan. Außerordentlich schöne Ge=
mälde auf Porzellan=Tassen und Tellern, Vasen,
Blumenstücke von seltener Größe, Lichtschirme u.
a. m. in der k. k. Porzellan=Manufakturniederlage
am Josephsplatz Nr. 1155.

32.) Rasirmesser aus Silberstahl, ein Paar
8 fl. K. M., an Güte und Brauchbarkeit den eng=
lischen gleich, in Feinheit des Schnittes und langer

Dauer diese übertreffend, Jedem der sich selbst rasirt vorzugsweise zu empfehlen, werden verfertigt und auf Probe gegeben von Leopold Salzgeber, auf der Seilerstätte dem k. k. Zeughause gegenüber Nr. 957. Rasirmesser von feinem Damaszener Stahl ein Paar von 3—18 fl. K.M. findet man bei Joseph Zimmermann, Herrngasse Nr. 31 und, wie diese, von ausgezeichneter Güte auch bei Gruner, Josephstadt, Kaiserstraße am Eck der Herrengasse.

33.) Regenschirme. Die besten findet man bei J. Riffel am alten Fleischmarkt Nr. 728, und bei Nikol. Winkelmann, am Eck der Adlergasse zu Ende der Rothenthurmstraße Nr. 723.

34.) Seidenzeuge von bester Qualität kauft man bei Christian Hornbostel in Gumpendorf Nr. 190, bei Alex. Daumas, Wieden, Schaumburgergasse Nr. 373, und in der Verkaufsniederlage des Franz Frischling am Graben Nr. 1105, bei Leop. Hofzinser daselbst zum schwarzen Adler Nr. 1094. Ungemein schöne Modeartikel in ganz- und halbseidenen, damastartigen glatten und gedruckten Meubles-Stoffen liefert die Fabrik des Jos. Nigri, auf dem Neubau, Rittergasse Nr. 184, 1. Stock (Vergl. S. 108).

53.) Shawls (S. 106). Der Preis der Wiener Shawls ist gegenwärtig auf seinem niedrigsten Standpunkt; ³/₄ breite broschirte Tücher mittlerer Gattung kosten 6—8 fl. K.M.; Shawls von 4 Ellen Länge und 2 Ellen Breite mit weißem oder

farbigem Grund und gewählter Deſſinirung wer=
den zu 20 bis 60 fl. K. M. verkauft.

Der Verkaufsniederlagen in der Stadt iſt frü=
her (S. 106) Erwähnung geſchehen. In den Vor=
ſtädten halten Lager von ſelbſt erzeugten Shawls:
Joſeph Burde, Grund Windmühl in Gumpen=
dorf, Schmiedgaſſe Nr. 108, der auch eine Nieder=
derlage zu den Fabrikspreiſen bei Joſ. Arthaber
am Stephansplaß hat; Jakob Thaller, Gum=
pendorf, Schmalzhofgaſſe Nr. 412; Franz Hardl,
Gumpendorf, Schmiedgaſſe Nr. 100, und Joſeph
Wolf, Schottenfeld, Feldgaſſe im eigenen Hauſe
Nr. 291 zu den drei Kronen. Leßterer erzeugt
Shawls aus Kaſimir= und Ternaux=Geſpinnſten.

36.) Schmuckwaaren, falſche, vorzüglich
zierlich und in großer Auswahl bei Joſeph Dunſt
auf dem Breitenfeld in der Andreasgaſſe Nr. 62.

37.) Schlöſſer, unaufſperrbare, in der Stadt
am Heidenſchuß zur Bleiflaſche, nächſt der Freiung
Nr. 237. Sie werden von J. Sammer verfertigt,
deſſen Fabrik in der Leopoldſtadt, Neugaſſe Nr. 119
befindlich iſt.

38.) Spielkarten, patentirte, aus der Fa=
brik des Max. Uffenheimer, findet man in der
Niederlage am Peter Nr. 577. Ungeſtämpelte wer=
den bloß für Ungarn und das Ausland verkauft.
Den Preiskourant erhält man unentgeldlich.

39.) Stahlwaaren, ſiehe Galanterie=Stahl=
waaren.

40.) Teppiche, ungemein geſchmackvoll und
dauerhaft, vorzugsweiſe im Verkaufslager der k. k.

Linzer Wollzeugfabrik auf dem alten Fleischmarkt im Laurenzergebäude Nr. 708; dann bei Jakob Perger, Webermeister in Gumpendorf, große Steingasse Nr. 106 und in seiner Niederlage, Rothenthurmstraße zum braunen Hirschen, Nr. 725.

41.) Wagenfabrikanten, deren Arbeiten durch Schönheit und Dauerhaftigkeit sich auszeichnen, sind Simon Brandmayer in der Rossau, Schmiedgasse Nr. 94 (Vergl. S. 262); Ludwig Laurenzi, daselbst Nr. 108; Nikolaus Koller sel. Witwe, Leopoldstadt dem Theater gegenüber in der Czerningasse Nr. 538; u. a. m. Die meisten Wagenmagazine befinden sich aber in der Jägerzeil, woselbst fast täglich eine bedeutende Anzahl von Wagen zur Schau ausgestellt wird.

42.) Weberkämme und Weberblätter oder Riethen (für Fabrikanten). Die Weber bedienen an ihren Stühlen sich sogenannter Blätter von Messing oder Stahl, durch welche die Kettenfäden nach der Ordnung eingereiht werden. Sie wurden bisher mühsam von der Hand gebunden, indem die Riethen mit mathematischer Genauigkeit in gleichen Abständen eingesetzt werden mußten. Diese mühsame Arbeit führt jetzt eine Maschine aus, die der Engländer Fletschner in Gesellschaft des Kaufmanns Bearzi auf der Wieden in der Heugasse Nr. 114 errichtet hat. Es ist dieß eine Verbesserung der ursprünglich in England gemachten und dann in Frankreich ebenfalls angewandten Erfindung, dem Gewebe aller Art Gleichheit und Schönheit zu geben, indem die Feinheit der Kämme bis auf 3440 Zähne

in der Wiener Elle gesteigert werden kann. Bestel=
lungen nimmt die Fabrik an, mit genauester An=
gabe des Maßes des Kammes, der Zahl der Zähne
und Leistenröhre, des Sprunges und Materials.
Der Preis für 100 Zähne ist hiernach verschieden
und von 14 bis 36 kr. bestimmt.

43.) Weißstickereien, ausgezeichnet und in
reicher Auswahl, vorzüglich bei Ant. Kerfa und
Jos. Timar (f. S. 107 und S. 276 Blondspitzen).

II.

Erfordernisse zur Abreise, und Art derselben.

1.) Will der Fremde die Rückreise antreten, so
empfängt er, gegen Abgabe des bei seiner Ankunft
ihm ertheilten Aufenthaltscheins, den für den Rück=
weg vidirten Paß von der k. k. Polizei=Ober=
direktion zurück.

2.) Mit dem Passe wird jedem Reisenden, der
sich nicht der Extrapost bedient, zugleich ein auf
drei Tage gültiger Passirschein eingehändigt,
welcher bei erfolgender Abreise dem an der Linie
aufgestellten Polizei=Unteroffizier übergeben wer=
den muß.

3.) Ist wegen verzögerter Abreise die im Pas=
sirschein bestimmte dreitägige Frist abgelaufen, so
hat der Fremde sich um einen neuen Schein im
Paßamte der Polizei=Oberdirektion zu bewerben.

4.) Alles was S. 10 u. f. von der Art und Weise zu reisen überhaupt bemerkt ist, findet auch auf die Rückreise volle Anwendung und ist dort, besonders in Beziehung auf den Gebrauch des Postwagens, der Eil- und Separatfahrt, nachzulesen.

5.) Doch haben die mit Extrapost aus der Residenz Abreisenden einige besondere Vorschriften zu beobachten. Der Rückreisende muß nämlich

a) Beim Rückempfange seines Passes von der k. k. Polizei-Oberdirektion die Ertheilung eines Passirscheins auf Extrapostpferde ansuchen.

b) Gegen diesen Passirschein wird in der k. k. geheimen Staatskanzlei, Ballplatz Nr. 19, ein Erlaubnißzettel zur Abreise mit Postpferden ertheilt, ohne welchen ihm weder in der Residenz, noch in einem Umkreise von 6 Poststationen von derselben Extrapostpferde verabfolgt werden dürfen.

c) Den von der Staatskanzlei empfangenen Erlaubnißzettel bringt oder schickt der Reisende in das k. k. Hofpoststallamt, in der Stadt neben der k. k. Hauptmauth Nr. 663, und bestellt die erforderliche Zahl der Extrapostpferde (S. 13 u. f.). Das Rittgeld für die erste Poststation wird bei der Bestellung erlegt, auf den folgenden Stationen aber dem Postillon eingehändigt.

d) Bei der Abreise aus der Residenzstadt wird eine halbe Post, wegen poste royale, mehr bezahlt, jedoch ohne Folgerung für die nächstgelegenen Poststationen.

e) Der mit Extrapost Reisende hat an der Li-

nie der Polizeiwache lediglich seinen Paß vor=
zuweisen, damit sein Name und Stand und der
Tag der Abreise eingetragen werden kann. Das
Verzeichniß der täglich ein= und auspaffirenden Rei=
fenden liefert die k. k. priv. Wiener=Zeitung.

6.) Jeder Reisende, welcher mit andern Gele=
genheiten als der Extrapoft, von der Refidenzftadt auf
der erften Poftftation ankommt und mit der Poft
weiter befördert werden will, hat nicht nur den sub
b erwähnten Erlaubnißzettel bei dem k. k.
Hofpoftftallamt in Wien zu deponiren, sondern auch
noch von Seite deffen einen Amtspaß sich zu er=
bitten, ohne deffen Vorweisung ihm in einem Um=
kreise von sechs Poftftationen kein Poftpferd einge=
spannt werden darf (Vergl. c.).

Diesen Amtspaß hat die betreffende Poftftation
zurück zu behalten und aufzubewahren.

7.) Will der Fremde hier erkaufte Waaren
mitnehmen, so frage er im Oberamte der Haupt=
mauth nach, ob und welche Freibollete er nöthig
habe?

8.) Die Weiterbeförderung der Rei=
fenden und Güter überhaupt beforgen au=
ßerdem:

Joseph Geffelbauer auf dem alten Fleifch=
markt Nr. 694 zum weißen Wolf, nach Preß=
burg, Pefth, ganz Ungarn und Sieben=
bürgen.

Die Wiener Schifferkompagnie, in
der Leopoldftadt am Geftade der Donau, expedirt

alle Samstage ein Schiff nach Preßburg oder Pesth.

Franz Fink, bürgerlicher Schiffmeister, wohnhaft in der Jägerzeile Nr. 527 im 2. Stock, erbietet sich zur Verschiffung von Kaufmannswaaren und sonstigen Frachtstücken von Wien nach Preßburg, Pesth und weiter nach Semlin bis Gallacz; übernimmt auch Waaren nach Linz, Regensburg, Ulm bis Günzburg. Das Magazin ist in der Leopoldstadt an der Holzgestätte Nr. 575.

Eine hier bestehende Aktiengesellschaft hat eine regelmäßige Donaufahrt mit Dampfschiffen eingerichtet. Die Abfahrt geschieht jedoch nicht von Wien, sondern von Preßburg. Beim Beginn dieser Dampfschifffahrt im Monat März oder April werden die Abfahrttage öffentlich bekannt gemacht und der Reiselustige kann alsdann eine solche Fahrt von Preßburg nach Pesth, oder weiter abwärts nach Semlin, Moldava, Orsova bis Galacz unternehmen. Die Anmeldung dazu in Wien geschieht in dem Bureau der Administration, Wollzeil Nr. 869, und der Schiffmeister Franz Fink hat die Verbindlichkeit, die Reisenden von Wien in einer bestimmten Zeit auf einem leichten Donaufahrzeuge nach Preßburg zu befördern. Der Tariff für die Reisenden ist folgender:

Tariff für Reisende.

Abwärts.

		Konventions-Münze.	
	2. Plaß.	**1. Plaß.**
Von Preßburg nach Gönyö	fl. 3. —	fl. 4. 30
» » » Komorn	» 3. 20	» 5. —
» » » Gran .	» 4. 40	» 7. —
» » » Pesth .	» 6. —	» 9. —
Von Gönyö nach Pesth . .	» 3. —	» 4. 30
» Komorn » » . .	» 2. 40	» 4. —
» Gran » » . .	» 1. 20	» 2. —
Von Pesth nach Földvar .	» 2. 20	» 3. 30
» » » Paks . .	» 3. —	» 4. 30
» » » Tolna . .	» 3. 40	» 5. 30
» » » Baja . .	» 4. 40	» 7. —
» » » Mohács .	» 5. 20	» 8. —
» » » Apatin . .	» 6. —	» 9. —
» » » Bukovár .	» 7. —	» 10. 30
» » » Neusaß . .	» 8. —	» 12. —
» » » Semlin .	» 10. —	» 15. —
» » » Kubin . .	» 11. —	» 16. 30
» » » Baslasch od. Moldava	» 12. —	» 18. —
» Moldava n. Widdin .	» .	» . —
» » » Nicopoli	» 13. --	» 22. —
» » » Giurgevo u. Ruszuk	» 18. —	» 28. —
» » » Silistria	» 22. —	» 35. —
» » » Hirsova	» 28. —	» 44. —

Der Fremde in Wien. 3. Aufl.   25

290.

	2. Plaß.	1. Plaß.
Von Moldava u. Braila, od.		
Galacz fl. 30. —	» 50. —
» Preßburg » Nicopoli » 31. —	» 49. —
» » » Giurgevo u,	
Ruszuk » 36. —	» 55. —
» » » Silistria » 40. —	» 62. —
» » » Hirsova . » 46. —	» 71. —
» » » Galacz . » 48. —	» 77. —

Aufwärts.

	2. Plaß.	1. Plaß.
Von Pesth nach Gran . . » 1. 10	» 1. 40
» » » Komorn . » 1. 40	» 2. 40
» » » Gönyö . . » 2. —	» 3. —
» » » Preßburg . » 4. —	» 6. —
Von Gran » » . » 3. —	» 2. 30
» Komorn » . » 2. 20	» 3. 20
» Gönyö » . » 2. —	» 3. —
» Moldava nach Pesth . » 10. —	» 15. —
» Kubin » » . » 9. —	» 13. 30
» Semlin » » . » 8. —	» 12 —
» Neusatz » » . » 6. —	» 9. —
» Bukovár » » . » 5. 40	» 8. 30
» Apatin » » . » 4. 40	» 7. —
» Mohacs » » . » 4. —	» 6. —
» Baja » » . » 3. 40	» 5. 30
» Tolna » » . » 3. —	» 4. 30
» Paks » » . » 2. 40	» 4. —
» Földvar » » . » 2. —	» 3. —

Kinder unter 10 Jahren bezahlen die Hälfte des
Preises.

Eine leere Kalesche von Preßburg nach Pesth oder zurück 12 fl. K. M.

Ein gedeckter Wagen . . . . . . 18 » »

Eine leere Kalesche von Pesth nach Baja oder Mo= hacs oder zurück . . . . . . 8 fl. K. M.

Ein gedeckter Wagen . . . . . . 12 fl. K. M.

Eine leere Kalesche von Pesth nach Neusatz, Semlin oder zurück . . . . 12 fl. K. M.

Ein gedeckter Wagen . . . . . . 18 » » »

Eine leere Kalesche von Pesth nach Moldava oder zurück . . . . 14 fl. K. M.

Ein gedeckter Wagen . . . . . . 21 » » »

Eine leere Kalesche von Wien nach Giurgevo oder zurück . . . . 50 fl. K. M.

Eine leere Kalesche von Wien nach Galacz oder zurück . . . . 70 fl. K. M.

Die Reisenden, deren jeder 80 Pf. Gepäck frei hat, finden am Bord einen Restaurateur, und wer= den abwärts von Boot zu Boot von Preßburg bis an den bedungenen Ort gestellt. Von Galacz besteht eine Verbindung mit dem Dampfschiffe, wel= ches die Fahrt nach Konstantinopel und Smyrna macht. Aufwärts liefert das Boot die Reisenden bis nach Orsova; sobald hier die Kontumaz beendet ist, begeben sie sich zu Lande von Orsova nach Neu= Moldava auf eigene Rechnung, wo der Agent Herr Laz. v. Popovics in Orsova für die billigste Beför= derung sorgt.

J. P. Moshammer, Kommerzial=Briefträ= ger, Stadt, im Gasthofe zur Dreifaltigkeit Nr. 197.

*

befördert Reisende und Güter nach Steier, Linz, Salzburg, Innsbruck, Braunau, München und nach Regensburg.

Franz und Komp., Leopoldstadt, Taborstraße Nr. 316 zum schwarzen Adler, verführt bloß Güter nach Böhmen, Sachsen, Lüneburg und in die Hanseestädte.

Franz Bindtner, alte Wieden Nr. 8, und Weihburggasse Nr. 939, befördert vorzüglich Reisende nach Triest, Mailand, Rom und Neapel, nach Straßburg und Paris.

Schmiedt und Caffou haben zwei Schreibstuben, die eine zur Güterbeförderung nach Mähren und Polen, Leopoldstadt, Taborstraße Nr. 310 zum goldenen Löwen; die zweite zur Güterversendung nach Baiern und Italien, auf der Wieden, Hauptstraße Nr. 450 zur grünen Weintraube.

Eilfrachtwagen, welche täglich von Wien nach Prag abgehen und die Frachtstücke in drei Liefertagen von hier nach Prag, oder von Prag nach Wien befördern, werden besorgt in Wien von dem bürgerl. Handelsmann Jos. Schober in seinem Verladungsmagazin, Leopoldstadt, große Fuhrmannsgasse zur österreichischen Kaiserkrone Nr. 482, und in Prag von Lor. Buxbaum's Witwe.

Außerordentliche Reisegelegenheiten nach allen Richtungen werden auch in der k. k. privil. Wiener Zeitung angekündigt.

9.) Im Allgemeinen besorgen die Kommerzialbriefträger dem Fremden die bei der Hauptmauth nöthige Verzollung, spediren Personen und Güter

nach beſtimmten Preiſen und ſind in Wochentagen
von 9—2 Uhr auf der Hauptmauth anzutreffen.

Um aber dem Fremden und dem Geſchäftsmann
überhaupt einen Maßſtab für die Fra ch tprei ſ e
von Wien nach andern Handelsplätzen zu geben,
wird nachfolgend eine Tabelle mitgetheilt, aus wel=
cher die Liefertage, der Frachtbetrag und die Valuta
deſſelben zu erſehen iſt. Die bemerkten Preiſe wech=
ſeln zwar nach dem Angebote der Fracht, können
jedoch im Durchſchnitt als Normalbeſtimmung gelten.

Fra ch tprei ſ e*)

für einen Wiener Centner ohne Verbindlichkeit,
wobei die Liefertage von Wien aus beſtimmt ſind:

Liefertage.		Fracht.	Valuta.	Mauth und Zölle.
18 Altenburg . .	fl.	4¼	P. C.	exclus.
18 Annaberg . .		3⅓	»	»
20 Auerbach . .		3½	»	»
20 Aſch		2¾	»	»
18 Augsburg . .		4¾	K. M.	»
24 Bamberg . .		5½	»	»
20 Baußen . .		3⅔	P. C.	»
26 Berlin . . .	7—6¾		»	»
16 Böhm. Leipa .		2¼	K. M.	»

---

*) P. C., heißt Preuſſiſch Courant; K. M. Konven=
tions=Münze: 3 Zwanziger = 1 Gulden; gr. Ein
Groſchen, 10 gr. = 1 Gulden K. M.

Liefertage.			Fracht.	Valuta.	Mauth und Zölle.
30	Braunschweig .	fl.	8	K. M.	exclus.
36	Bremen . .		9	»	»
18	Breslau . .		$3^1/_3$	P. C.	»
32	Bern . . .		$8^1/_2$	»	»
4	Brünn . . .	gr.	18	K. M.	»
8	Budweis . .	fl.	$1^1/_4$	P. C.	»
16	Brieg . . .		$3^1/_3$	»	»
32	Basel . . .		$8^1/_2$	»	»
18	Chemnitz . .		$3^1/_3$	»	»
22	Cottbus . .		$4^1/_2$	»	»
20	Crimmitzschau.		$3^2/_3$	»	»
28	Cassel . . .		$6^1/_2$	K. M.	»
24	Coburg. . .		$5^1/_2$	»	»
32	Constanz . .		7	»	»
20	Camenz . .		$3^1/_3$	P. C.	»
18	Dresden . .		$3^1/_3$	»	»
24	Eisenach . .		6	»	»
26	Erfurth . .		6	»	»
14	Eger . . .		$2^1/_2$	K. M.	»
26	Frankfurth a. M.		6	»	»
28	Frankfurt a. d. O.		$6^3/_4$	P. C.	»
22	Freiberg in Sachs.		$3^1/_2$	»	»
18	Freib. in Pr. Schl.		$3^1/_4$	»	»
20	Frankenberg .		$3^1/_2$	»	»
22	Gera . . .		$4^1/_2$	»	»
20	Glauchau . .		$3^3/_4$	»	»
20	Görlitz . . .		$3^1/_4$	K. M.	»

Liefertage.	Fracht.	Valuta.	Mauth und Zölle.
24 Gotha . . .	5½	P. C.	exclus.
10 Gräß . . . gr.	26	K. M.	»
20 Greiß in Sachs. fl.	4½	P. C.	»
20 Grossenhayn .	3⁶/₄	»	»
18 Gabel . . .	2³/₄	»	»
18 Goldberg . .	3¼	»	»
24 Großglogau .	4½	»	»
32 Haarburg . .	8½	K. M.	»
30 Halle an d. Saale	6³/₄	»	»
32 Hamburg et Altona	8½	»	»
34 Hanover . ,	8¼	»	»
20 Haynichen . .	3½	P. C.	»
34 Hildburghausen	8	K. M.	»
20 Hof	4	»	»
20 Hohnstein . .	3½	P. C.	»
20 Herrnhuth . fl.	3¼	»	»
20 Hirschberg in Pr. Schlesien . .	3¼	»	»
20 Hirschb. im Voigtländischen . .	3³/₄	»	»
28 Heilbronn . .	8	K. M.	»
8 Iglau . . .	1	»	»
12 Jägerndorf .	2	»	»
20 Jauer . . .	3¼	»	»
14 Klagenfurt .	2¼	»	»
10 Kuttenberg .	1½·1⅓	»	»

Liefertage.	Fracht.	Valuta.	Mauth und Zölle.
20 Landshut in Pr. Schlesien . .	3¼	P. C.	exclus.
22 Lauban	3½	»	»
16 Laibach . . .	1¾	K. M.	»
20 Leipzig . . .	4¼	P. C.	»
28 Lemberg . . .	4	K. M.	»
18 Liegnitz . .	3⅓	P. C.	»
22 Loebau . . .	3⅓	»	»
24 Lauenburg .	4	»	»
20 Lengenfeld in Sachsen . . .	3½	»	»
20 Lichtenstein in Sachsen . .	3½	»	»
8 Linz	1⅓	K. M.	»
32 Lübeck	8¾	»	»
32 Lüneburg . .	8½	»	»
28 Lindau	7	»	»
26 Magdeburg .	5¼	P. C.	»
22 Meissen . . .	4	»	»
28 Mainz . . .	8½	K. M.	»
20 München . .	4	»	»
18 Mittelwalde .	3	P. C.	»
24 Naumburg .	4½	»	»
20 Neisse . . .	3¼	»	»
20 Nürnberg . .	4	K. M.	»
20 Oederan . .	3½	P. C.	»
10 Ollmütz . .	1¼	K. M.	»

Liefertage.		Fracht.	Valuta.	Mauth und Zölle.
12 Oppeln.		3¼	P. C.	exclus
20 Oschatz.		3½	»	»
12 Pirna		3¼	»	»
18 Plauen.		4	»	»
12 Prag	gr.	35—36	K. M.	»
12 Pilsen :		34—36	»	»
28 Potsdam	fl.	7	P. C.	»
18 Regensburg		3	K. M.	»
18 Reichenberg		2¼	»	»
18 Ronneburg in Sachsen		4¼	P. C.	»
16 Rumburg		2¼	K. M.	»
20 Rochlitz in Sachsen		3¾	P. C.	»
24 Saalfeld		5	»	»
20 Salzungen		8	»	»
20 Schneeberg		3½	»	»
20 Schleitz		4	»	»
28 Straßburg		2	K. M.	»
26 Stuttgart		7	»	»
18 Schmiedeberg		3¼	P. C.	»
24 Sorau in Preuß. Schlesien		3¾	»	»
14 Salzburg		2	K. M.	»
30 Schaffhausen		8	»	»
20 Triest		2½	»	»
12 Troppau	gr.	30	»	»
16 Töplitz	fl.	2	»	»
16 Teschen	gr.	32	»	»

26

22 Torgau	. . fl.	5	P. C.	»
28 Ulm	. . . .	6	K. M.	»
20 Weyda	. . .	3½	P.'C.	»
26 Würzburg	.	5½	K. M.	»
20 Waldau in Pr.		3½	P. C.	»
82 Zürch	. . .	8½		»
20 Zittau	. . .	3¼		»
20 Zschoppau	. .	3½		»

10. Für Inländer, welche von Wien aus sich in einen zum Zollverein gehörigen Staat begeben wollen, werden wohl auch die nachstehenden Bemerkungen nicht unerwünscht seyn.

a) Reisende, welche Gepäck bei sich führen und weder mit der gewöhnlichen Post, noch mit Extrapost reisen, sind zur Anmeldung bei dem Grenzzollamte oder bei dem Anmeldungsposten verpflichtet, mit dem Unterschiede, daß sie letzterem nur ihren Namen, Stand und Wohnort, so wie den Namen und Wohnort des Fuhrmanns anzeigen und einen Schein darüber erhalten, mit dem sie sich bis zu dem Grenzzollamte ausweisen, bei welchem derselbe abgeliefert wird. (Zollverordnung vom 4. Dezember 1833. 4.)

b) Für alle vom Auslande eingehenden Straßen in die Staaten des Zollvereins, welche von Extraposten befahren werden, ist der Ort bestimmt, wo die mit Extrapost Reisenden verpflichtet sind, anzuhalten, ihr Gepäck zur Revision zu stellen und von zollpflichtigen Gegenständen die Eingangsabgabe zu zahlen. Gegen Leistung vollständiger Sicherheit für den höchstmöglichen Abgabebetrag kann die Revision beim Eingange unterbleiben; der Waarenverschluß muß aber angelegt und die weitere Behandlung einem zuständigen Amte im Innern, oder dem Ausgangs=Amte vorbehalten bleiben. (Daf. §. 38.)

c) Das Passagiergut auf gewöhnlichen Fahrposten wird im ersten Umspannungsorte revidirt und abgefertigt. (Daf. §. 37.)

d) Treffen die Grenzaufseher Reisende zu Wagen mit Gepäck, zu Pferde und zu Fuß mit Felleisen, entweder auf einem Punkte der Zollstraße, wo dieselben das Grenzzollamt schon im Rücken haben, oder außerhalb einer Zollstraße, so können sie, mit Ausnahme der mit den gewöhnlichen Posten oder mit Extrapost Reisenden, den Nachweis der geschehenen Meldung fodern. Erfolgt dieser, so müssen sie die Personen ohne Störung reisen lassen, im entgegengesetzten Fall aber zum nächsten Zollamte führen. (Daf. §. 103 f.)

e) Beim Eintritt in einen Staat des Zollvereins unterliegen keiner Abgabe

1) Gold und Silber, gemünzt, in Barren und Bruch, mit Ausschluß der fremden silberhaltigen Scheidemünze. (Zolltariff, Dresden, 4. Dezember 1833. 1 Abth. 14.)

2) Kleidungsstücke und Wäsche, welche Reisende zu ihrem Gebrauch mit sich führen; dann die Wagen der Reisenden, Reisegeräth, auch Verzehrungsgegenstände zum Reisegebrauch. (Daf. 17.)

3) Pferde sind steuerfrei, wenn aus dem Gebrauche, der von ihnen beim Eingange gemacht wird, überzeugend hervorgeht, daß sie als Zug= oder Lastthiere zum Angespann eines Reise= oder Frachtwagens gehören, oder die Pferde von Reisenden geritten werden müssen. (Daß. 2. Abth. 39. Anmerkung.)

4) Es bleiben bei der Abgabenerhebung außer Betracht und werden nicht versteuert alle Waarenquantitäten unter 4 (vier) Loth preuß. oder unter ⅟₁₀₀₀ des Zollcentners. (Daselbst 5. Abth. 9.)

5) Dagegen zahlen, unter Anderen, Waaren gefertigt ganz oder theilweise aus Gold, Silber, Platina, aus Perlmutter, echten Perlen, Korallen und echten Steinen, auch dgl. Waaren in Verbindung mit Alabaster, Bernstein, Elfenbein u. s. w., Meerschaum, unedlen Metallen, Schildpatt, unechten Steinen, Etuis, Taschenuhren, ganz fein lakirte Waaren, Regen= und Sonnenschirme per Centner beim Eingang 55 Rhtlr. oder 93 fl. 32½ kr. im 24 fl. Fuß. (Daß. 5. Abth. 20.)

Namen-Register.

A.

Abel, Joseph, Maler, Seite: 91.

Achamer, Joh., Stückgießer, 71.

Adam, J., Gartenbesitzer, 137.

Adolf, König Gustav, 106.

Albert, Herzog von Sachsen-Teschen, 76.

Alt, Maler, dessen Donauansichten, 16. 190.

Altomonte, Maler, 66. 67. 75. 88. 90. 91. 94. 260. 261.

Alxinger, des Dichters, Monument, 273.

Amalie, Witwe Kaisers Joseph I., 58.

Anna, Gemalin Kaisers Mathias, 77.

Amerling, Friedr., Maler, 255.

Armbruster, Karl, 27. 95. (Note.) Dessen Leihbibliothek, 122. dessen Buchhandlung, 160.

Artaria, Kunsthändler, 27. 95. 115. 197. 241.

Arthaber, Jos., dessen große Kurrentwaarenhandlung, 106. 283.

Ascher, F., 123.

Auerbach, Gottfr. Maler, 91. 211.

Auersperg, Fürst, Pallast, 87.

Autenrieth, Gustav, Handschuhmacher, 109. 278.

B.

Bäuerle, Adolf, Redakteur der Wien. Theaterzeitung, Seite: 121.

Barbarigo, Joh., Stuccoarbeiter, 94.

Bartsch, Geo., Manufaktur-Zeichnungslehrer, 164.

Baumgartner, Kapuziner u. Maler, 77. 89.

Baumgartner, Andreas, Dr. und Direktor der k. k. Porzellanmanufaktur, 122.

Bearzi, Kaufmann, 284.

Beck, Friedr., Buchhändler, 168.

Becker, Aug. u. Komp. Fabrik, 276.

Beer, J. G., Damenkleidermacher, 107.

Behsel, Ant., Baumeister, 33.

Berka, Ant. et Komp., Kunsthändler, 197.

Bermann, Jer., Kunsthändler, 95. 197. 241.

Bermann, Joh. Sigm., k. k. Hofbibliothek-Kunsthändler, 197.

Bertitsch, Jos., Seide- und Modewaarenhandlung, 107.

Beyer, Bildhauer, 254. 256. 269.

Bibiena, Ant. Galli von, Maler, 75.

*

Sach- und Orts-Register.

*

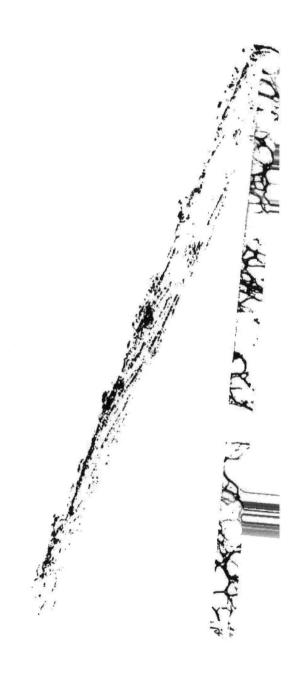

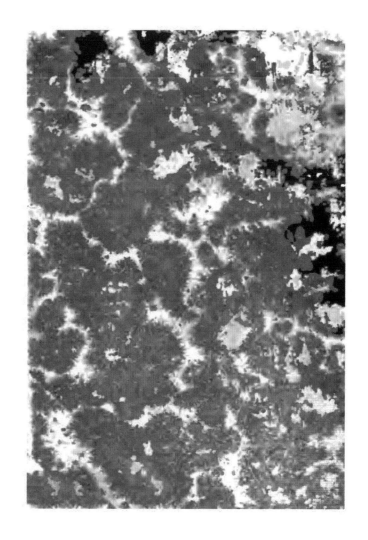